ゲームの世界に転生した俺が○○になるまで　1

Chiwako Fujiwara

藤原チワ子

Ruby collection

Contents

登場人物紹介

カリヤ

現代からの転生者でSランク生産職。
辺境に生まれ育ったため
自分の美貌に無自覚。

ウォルド・ティシア

王位継承権第二位の美貌の少年王子。
双子の姉と入れ替わり、姫君を装っていた。

カザリン・ティシア

ウォルドの双子の姉で、第一王女。ウォルド不在時には異母兄であるルシアンと王位を守る。

ルシアン・ティシア

第一王子だが王位継承権は持たない。ウォルドたちとは母親が違うが、良好な関係を築いている。

ナダル・コートレイ

ゲームでは戦闘職向けのクエストに登場する名前持ちのNPCだった。カリヤの理解者となるが…？

レド・ブラットル

領主の甥で、騎士。カリヤの能力を評価し小隊長に取り立てるが、周囲からは関係を誤解される。

イルマ

Aランク生産職の転生者。冒険者ギルドに所属し、SSSランクの戦闘系プレイヤーを兄に持つ。

サキタ

SSランクの戦闘系プレイヤー。とある事件がきっかけで、ティシア王家への復讐を誓う。

イデ

Sランクの戦闘系プレイヤー。サキタとともに現れる。加虐的な性格をしている。

ゲームの世界に転生した俺が○○になるまで　1

よくあるトラック転生というやつです

前世は日本のド田舎《いなか》でサラリーマンをしていた。享年二十九歳。

地元の国立大学卒業後、親のコネで地元金融機関に就職し、かなりお気楽に生きていたように思う。だって、残業なんてほとんどない職場だったしね。ノルマも伝手《つて》をたどれば何とかなった。

完全週休二日の職をゲットした俺は、趣味のネットサーフィンやゲームをのんびりやってれば楽しいという独身男だった。

なにせ田舎。

インドア派の人間には、身近な娯楽なんてそう多くない。

そして結婚したくても、適齢期の女性の数が少ない。

三男だから何が何でも結婚しなくてもよかろうと周囲を納得させたのは、結果的に早世してしまった身にはナイス判断だったと思う。

トラックにはねられました。

お得意様の、孫娘を庇《かば》って。

――ナイス、俺！

そりゃあもっと人生は楽しみたかったが、数少ない女の子の命を救った方が、世間にとっては有益だ。

そして気づくと、異世界に生まれ変わっていた。

すごいぜ、ライトノベルワールド！　異世界転生って本当にあったんだ！

前世に読みまくっていたネット小説では、転生主人公は零《ゼロ》歳児から無双していた。

王家や貴族の家に生まれたり、伝説の勇者と呼ばれたりもしていた。

――まぁ、そんな厨二《ちゆうに》病めいたテンプレ展開、存在していなかったけどね。

生まれは農民です。ド貧農です。

荒れた険しい山岳地帯で、小さな畑を耕してヤギ飼って暮らしていました。

転生チート的利点があったとすれば、前世で実家の手伝い程度だが農業の心得があったことくらいだろうか？

山肌にへばりついた猫の額みたいな大きさの畑に、元農家出身者として持てる限りの知識と技術（多分オーバーテクノロジー）をぶち込んだので、なんとか餓死は回避出来た。

それくらい貧しかったんだよ、俺の生家……。

ついでに学校の存在。何ソレ美味《オイ》シイノ？

山奥にはそんなもの、影も形も存在していなかったわ。

死ぬまで文盲だろうと覚悟していたが、十七歳にして生まれて初めて都会（という名の麓《ふもと》の村）に出た時、俺の運命は一変した。

店の扉に掛かった看板を、どうせ読めないだろうなーと眺めたら、何故《なぜ》か読めた。

文字は懐かしい日本語だった。


あわてて通行人にその村の名前を聞き、自分の住んでいる山岳地帯の名前を聞き、国の名前を聞き、そして理解した。

厨二病の神は死んでいなかった。

俺が二度目の生を受けたのは、前世でプレイしていたＭＭＯＲＰＧとそっくりな世界だった。

ＭＭＯＲＰＧとは、『大規模多人数参加型オンラインロールプレイングゲーム』の略称だ。インターネットを通じて、多数の参加者（プレイヤーと呼ばれている）が同時に遊べるゲームです。

幾つも存在していたＭＭＯＲＰＧの中で、俺がプレイしていたのはゴールデン・ドーン《黄金の夜明け》・オンライン。

中世風西洋ファンタジー世界を舞台とした、剣と魔法の王道ＲＰＧ。

俺はその《ゴールデン・ドーン》の攻略最前線で活躍していたプレイヤー――なんてことはまったくなく。

ちまちまアイテムを自作し、素材を自力で集めることが出来る腕を持つ程度の中堅生産職だった。

なんとか自画自賛するとすれば、素材を集めるのが趣味だったから、地理やら採集ポイントに異様に詳しかったくらいだろうか。

S《エス》ランクアイテムまでなら自作出来たよ！　SS《ダブルエス》とSSS《トリプルエス》はランクが足りなくて無理だけど！（失敗覚悟なら作れなくはないけど、ゴミは生産したくないんだ……）

それから狂喜乱舞でアイテム作製にのめり込んだ。だって、改めて確認してみるとゲーム内でプレイしていたキャラクターの能力がほぼ使えたんだよ。

夢が現実になったんだ。これを楽しまなくてどうする。

ゲイリアス山岳地帯（俺が生まれ育った故郷の名だ）を縦横無尽に走り回り、素材を採集してはアイテムを生産する日々。

人里離れた山あいの集落であるマイ・ホームタウンより、更に奥地に男の夢、秘密基地も自作。

ふふふ、アイテム作製楽しいよ、アイテム作製。

使い道なんてないんだけどさ。

ポーションと呼ばれる回復薬程度ならともかく、他の諸々《もろもろ》は農民にはオーバースペックすぎて、物々交換が基本の田舎じゃ取引さえ出来ない。

アイテムは所有数上限まで自分で保有、ついでにコンプリートすることに意味がある。うん。


そして現在。

俺、二十五歳。

十七歳で自分がゲームによく似た異世界に転生したのだと自覚して、それからいろいろあった。

幼馴染《おさななじみ》だった許嫁《いいなずけ》に婚約破棄されたり、早世した親の代わりに育ててくれていた祖父母が大往生したり。

ついでにこの辺りの素材で作れる限りのアイテムも作り終わった。

唯一の血縁であった祖父母を看取《みと》り、もうしがらみはなくなっている。

天涯孤独の身の上だ。

ならばやることのなくなった故郷を出て、残りの人生は《ゴールデン・ドーン》の世界を漫遊してもいいんじゃないだろうか？

田舎者だからこちらの常識にはかなり疎《うと》いと思うけど、なんとかなるだろう。

ゲームの知識があるし。

たとえば騙《だま》されて、ファンタジー世界お約束の奴《ど》隷《れい》として売り飛ばされても（勝手にお約束認定）、自力逃亡は可能！

SSSランクの最前線プレイヤーとは比べ物にならないが、戦闘能力もそれなりにあるんやでぇ……Bランクですが。

そういえば今世の祖父母が教えてくれたんだが、この世界では〝転生者〟と呼ばれる俺と同じ前世持ちが、数は少ないがいるらしい。

彼らを探して、前世の記憶を語り合うのもいいな。

皆、トラックにはねられてこの世界に転生したんだろうか……それはそれでちょっとつらい。

飼っていたヤギは売った。

秘密基地が見つかることはないだろう。山奥すぎる秘境に作ってしまったので……うん、利便性より男のロマンを具現化した。後悔はしていない。

あばら家は朽ちるに任せて、なけなしの畑の最後の収穫物は、これまで世話になった人々に配るか。

異空間にアイテムを収納出来る、転生者のチート能力〝アイテムボックス〟に旅の支度と全財産を入れ、まとめた野菜を背負って生まれ育った家を後にする。

我が家は、山あいの集落より更に標高の高い山腹に存在していた。

下へと降りていく険しい小道。行きはよいよい、帰りは……もう多分、二度と帰る予定はないけれど。

そうして降りた集落で、俺は戦争が起こっていることを知った。

軌道修正——俺の冒険はまだ先らしい

戦渦に巻き込まれた村は、真《ま》っ赤《か》な炎に包まれていた。

炎の中を敵の騎兵が駆け回り、逃げ惑う村人を背中から切り捨てていく——なんてファンタジー的展開は、もちろん起きていない。

十五歳ピチピチ勇者ならともかく、二十五歳ヒゲ農民だからね。戦争は村の高札で知っただけです。

そういや今世の俺の外見は、《ゴールデン・ドーン》でプレイしていたキャラクターと同じではない。

実際に生きているのだから、髪も伸びればヒゲも伸びる。

カミソリのような鋭利な刃物は持っていないので、適当にナイフで削《そ》いでいるヒゲ面は、あまり見た目は良くないかもしれない。

高地特有の強い陽光に痛んだ黒髪を背まで伸ばし紐《ひも》で無造作に一つにまとめた、ヒゲ面の、日焼けした細マッチョ(といえるほど筋肉はついていないが)。

それが転生した俺の現在のスペックだ。

実は日焼けしている訳じゃなく、そういう茶色味がかった肌色なんだが。

多分、この肌色は珍しいのだと思う。

褐色というか、前世で聞いたことのある『オリーブ色の肌』という形容が当てはまるんだろう。

瞳《ひとみ》の色もオリーブグリーン。プリズムの虹彩《こうさい》を残す、くすんだ緑。

まともな鏡を見る機会はこれまでなかったので、顔の造作についてはノーコメント。男は顔じゃないんだよ、顔じゃ。

マッチョ体型については、自分的には筋肉隆々を目指したかったんだが、生来の栄養状態がそれを許さなかった。

まぁ、アイテム職人に筋肉は必要ないから別にいいけれど。

身長はそこそこ。高すぎもしなければ低すぎもしない。地味だな、うん。

集落の広場には、掲げられた高札を取り囲むようにして何人かの村人が集まっている。

ちなみに高札は五年ほど前から掲げられるようになった。

もっと前から高札があれば、日本語の存在が分かったはずなんだが、読み書きの出来ない農民には過ぎた代物だ。立つようになったことだけを喜んでおこう。

輪に近づき、背負っていた野菜を足元に降ろすと俺は顔見知りに声を掛けた。

「なんだか深刻そうだな、アロワ。悪い通達？」

「カリヤ」

幼馴染である鍛冶屋《かじや》の息子は、俺の名を呼ぶと眉《み》間《けん》に刻んでいたしわを深くする。

「徴兵だ。さっきこれを立てに来た兵士が口上を述べていた。隣国と戦争がはじまったみたいで、うちの領主様も参加するらしい」

「……うわぁ……」

山岳地帯のモンスターは放置するけれど、税はきっちり徴収してみせる我らが領主様。

出来高の四割を取られているが、その税率が高いか低いか分からない。内政ゲームは守備範囲外だったからな。

読めもしない文字の書かれた高札を見上げながら、ひそひそと村人たちが話し合っている。

チラチラとこちらを見る視線に、ため息が漏れた。

「惜しかったな、カリヤ。もうちょっと早く村を出ていれば無関係だったのに」

数少ない友人と呼べる相手が、苦笑しながら肩を叩《たた》いてくる。

だな、と軽い調子で同意しながら、高札に書かれた文章を読む。

——我がティシア国は、ラギオン帝国と共に隣国クラシエルと戦争する、と。

ゲームでも帝国と名乗るだけあって、ラギオンは強国だという設定だったな。

この村からは、十五歳から四十五歳までの男七名を出さなきゃいけないらしい。

働き盛りの男の、三人に一人が参加するのか。それが多いのか少ないのかは分からんな。

従軍中の食事は支給、武器防具は貸与される。

ただし、集合場所である街までの移動は各自負担。

《ゴールデン・ドーン》内でも対人戦争イベントは存在した。

俺は一度だけ後方支援で参加したが、それほど面白く感じなかったので、以降その手のイベントには参加していない。

しかし徴兵ってことは、EランクのNPC扱いとしての戦争参加になるのか。

NPCは、ノン・プレイヤー・キャラクターの略だ。プレイヤーが動かすキャラクター（PCという略になる）とは違い、ゲームに用意された自動プログラムで動く登場キャラクターを指す。

それと同じなら、雑魚《ざこ》なので扱いは底辺になるはず。

うーん、いざとなったら敵前逃亡してもいいだろうか。

逃亡兵は死刑らしいが、見つかった時には本隊とはぐれたと、真顔で嘘《うそ》をつけばごまかせるかな。

「……村長に会ってくるわ。あ、野菜もらってくれ。どっちに転んでも、もう食わないだろうし」

「参加するつもりか？」

「おう。英雄になってくるなんて大口は叩けないが、逃げ回るのなら任せとけ」

俺が歩き始めると、周囲の村人たちが逃げるように身を引いて道を譲ってくれた。

八年前、村長の娘との婚約を解消してから、俺の村での扱いは腫物《はれもの》みたいなものになっている。

麓の村に奉公に行って、結局帰ってこなかった幼馴染の少女。

「待っていてね」の言葉が守られないことは前世で知っていたから、そう悲しくはなかった。

ド貧農の倅《せがれ》に嫁がせるよりは、小金持ちの方が良いって親心も理解出来るし。

伊達《だて》に歳《とし》は取ってないんだよ——通算五十四歳だっけ？

まあ、前世はノーカウントとして捉《とら》えている。今世の俺の精神年齢は、きっと外見に引きずられて若いはずだ。多分。


村を出ていく予定ではあったが、徴兵に自ら立候補した俺に村長は喜んでくれた。

戦争が終わっても、もう二度とここには戻らないことを告げる。

どこかほっとした表情を浮かべる村長から、俺は村から支給されるわずかばかりの旅費を受け取った。


参加する他の村人を選ぶのは時間がかかるだろう。先に集合場所に向かいつつ、のんびりと道すがら観光でもするつもりだった。

うん、気分は物見遊山だ。

せまりくる戦争という現実さえ、俺は遠足のついでみたいな気分で受け止めていた。

前世のゲームキャラクターの能力を引き継いでいるらしい転生者の戦闘能力は、ＮＰＣ設定であるこの世界の人間よりも高い。

ゲームではＮＰＣの成長限界はＢランクだった。

生産系プレイヤーだった俺の戦闘ランクもＢ。

普通の人間相手なら、対人戦闘でそう後れを取ることもないだろう。

あ、転生者同士じゃきっと無理。戦闘系ＳＳＳランクプレイヤーがもし敵方に存在するなら、瞬殺で終わる。

奴《やつ》らの〝神殺し〟の称号は伊達じゃない。

良くて、殲滅《せんめつ》。

悪けりゃ……いや、悪いことは考えちゃだめだ。

それを〝フラグ立て〟と人は言う。

祖父母の代から付き合いのある知人たちに別れを告げる。そうして俺は生まれ育った村を後にした。

なんと、戦う前に出世

俺が転生して育ったゲイリアス山岳地帯は、不毛の土地だ。

徘徊《はいかい》するモンスターのランクはCからB。奥深くまで入り込むと、最高ランクはSに達する。

世界の果てと呼ばれる辺境一帯に比べるとまだ温《ぬる》いレベルだが、初心者向けの中央国家群に属するエリアとしてはかなり厳しいだろう。

MMORPG《ゴールデン・ドーン》では、ゲイリアス山岳地帯は不人気エリアの一つだった。

なにせ、見た目が寂しい。

荒涼とした山肌がどこまでも続き、ろくに植物も生えていない。つまり、採集出来るアイテム量が少ない。

採掘ポイントも大規模なものはなく、SSSランクアイテム（オリハルコンとか）も産出しない。

そしてモンスターのランクも中途半端だった。

本格的にランクアップを目指すなら、プレイヤーは中央国家群を出て辺境で経験を積む。

――だけどそれは、前世のゲームの中での話だ。

転生した世界では、ゲイリアス山岳地帯は魔境に分類されている。

そんなゲイリアス出身の俺。

何故か役職小隊長からの軍隊生活スタートらしいです。


「カリヤが小隊長に選ばれた理由？　――字が読めるからだな」

「やはりですか」

故郷を出て二週間。

観光気分のままたどりついた集合場所、商業の街ルイセルの兵舎一角で、俺はがっくりと肩を落としていた。

何をしているかと言えば輜重隊《しちょう》の助っ人だ。

輜重隊とは、軍の後方で輸送や補給といった兵站《へいたん》を担当する部署らしい。

ルイセルでは、続々と集合している農兵を受け入れるための準備に追われ、事務処理が間に合っていない。

担当する騎士や職業兵士の数は限られている。そんな彼らを補佐するために、集まった徴集兵から事務仕事に使えそうな人材が引き抜かれていく。

この部屋には俺だけではなく、私塾の教師や商人といった面々がいた。

毛色の違う俺は目立つようだ。

うん、すり切れた衣服にボザボサの長い髪は、我ながらどう見ても山から降りてきたばかりの蛮族……せめて出発前に替えの服をどこかで買って、髪も切ろうと思っていたんだけど、実行する前に引き抜かれた。

兵に食料を支給している窓口で、あまりの手際の悪さについ帳簿管理の手助けをしてしまったんだが、それをたまたま目撃したのが、今ここで俺たち助《すけ》っ人《と》の指導をしている輜重隊所属の騎士様だった。

金髪碧眼《へきがん》の、まだ若い貴族の青年だ。

レド様、と他の下級兵から呼ばれていた。家名までは知らない。

生まれの良さが分かる柔らかな口調で、平民に対しても気さくに接してくれている。

おかげで集められた助っ人たちは、彼の好意に応《こた》えようと全力で働いていた。

ようやく仕事は落ち着き始め、こうして軽い会話をするだけの余裕が生まれている……何故かちょっかいをかけられるのは主に俺なんだが。

「読み書きが出来る人材は貴重だよ。覚えるだけの意欲と、そうして身につく教養を、私は重要視している」

「……」

実は、俺は故郷の村ではわざと文盲を装っていた。

理由は簡単だ。

面倒くさい雑用を押しつけられるから。

ふつうの農民が、読み書き出来ることは滅多にない。そういう教育を受けていないからだ。

だから周囲は俺に何も期待せず、俺も読み書きが出来ることは家族以外に告げなかった。

バレた途端にこの状態だから、隠していたのは正しかったんだろうな。

ド田舎《いなか》でどうやって字を覚えたのかという問いには、祖母から教わったという設定でごまかしている。

まだ転生者だということまではバラしていない。

……バラさなくてもいいよな。一介の中堅アイテム職人だし。

バラした後に『たいしたことないな』って言われたらなんか嫌だし。

レド様が、俺に優しく笑いかける。

「カリヤは暗算で四則計算も出来るからね。徴集兵でなく志願兵なら、今すぐ何も気にせずウチに引き抜いてしまいたいんだけど、そうするとゲイリアス一帯の徴集兵を束ねる適当な人材がいなくなるんだよ」

「俺より強くて、上に立って引っ張っていける者は多くいるはずですが」

「自分で考えて動ける人材をどうせなら登用したいからね。小隊長に抜擢《ばってき》したのは私だから、期待に応えて死なないように頑張りなさい。で、戦争が終わったらそのまま我が軍に残ってほしいのだけど……もしかして、故郷に待っている相手でもいる？」

かなり期待されてないか、とその問いに不思議に思った。

俺、自分で言うのも何だが底辺の農民だよ。

これはもしかして、この世界じゃそんなに身分の

差がないのか、もしくはレド様がお優しいのか
――後者だな。

わざわざ、故郷に残した家族のことまで考えてくれるなんて。

都会へと出ていく地方農民の奉公は、単身赴任が普通だ。

故郷に残された者は、長ければ数年間も都会で働く相手を待ち続ける。

結局、奉公から帰ってこない者も多い。

俺の許嫁《いいなずけ》がそうであったように。

「両親は早くに死に、祖父母も亡くなり、家族はもういません。わざわざ心遣いありがとうございます」

「カリヤさん、レド様は、これから家族に迎える相手があんたにいるのかどうか確認したいんだと思うよ」

宿屋を営んでいると初対面で教えてくれた男が、俺とレド様の会話に、面白そうに笑いながら首を突っ込んできた。

「良い相手は村にいなかったのかって」

「一人寝は寂しくなかったかってことだよな？」

笑っている既婚者の面々。

生活が安定しているから字も覚える。生活が安定しているから嫁ももらえる。ということで、この部屋で独身はド貧農の俺とレド様だけだ。

俺と彼では立場が違うだろうに……と思いながら、俺は楽しそうにしている彼らの話題に付き合う。

「俺の村じゃ、女が少ないので相手がいる方が珍しいですよ。山の麓まで下りると娼館《しようかん》があるから、皆連れだって通っていたみたいですがね」

「カリヤさんもそこに通ってたのか」

「通ってません。金がない。祖父母が死んで天涯孤独になりましたが、一人寝はしてませんよ。夜はヤギと寝てましたから」

「――」

「――」

「――」

ふと気づくと、誰《だれ》もが無言になっていた。

いたたまれない気持ちにさせる視線を浴びていた
俺は、首を傾《かし》げながら自分の発言を思い返す。

家畜と一緒に寝るのは、衛生的にやはりやばかったか。獣の臭いに関しては、消臭アイテムを自作して使っていたんだけど……。

「山の夜はかなり寒くなりますから。ヤギ小屋で凍死されても困ると、家の土間に入れていたんですが……じ、獣姦《じゅうかん》はしていませんよ？」

「あ、ああ、俺はもちろん経験なんてないが、試した奴《やつ》はかなり具合がいいとか言ってたから……」

「うん、悪くないらしいな、ヤギ……」

――するのか、獣姦。

元・日本人はそんなこと考えたこともなかったよ。

出来るんだ……いや、さすがにするつもりはない。

ヒゲよさらば

さて、ヒゲでも剃《そ》りに行くか。

輜重隊の仕事を終え、部屋を出た俺は自分のあごをさすりながら今後の予定について考えた。

さすがに、これ以上の外見の放置は周囲の目が気になる。

実は、俺の所属する隊は明日から戦場に向かうらしい。

俺を含めて二十九名、ようやく人数が揃《そろ》った。

このまま戦場に出てしまえば、身なりがどうこうとか言っていられなくなる。ゲームの世界らしく、軍には水魔法の使い手がいるから顔を洗うくらいは出来るだろうけど。

班ごとにカミソリの刃が支給されると聞いていたから待っていたのに、本当だったんだろうか。

まだ支給されていない。出発は明日だぞ。

せっかくだから床屋でヒゲを剃ってもらうついで

に、散髪もしてしまおう。

徴兵の呼びかけに従ってルイセルの街に集合しつつある兵士だが、基本、街を取り囲む街壁の中に入ることは禁止されている。

人数が多すぎるので、治安の悪化や衛生状態への懸念があるのかもしれない。

だから高い街壁を取り囲むように幾十ものテントを張り、徴集兵はそこで寝泊まりしていた。

俺が寝泊まりしているのも、そんなテントの一つだ。

各地から集まった兵を相手に、駐留地では商売をする者も現れる。

このまま移動する軍の後をついていって商売を続けるらしい。後方とはいえ危険もあるだろうに。商魂たくましいな。

そこの床屋でヒゲ剃りついでに髪も切ってもらうか。

自分の持つナイフのあまりの切れ味の悪さに、髪を切るのも面倒くさかったからな。

アイテム全般を作製するのが趣味な俺だが、武器防具もそこそこ作る。

ただ、プレイヤー属性で非金属を選択してしまったので、金属とは相性が良くない。俺のナイフの切れ味が悪いのはそのせいもあった。

「――カリヤ！」

兵舎を出て街の外に向かうか、と歩き出した俺の背に掛かる声。

呼び止めたのはレド様だった。

「たしか明日、戦場に向けて出発するんだったね。今日がルイセルで最後だろうけど、もう準備は終わったかい？　その、何も予定がないなら――」

「あ、今から髪を切るつもりです。ついでにヒゲも」

さすがにさっぱりしたいんで。苦笑しつつ答えたら、心なしか気まずそうにレド様が俺を眺めていた。

ち、注意したかったのかもしれないな、これまでの身なりを。

「なら、この兵舎の中にも床屋があるから、そこを使いなさい。大丈夫。私が話を通そう」

遠慮したんだが、結局レド様の厚意に甘えてしまった。

床屋として使われている兵舎の一室に、他の客の姿はなかった。

柄のついた手鏡らしきものが二つ、テーブルに伏せて置かれているのを見つける。出来を客に確認してもらうためのものだろう。

生まれ育った村には鏡なんて高級品は存在しなかったので、ちょっとテンションが上がった。

あ、桶《おけ》に溜《た》めた水で自分の顔を見たことはある。

そんなにひどくはなかったと思う。そ、それに男は顔じゃないし。

髪を切る前にまずヒゲ、ということで、椅子に座ってあごを上にあげた姿勢で目を閉じた。

泡立てたクリームを塗りたくる感触がどこかくすぐったい。

なめらかな刃が、手際よく泡の塊をすくい取っていく。

仕上げは、湯を絞った温かな布で顔を拭《ぬぐ》われた。

「これはまた……」

床屋の呟《つぶや》きが聞こえた後、特に指示がなかったので、もう終わったのかと閉じていた目を開く。

「すみません、鏡を貸してもらえますか？」

ぼおっとしていた傍らの床屋が、あわてた様子で手鏡を取って差し出したのを受け取る。

自分の顔を映し、素早く剃り跡を確認した。

――よかった、昔のことすぎて忘れかけていたが、剃り跡が青く目立つ体質ではなかったようだ。

うん、毛根が太いということもなかった模様。毛穴も目立っていない。

別にヒゲも、伸ばすのが好きで伸ばしていたって訳じゃないからな。切れ味のよいカミソリを持っていたら、前世のように毎日剃っていた。

明日からは気をつけて身なりを整えよう。

蛮族はダメだろうやはり。

「……日焼けしているのかとも思っていたけれど、元からそういう肌色なのかい、カリヤ」

「日焼けしてもしていなくても分からない色でしたね。はい、生まれつきです。山暮らしは日焼けしない方が良いので、服で隠すようにはしていますが、顔や手だけじゃなく他もすべてこの色です」

首まで保護している上着の襟口に指を掛け、少し下ろしてオリーブ色の肌をしていることを教える。

しかし……と、俺は鏡の中に映る自分の顔をまじまじと眺めた。

「えーっと、自分自身なのでこういう形容をするのは恥ずかしいんですが、わ、わりと良い顔してますかね、俺」

あ、レド様吹き出した。

いや、鏡に映っているこの顔、そこそこハンサムなんじゃないかと思ったんだが……自意識過剰か。

ゲーム内では好きな外見を設定出来るから美男美女があふれていたけれど、この転生した《ゴールデン・ドーン》の世界も見目麗しい者は多い。

レド様も、どちらかというと綺麗《きれい》系のナイスガイだ。

俺も多少はその恩恵に与《あずか》れたかと期待したんだが、まあ悪くはないみたい、ということで満足しておこう。

白いリボンの意味？

寝起きしているテントに戻ると、徴兵仲間のアロワに知らない人扱いされた。

気持ちは分からないでもないが、「どなた様でいらっしゃいますか？」は勘弁してほしい。

理由は分かっている。

多分、新しい上着と髪をくっている白いリボンのせいだろう。

上着はレド様から、小隊長なら着てもかまわないからと、正規兵の支給品をもらってしまった。

服の替えをまだ買っていないのがバレたんだと思う。

一応立派すぎると固辞したんだが、地位を推薦した私の立場も考えてくれと強引に手渡されたのでその場で袖《そで》を通している。

髪をまとめるリボンも、傷んだ部分を切ってもらった後にレド様が下さったものだ。

男女共に髪を長く伸ばす風習のあるこの世界で、俺も腰の上辺りまで伸ばした髪型にしている。

お洒落《しゃれ》を追求している訳ではない。耳や首回りに髪がかかっていないと、冬の寒さが堪《こた》えるという実用的な理由からだ。

冬以外の季節は、紐でくくっておけばいいし。

しかし、紐代わりに使えともらったリボンは、かなり目立つ気がしていたんだがやっぱりそうだったか。

真っ白な、汚れ一つない絹のリボン。

農民には過ぎた装身具です、レド様。

でも渡されたからには使わないといけないんだろうなぁ……。

「――ああ、カリヤか。そういやそういう顔だったな、おまえ」

ヒゲがなかったからすぐに分からなかった、とアロワが苦笑する。

知らない人扱いされたのは、上着やリボンのせいじゃなく、俺のすっぴんの方だったか。

「どこのお貴族様かと思った。ヒゲはどうした。好きで生やしていたんじゃなかったのか？」

「剃りたくても剃れなかったんだよ、ずっと。ほら以前、研いでくれって小刀を持っていったことがあっただろう？　もう無駄だって、溶かして鍋《なべ》の穴をふさぐのに使ったのはおまえだったじゃないか。あの小刀はじいさんの代から使ってたものだったのに」

「カミソリくらい、麓の村に降りたら普通に売ってたじゃないか……ああ、すまん」

麓の村から戻ってこなかった許嫁《いいなずけ》。

それから俺が、集落から一番近い村だが足を運ばなくなったことを、この幼馴染は知っている。

「そのうち気にしなくなったから放置で今に至っていた」

「なんというか、おまえらしい……」

気のいい性格が顔に出ている男が、ふと真顔になった。

こっちに来いと手招きされたので、テントの中央付近で向かい合って胡坐《あぐら》をかく。

ルイセルは待機場所だからテントに寝泊まりしていたが、そういえば明日から移動するから、毛布にくるまって地面に雑魚寝《ざこね》状態になるのか。

戦争をするのは収穫を終えた冬と相場は決まっているらしい。今は秋の終わりだ。

出来れば寒さに震えたくはなかったんだが。

まあゲイリアス山岳地帯よりは、平地の方が格段に過ごしやすいから、凍死はないだろう。多分。

雑魚寝か……と、髪をくくる真っ白いリボンの先を引っ張ってみる。

「これ、白いからすぐに汚しそうだ。もらい物をあからさまに汚しちゃまずいだろうな……気をつけないと」

「――あのさ、カリヤ。聞くのは野暮かもしれないが、その格好、最近話してくれたお貴族様とやらが用意してくれたんだろ？　寝てるのか？」

「は？」

おもわず首を傾《かし》げてしまった。

その寝るという意味は、気まずそうな様子からして、多分そういう意味だよな。

「いや、レド様は男だ」

「男だから言ってるんだよ。俺は早くに結婚したから誘われなかったが、おまえだって夜這《よば》いくらいしたりされたりし……てないか。おまえの住んでいる家、かなり遠かったものな。夜に向かうなんて死にに行くようなもんだ」

「まあ、夜は来ない方がいいな。道に迷うかもしれないし、たまにはぐれのモンスターも徘徊してる」

答えながら、俺は幼馴染が伝えたいだろうことを推測する。

夜這いは男女間で行われるものだと信じていたが、この世界は男同士でも行われるらしい。

俺は、貴族に体を委ねて小隊長職に就いたり服をもらったりしたと思われている。

どうやら村の男とも寝ていると思われていた。

「……おまえ、これまで俺のことをどう思っていたんだ？」

「怒るなよ。さっきのはナシだ。そういやずっとヒゲ面だった。久しぶりに見る顔に、ちょっと妄想が先走ってしまった。すまん」

謝ってきた男が、真面目《まじめ》な顔を続行したまま俺を見つめる。

「俺や村の者も世間知らずだと思うが、引きこもりだったおまえは更に輪をかけてる気がするからな。だから教えておく。よく聞け。今後、夜は一人で出歩くな。掘られたくなければ」

「……駐留地にも娼婦《しょうふ》がいなかったっけ？」

「ばかやろ。口説いて無理なら殴ればタダで使えるのに、なんで金を出さなきゃいけないんだって、思う野郎もいるんだよ。これから戦場で、血がたぎってどうたらこうたらって状態になるんだから。穴なんて、入れてしまえば大差ないんだ。ヒゲには勃《た》たなかったかもしれないが、なくなっちまったらな……声を掛けられた場合、おまえのお貴族様には悪いが、名前出して逃げろ」

「……リボンの件でもし絡まれたら、自分の名前を出していいって言われてる……なんとレド様、ご領主の甥《おい》だった。レド・ブラットル様」

「あ、それ多分牽制《けんせい》だ。まあ良かったな、貴族に後ろ盾についてもらえて。それなら襲われることはないだろ。――レド様が掘ろうとしてきたら、それは諦《あきら》めろ」

「うわぁ……」

戦場で命の危険を感じる前に、貞操の危険を感じてしまった。

ご所望されたら逃げてもいいだろうか――戦場からの逃亡は死刑だったよな。

……これは詰んだかもしれない。

弓を射るだけの簡単なお仕事です

農民である俺が、何故《なぜ》小隊長になれたのか。

字が読めたこともあるが、それだけではない。ゲイリアス山岳地帯出身者だけで一部隊が組まれたからだ。

強いモンスター（中央国家群では、だが）が棲《す》むゲイリアスの農民は、それらを狩るハンターでもある。

……正直に言うと、作物を育てているだけでは生きていけないほど痩《や》せた地なので、山でモンスターを狩るしかない。骨や皮は素材として売れ、肉は食べられる。食べられなくても食う。他に食べられるものが少ないので。

モンスターを狩らないと、生きていることさえ脅かされる、という深刻な現実があった。

なので、他の地域で平凡に暮らしていた農民に比べると、ゲイリアス出身者は腕に覚えがある者たちの集まりだ。大半の農民はＮＰＣの最低ランクＥだが、ゲイリアス出身者はＤランク。まれにＣランクもいる。

正規の訓練を施された職業兵は、最前線に配備される。ゲイリアス出身者の部隊は、遊撃隊としてそれに準ずる扱いを受けた。

『各個の判断で行動するべし』と、自由に敵軍を襲っていいそうだ。ついでに、戦場に迷い込んできたモンスターを見つけたら、排除しろとも命令された。

どちらかというと、そっちがメインだった。

今回、我が国が敵と対峙《たいじ》しているクロエ平原には、モンスターが出没する。

平原エリアに生息する固有のモンスターは、Eランクの雑魚《ざこ》。

問題は、それらをエサにする更に強いモンスターだった。

クロエ平原の東には、ブラック・フォレスト——通称『黒森』と呼ばれるエリアが隣接していて（そのまんまだが、ゲームの設定だったんだよ）、冬になるとそこに棲むモンスターが雑魚を喰《く》いにやって来る。

平均ランクはC。

たぶん素人《しろうと》でも成人男性なら集団で戦えば倒せるが、たまにいる高レベルの個体がヤバい。

そいつらを、自軍が展開している場所に近づく前に始末する。

ゲイリアス出身者にとっては簡単なお仕事です。

遠くから弓を射るだけです。

近づく前に始末出来なければ、肉弾戦に移行しますが。


「何故、夏に戦争しないんだろうな？　モンスターは襲ってこないんだろ？」

枯れた草のなびく草原をのんびりと見張りながらつぶやく幼馴染に、手に持つ弓の弦を張りなおしながら俺は答える。

「クロエ平原は、夏場は水が溜まって湿地帯と化すんだよ。虫がわいて、モンスターもいやがるらしい。だから、畑も作れないし人も住んでない」

「それもじいさんから教えてもらった知識？　カリヤのじいさんって物知りだったんだな」

「だねー」

本当は、俺の前世知識だが。

基本は世間知らずの癖に妙な部分で詳しい俺は、そのすべてを祖父母から教わったことにしている。

二人はどこからかゲイリアス山岳地帯にやってきたそうだ。そして村の外れに住み着いた。

何故かは聞かなかったので知らないが、俺と同じ色の肌をしていた祖母に理由があったのかもしれない。まあ、孫の勝手な推測です。

二人は確かに物知りだった。

おかげで、俺は大半のモンスターが食える。

「――修理、終わったぞ。そろそろ皆を呼んでくれ、アロワ。あ、今から俺、〝隊長〟な」

「サー、イエッサー！」

弓を受け取った幼馴染が、背すじをピンと伸ばして敬礼をする。

そのまま走り去る後ろ姿を苦笑しながら見送った俺は、座り込んでいた地面から立ち上がって肩を回した。

ヒゲを剃り、蛮族から優男《やさおとこ》にジョブチェンジした俺は舐《な》められた。

結果的に貴族のパトロンを持ってしまったことも、舐められることに拍車をかけた。セクハラもされた。

これまで一緒に山狩りをしたこともある、同じ村出身の仲間はアロワと共に協力する姿勢を見せてくれたが、同じ小隊に編入された他の村出身者がダメだった。

仕方ないから、〝とても軍隊らしい新人向け基礎訓練《ブートキャンプ》〟を、クロエ平原に到着するまで実行してみた。

誰《だれ》だって死にたくないよな。俺も嫌だ。ドがつく素人が戦場で死なないためには、訓練するしかないじゃないか。

アニメや漫画や映画、ライトノベル。前世のありとあらゆる厨二的知識を総動員し、ただの農民だった男たちを生まれ変わらせた。

正直に言おう。

楽しかったー！

「集まったか、ウジ虫共」

弓を背負い、きっちり二列に並んだ二十八名の部下の前に立つ。

出発前に一人一人の部下を確認し、準備の不足がないかを点検出来るのは小規模ゆえの利点だろう。

腰に巻いた革帯が緩んでいた一人の腹を蹴《け》る。

「――死にたくなければ、教えた通りに防具は身に着けろと言わなかったか？」

「も、申し訳ありません、つい！」

「返事は〝イエッサー〟か〝ノーサー〟だけだとも教えたな。すぐやりなおせ！」

「イエッサー！」

……楽しすぎて、ついやりすぎたかもしれないと今さらだが思う。

なんだか、皆から向けられている視線が恍惚《こうこつ》としているのは気のせいだろうか。

今蹴った奴《やつ》、腹じゃなくてもう少し下を押さえている気もするんだが、きっと気のせいだ。

うん、気のせい。

「今日も黒森の外周に沿って移動し、敵の姿を見つければ駆逐《くちく》し、モンスターを見つければ殲滅する！」

「イエッサー！」

「驕《おご》るな、先走るな。貴様らウジ虫一匹一匹の力などたかが知れてる。モンスターなら個を集団で包囲し、嬲《なぶ》り殺せ！」

「イエッサー！」

「決して連絡を怠るな。貴様らが連携をもって当たる限り、負ける敵じゃない。さあ、今日も始めようか。――蹂躙《じゅうりん》せよ！」

呼応する太い雄叫《おたけ》びが、クロエ平原に響き渡る。

あ、鳥が飛んで逃げた。うるさくしてごめん。

ちなみに、「イエッサー」や「ノーサー」という返答は、既に転生者が普及させていたのかすんなり通じた。

厨二的欲求に正直に従ったのは、俺だけではなかったらしい。

武器である弓を各自手にし、姿勢を低くした部下たちが黒森に向かって駆け出していく。

その後に続きながら、俺は背後を振り返った。

まばらに生えた木々や低木、背丈に届く高さまで成長する草のせいで、クロエ平原の見通しは悪い。

たぶん平原の中央付近に自軍と敵軍が陣を敷き、対峙しているのだろう。

遠目に窺《うかが》う限り、まだ本格的な戦争が始まっている様子はない。

――だが両軍の激突は、そう遠くない未来に行われるはずだった。

転生者の気配

「射《う》て！」

黒森の外周に身を潜め、敵国クラシエルの兵士の姿を認めると矢を射かける。

反撃はほとんどなかった。

あちらは遮蔽《しゃへい》物のない平地を移動していて、こちらは森に身を隠している。

徒歩で行動している兵は近寄って反撃される前に沈めることが出来たし、馬に乗っている兵も、森に誘い込まれる不利を自覚している。

かといって矢が届かないように森から距離を取れば、湿地に足を踏み入れることになる。

もう季節は冬なのに、何故夏の湿地が残っているのかって？

わざわざ作ったからに決まってるじゃありませんか。ティシア本軍から水魔法使いに来てもらって即席で。

正面からぶつかるのではなく、背後や側面からの奇襲を目的としているだろう小規模な敵部隊は、見つかれば撤退するよう命令されているのかもしれない。

なら、見つからないよう敵も黒森の中を移動すれば……と思うだろうが、そんな命知らずな真似《まね》は出来ないし、したくもないだろう。

黒森は、モンスターの出没する危険地帯だ。

俺たち遊撃隊が外周とはいえ潜んでいられるのは、俺お手製のモンスターよけの匂《にお》い袋のおかげだ。

役に立ったぜ、前世知識！　アイテムマスターは不遇職やなかったんや！

ちなみに、さすがに黒森に潜んでいられるのは昼間だけだ。凶暴な夜行性モンスターが出没するようになる夜は無謀。うちの部隊も森から遠く離れて休息を取っている。

モンスターよけを持たない敵が、黒森の中で行動するのは不可能――なはずだった。

「隊長、どうかしま……」

部下が掛けてくる言葉を、立てた人差し指を自分の口元に当てて制止する。

そのまま『静かについて来い』とハンドサインを送り、俺は気配を消して木々の間を移動し始めた。

昼でも薄暗い黒森の奥へと、少しだけ踏み入る。

だんだん近づいてくる、あらい息遣いと何かを咀《そ》嚼《しゃく》する音。

森のすこし開けた空間で、ゼペルと呼ばれるモンスターが一心不乱に地面を掘っていた。

ゼペルは、群青色の毛皮を持つ大イノシシだ。

種族のランクはC。まだ若い個体のようだったが、それでも普通のNPCの腕では仕留めるのは難しいだろう。

ゲイリアス出身者なら可能だと判断して、俺はモンスターを取り囲むように部下を展開させる。

〝新人向け基礎訓練《ブートキャンプ》〟の教えは浸透していて、部下は手の動きだけで命令を判断すると、音もなく移動した。

攻撃手順も指示し、モンスターの隙を窺う。

『――射て！』

前足で掘っていた穴にゼペルが顔を突っ込んだ瞬間を見計らって、一斉に強化された矢を放つ。

軍からの支給品を強化したのも俺です。

アイテム職人は、武器アイテムの強化も出来るんだよ……俺が可能なのは非金属製品だけだけどな。

夜なべした甲斐《かい》があった。

全身に矢を浴びたゼペルが、顔を穴から引き抜くと怒りの咆哮《ほうこう》をあげる。

硬直の効果を持つ咆哮に、数人がびくりと弓を取り落した。他の部下も動きを鈍らせる。

咆哮を無効化した俺は、魔法効果を付与した矢を大きく開けた口に向かって放った。

残念だが転生前のステータスを引き継いでいる俺に、ランクC程度の敵が放つ状態異常は効かない！

……すいません、生産職としてのランクがSなだけで、戦闘ランクはB止まりです。まあ今回は実力差があるから、大口を叩いてもいいよな？

火属性の魔法矢は、ゼペルの喉《のど》を体内から焼いてとどめを刺した。

もちろん、魔法矢も改造して効果を高めている。

横倒しに崩れ落ちたモンスターが動かなくなったのを確認する。

死骸《しがい》が転がる開けた場所に出ると、隠れていた部下たちも姿を現した。

「周囲に他のモンスターの気配なし。隊長、こいつはどうします？」

「警戒を続行しつつ、迅速に解体。こいつの肉は美味《うま》いからな。俺たちが食べて余った分は、本隊に差し入れて恩でも売っておこう」

男たちの間から歓声が上がった。

すぐに解体班、警戒班と担当が決まり、そのままの大きさでは運べない獲物を切り分ける作業が始まる。

「血の匂いが他のモンスターを呼ぶから、手早く行動しろよ」

「――いいのか？」

声を潜めたアロワが、心配そうに問いかけてくる。

「ゼペルが出現したという証拠を見せたいんだ。倒したって報告しても、信用されないのは嫌だしな。肉は美味いし、うまくいけばお褒めの言葉と共に酒くらいはもらえるぜ」

聞き耳を立てていたらしい周囲から、歓声が上がる。現金な男たちに苦笑しながら、俺はアロワに尋ねた。

「なぁ、このキノコ知ってるか？」

先ほどまでモンスターが掘り起こしていた部分を、つま先で示す。

そこには、土にまみれた白いキノコの残骸《ざんがい》がいくつも転がっていた。

「いや、ゲイリアスでは見ないキノコだな。黒森の固有種か？」

「ああ、もう冬なのに今から生える種類みたいですね。外周にも群生しているのを見かけました。ここのよりまだ小さかったですが」

「――そうか」

横から教えてくれた部下に頷《うなず》きながら、俺は膝《ひざ》をついた。

かじりかけのキノコを拾い上げ、手拭《てぬぐ》いで包んで潰《つぶ》さないように腰のポーチに仕舞い込む。

俺は――前世の俺は、このキノコを知っていた。実物を知っていた訳じゃない。《ゴールデン・ドーン》の攻略サイトに、スクリーンショットと共に紹介されていた。

一定の大きさに育つと、麻薬のような誘引力で野生モンスターを呼び寄せる。キノコに傷がついたら、誘引力はなくなるらしい。

黒森に限らず、自生するキノコじゃない。

それは錬金術で生み出される、モンスターを呼び寄せる罠《トラップ》アイテムだった。

錬金可能ランクはA。

《ゴールデン・ドーン》における、NPCの到達限界ランクはB。

キノコを生み出し、黒森に植えたのは、前世の知識とランクを有する転生者以外ありえなかった。

パトロン様に会いに行く

補給の時以外、本軍から帰ってくるなと言われているゲイリアス放流部隊だが、新鮮な食料（モンスター肉だけど）を手土産に顔を出してみた。

褒められた。賄賂《わいろ》の力ってステキ。

肉は、所属するブラットル軍で食べてしまう模様。ブラットルは俺の村を治めるご領主様の家名です。

まあ全員に行き渡るなんて無理な分量だから、主にお偉いさんが食べるんだろうな。骨は下々のスープの出汁《だし》になる、と。

いったいどれくらいの人数が今回の戦争に参加してるのかは知らないが、兵士全員に食べさせるのって大変だろうね。

そんな大変な兵站を管理していらっしゃる、レド様の元に顔を出しました。

今回の差し入れは、実は彼に会うのが目的だったりする。

……いや、男同士のただれた関係にふけるためではないぞ。

前世ではお相手は異性がいいなぁという性的指向の持ち主だったし、俺。

なにかと配慮してもらっているので、周囲は俺とレド様が愛人関係だと誤解しているようだが、別にズボンを下ろせと命令されたことはない。

何故か〝権力者のお手つき〟がステータスになる世界なんだよな、今世って……男でも女でもおかまいなしで。

前世のゲーム内ではまったくそんなことはなかったのに。

裏世界設定だったのか、それともゲームとは似て非なるパラレルワールドだからなのか。

まあ、異世界転移ではなく異世界転生をしてしまったんだから、『郷に入りては郷に従え』を実践するけどさ……。

「――でも出来れば掘られたくはない」

「カリヤ、どうかした？」

「いいえ、レド様。なんでもありません」

独り言が聞き取れなかったのか、不思議そうな顔をしているレド様に、にっこり笑ってごまかしてみた。

ただいま、深夜の逢《あ》い引《び》き中。

おそれ多くも、先ほど差し入れた肉についてねぎらいの言葉をいただきました。

それと一緒にあまり危険なことはするなと心配されてしまった。

レド様優しぃー。

モンスターが領地内で暴れようが放置の、ご領主様の血縁とは思えないぜまったく。

「そういえば、先日は魔法使いの方々を派遣していただきまして、ありがとうございました」

湿地を作るために魔法使いが必要だからとお願いして、手配してくれたのが彼だった。

ああ、とレド様が恥ずかしそうに微笑《ほほえ》む。

「彼らは役に立ったようだね。まさか乾いた土地に、再び水を溜めて湿地に変えるとは思わなかったよ。カリヤの発想は面白いね」

「そうですか？」

「わざと水なんて流したら、クロエ平原全体が湿地になるかとひやひやしたんだけれど」

「水魔法使い数人の魔力ではそこまで出来ませんよ。そうしたいなら、平原の西を流れる川から水を引いて流し込まないと無理でしょうが、全体を湿地にするメリットはあまりないですからね」

レド様が不思議そうに首を傾《かし》げた。

「――平原全体を湿地に変えてしまうメリットがあるとしたら、どういう場合だろうか」

「たとえば我が国が大敗して、逃げる時でしょうか。足止めになります。クロエ平原の西は帝国と接していますから、川の流れを変えるのは友軍である帝国の協力が必要になるでしょう」

今回の戦場、クロエ平原の西はラギオン帝国の領地だ。

北が敵国クラシエルで、南が我が国ティシア。

クロエ平原は、ちょうど三国が接する場所となっている。

夏は湿地帯になり、冬は東に隣接する黒森からモンスターが流れてくるので、どの国も自国の領地にはしていない。面倒なんだろうね、管理。

「物知りだね、カリヤは」

「いいえ、まったく。実は、今回本隊に足を運んだのも、レド様の知恵をお借りしたくて——」

言いながら、俺は昼間に採取した白いキノコを取り出した。

テーブルの上に置くと、レド様が興味深そうに眺める。どうやらこれまで見たことがないらしかった。

「黒森に生えていました」

「このキノコがどうかした？　食べられるのかな？」

「人間も食べられなくもないですが、モンスターが好むキノコです。じきに冬だというのに、黒森の外周に生えていました。……おそらくですが、黒森の奥深くに棲むランクの高いモンスターが、このキノコを食べようと外周近くまでおびき出されています。今夜、レド様がお食べになられたゼペルも、そうやって近くまで誘導されてきたモンスターでしょう。あいつは通常でしたら、クロエ平原近くには出没しません」

「——」

レド様の優しげな表情が引き締まった。

鋭い視線を向けられながら、俺は淡々と自説を披露する。

「……敵国の、仕業と思われます。おそらくはあちらの国の転生者が仕組んだ罠《わな》じゃないかと思うのですが。レド様、戦争中にモンスターをトレインしてくださ……いや、えっと、モンスターをおびき寄せて、敵をわざと襲わせる戦術を取ることはあるのでしょうか？　自らがおとりになって敵の陣に突っ込み、転移スキルで逃げるとか」

「モンスターを暴走させて襲わせるか。聞いたことはないが、転生者なら出来るかもね」

「なら、敵国はその手段を取ろうとしているのかもしれません。お気をつけください」

「上に伝えておこう。もしも自軍に近づくモンスターを見つけたら、これまでのようにカリヤたちが対処してくれ」

「本格的なモンスターの討伐なら、専門家である冒険者の方が適任では？」

「冒険者ギルドも今回の戦争に参加してくれているが、そちらには回せない。すまないが君たちだけで頼む」

「――了解です」

　この、《ゴールデン・ドーン》によく似た世界の戦争で、一番怖い存在は転生者だ。

　前世のゲームから受け継いだ、神をも殺すその圧倒的な能力で、モンスターと同じように人であろうが敵を殲滅する。

　SSSランクプレイヤーは国さえ簡単に落とす。

　まともに対抗出来るのは、同じ転生者のみ。

　戦場で激突する転生者たちを、遠巻きに見守って手助けするのがNPCたる一般人の役割です。

　どれだけ強い武器を扱えて、高い能力を持っていても、周囲のサポートがない限り転生者も戦い続けることは出来ない。

　そのサポートをするのが、彼らが所属している冒険者ギルドなんだとか。

　過去に転生者自身が設立したそうです。

　その総本部の所在地は、前世のゲームと同じくラギオン帝国。

　そして国ごとにある支部は、基本的にその国の方針に従って地元に協力している。個別に戦争にも参加する。

今さらだけど俺も、ティシアの冒険者ギルドに転生者として登録した方がいいのかね？

今回は後腐れなく村から出るために参戦したけど、出来れば戦争なんかしたくないんだが。元が生産職だからそこまで強くないし。

のんびり生きたいんだけどなー。

転生者だとバラすべきか、バラさざるべきか。

それが問題だ。


——キノコに関する報告も終わり、レド様の天幕を出る時に、髪をくくるリボンが似合っていると彼から褒められた。

もらい物はちゃんと日頃《ひごろ》から身に着けてますよー。

ご安心ください。

なにせ、着けているだけで俺の貞操を守ってくれるアイテムです。大事にしています。

別に今回も、ズボンを下ろすよう命令されることはなかった。

やはり彼はただの良い人なのかもしれない……ありがとうございます、レド様。

ご厚情に応《こた》えるべく、俺なりにがんばりますねー。

クロエ平原の戦い、開戦

一晩明けて早朝。

野営させてもらった本隊の水場で、歯を磨いていた俺に言った幼馴染の一言がひどかった。

「あれ？　カリヤ、お貴族様に朝メシ食べさせてもらえなかったんだ？」

「られがとまってふるとひった？（誰《だれ》が泊まってくると言った？）」

「いやだってオールナイトじゃ……あぁ、えっと、ほら、貴族って飽きるのも早いんだよ。良い夢見たと思っとけ」

「——おまえが目を覚ませ。もう朝だ。なんだよそのオールナイトって。夢のような妄想語るんじゃねーよ」

おまえと嫁じゃあるまいし、何故オールナイトで勤《いそ》しまなきゃならんのだ⁉

というか、おまえが子沢山な理由が分かったよ。夫婦仲良くて何よりだ。

気持ちよく誤解してくれているアロワの腹を蹴り、魔法でふんだんに用意されている水を使ってヒゲも剃っておく。

一度跡形もなく綺麗に剃ったら分かった事実。俺、実は生えにくい体質だったようだ。

数日、手を加えなくても気にならない薄さ。ここらへんは、元日本人だからなのかね？

「……詐欺だよな、おまえの素顔って」

「急にどうした、アロワ」

「いや、まあ戦争終わったらどこかの家に仕えてみたらどうだ？　小隊長を務めて実績が出来てるみたいだし、雇ってくれると思うぜ？　ケツは所望されるだろうけど」

寒気がしたので、幼馴染をその場に沈めてみた。

だが寒気が消えない……気がする。

はて、と俺は首を傾《かし》げた。

今、自分が覚えている感覚がよく分からなかった。なんだか落ち着かない……ような感じがする。ただの感覚なんだが、微妙に嫌な気分がして、その違和感がどんどん大きくなっているようなそうでないような……。

「――第六感とか、持ってなかったはずなんだが……」

「おお、たしかゲイリアスの。昨日《きのう》の肉を持ってきてくれたそうだな。また機会があれば頼む」

水場を使うためにやってきた軍服姿のおっさんが、俺とアロワの姿を認めて笑いかけてきた。

弓を背負った軽装の徴集兵ということで、ゲイリアス出身者と判断されたんだろう。他、軍で弓を扱えるのは正規兵だけのはずだし。

見たところ、年齢は四十代ってところだろうか。黒い髪を短く刈った、眠そうな紫の瞳のイケメンだ。

軍服の上着のボタンを留めていないのは、朝だからというよりだらしないだけのような……でもきちんとアイロンがかかっている。身の回りの世話をする部下がいるんだろう。それに、どうやら昨夜の肉を食べたようだし。

全員に行き渡るほどの量はなかったから、口に出来たということは案外大物かもしれない。

無精ヒゲを生やした、気が抜けた格好からは想像もつかないな。

とりあえず、偉い人だろうと愛想よく笑い返したら、「やるよ」と照れられつつ煙草《たばこ》を一箱もらってしまった。

そんなにうれしかったか、肉！

モンスター肉でも気にしないなら、また機会があれば差し入れしてみよう――まあ俺は、煙草は匂《にお》いがつくのが嫌なので吸わないのだが。

だけど売れば金になるし、頼みごとの報酬にも使える。

軍隊内では重宝する万能アイテムだ。

思いがけない幸運に喜んでいた俺だが、やはり心の隅に残る不快感はどうしても消えなかった。

ため息をついて意識を切り替え、勝手に腹心認定している幼馴染に声を掛ける。

「アロワ。早めに持ち場に戻ろう。戻りたくないけど。なんだかさっきからずっと嫌な感じがするんだよ……何故《なぜ》だかよく分からないが」

「――おまえの勘ってさ、外れる時は外れるが、当たった時がヤバいよな……了解。朝メシ食う時間は取るか？」

「いや、すぐ戻る。もらえるなら包んでいこう」

「敵が東から攻めてくると？」

呼び止めてきたおっさんに、俺は眉《まゆ》を寄せたまま首を振った。

「分からないですけど、黒森の持ち場に戻ります。

本隊はまだ敵と本格的にぶつかってはいませんでしたよね？」

「――正面からはまだだ。偵察同士の小競り合い程度だな。そうだ、ゲイリアスの。しばらく伝令用の馬を連れていけ。黒森から走って報告されるよりも早い」

懐から紙を取り出して命令を書きつけ、東方の砦《とりで》を守る警備兵に渡せと差し出した男は、やはり偉い人のようだ。

軍服の上着に、勲章みたいなのがついてますね確かに……先ほどから下々のタメ口会話を聞かせてすいません。

すいませんついでに、戦争経験が豊富だろう軍人の彼に尋ねてみる。

「すみません、一応戦争って、もう始まってるって認識でいいんですか？　敵兵を弓矢で追い払ったりしてますが、ちょっかいを出したことで勝手に宣戦布告もなくこちらから攻めたとか、言いがかりをつけられたりしません……よね？」

「――ああ、その段階は終わっている。敵は見つけ次第皆殺しにしてもかまわんぞ？　将官は生け捕りが望ましいが、無理はしなくていい。我が国の布陣もあらかた終わった。後は帝国軍が到着して準備が整い次第、本格的に攻勢をかけるだろ――」

「あ――」

大気が、変に震えたのが分かった。

俺と、偉いおっさんは揃って北の空を見上げた。

東の端に朝焼けが窺《うかが》える空に、幾筋もの炎の玉が尾を引いて撃ち上がる。

北から南へ。

Aランクの大規模攻撃魔法が、クラシエル軍からティシア軍の陣地に向けて放たれ始めていた。

放物線を描いて落ちてくる火球が、空中に出現した巨大な魔法陣にぶつかって弾《はじ》けるように掻《か》き消される。

いくつも流れ落ちては掻き消される攻撃魔法。

受け止めた魔法陣が砕け、光の粒子を撒き散《まち》らしながら空中に消える。

だがすぐに、新たな魔法陣が空中に構築され、放たれ続ける攻撃魔法を受け止める。

破壊された魔力の余波が大気を震わせる。爆音はその直後に遠くからやってきた。

朝を迎えたばかりの本軍の陣地が、一気に騒がしくなった。

クロエ平原の戦い、迎撃準備

「ゲイリアスの！　嫌な感じってのはこれか!?」

「違います！」

北の空を指さしながら怒鳴るおっさんに、東を指さしながら答える。

今、まさに太陽が昇ろうとしている方角から複数の狼煙《のろし》が上がっているのが見て取れた。

それは昨日、本軍に戻る前に俺が残してきた仕掛けだった。

一定の大きさのモンスターが近づけば作動して、狼煙を上げて知らせてくれる——知らせるだけ、だが。

そんなアイテムを、念のためにと黒森と平原の境界にばら撒いておいたのだが、見事に反応してくれた。

「——東からモンスターも来ますよ！　敵が黒森の奥からモンスターを引きずり出してきました。どれくらいの数かは不明ですが、間違いなく多いでしょう。ランクはおそらく最低でもD！」

「同時に二面からか、良い作戦だ！　自軍が食らいたくはなかったが！」

おっさんが獰猛《どうもう》に笑う。

確かに、笑うしかない状況だよな、と俺も思った。

今ここで逃げたら、戦線が崩壊する。

北からの侵攻はまだ防げるだろう。敵からの魔法攻撃に、我が軍の魔法部隊も対処出来ている。

魔法での奇襲が成果を上げなければ、その後に続く歩兵だか騎兵だかの侵攻も凌《しの》ぎきれるだろう。

だけどモンスターが陣の内部で暴れ始めたら？

正面の敵軍には対応出来ても、内部のモンスターも同時に相手をするのは無理だ――。

「――ゲイリアスの。その黒森のモンスターは、あとどれくらいでやってくるか読めるか？」

「一時間以内には来るでしょう。ですが、三十分程度は猶予があります」

軍服のボタンを留め始めたおっさんに、あくまで私個人の予想ですが、と前置きして俺は説明する。

「黒森に棲むモンスターは、馬ほど足は速くないので。平原に塹壕《ざんごう》を掘っていたみたいですが、あれでは防げません。飛び越えます。ただ、実はクロエ平原の一部を湿地に変えてしまっています。やつらは水気が苦手ですから、そこにぶつかれば迂回《うかい》するように進むでしょう」

「――湿地が遮っている部分から襲われることはない、と考えていいってことか」

「北に迂回したモンスターは、敵軍を襲ってくれるかも。南側に来られたら……おそらく街道に設置している東砦の辺りに集中します。街道で区切って水を流しましたんで」

「軍の上半分、北方の敵と戦っている方はカバーしなくていいんだな。それは助かる」

「カリヤ！　準備は出来たぞ。どこに向かう？」

アロワが、支度を済ませた部下たちを引き連れてやってきた。

「――東砦付近の応援を頼む。手伝ってくれ。ゲイリアス隊の指揮権は、ブラットル軍から一時、俺に移す」

カリヤ、とおっさんが俺の名を呼んだ。

「ナダル・コートレイだ。有名なゲイリアスの民の弓術に期待しているぞ」

自己紹介したおっさんの名は、世間知らずの俺で

さえ知っている超有名人のものだった。

ナダル・コートレイ。

ティシア国の武門の名家であるコートレイ家の当主。前世のゲーム《ゴールデン・ドーン》では、とあるクエストの登場人物だった。

ちなみに俺はそのクエストを遊んでいない。生産職ではなく戦闘職向けだったので。

彼は――彼らは〝剣聖ナダル〟と呼ばれる。

当主の証《あかし》であるSランクアイテム、名剣『花散里《ハナチルサト》』が、NPCの限界ランクBを突破させるからだ。

王家直属の軍団長であるはずの彼が、何故地方領主のブラットル軍にいたのか?

――わざわざ肉を食いに来ていたみたいです。

彼がたまたまいたことによって、ティシア軍右翼に配属されていたご領主様のブラットル軍は、モンスター侵攻を前に自壊することなく準備を進めることが出来た。


クロエ平原東部とティシアを結ぶ街道には、砦が設けられている。

荷馬車や人の往来を点検し、突破出来ないように築かれた仮設のゲート。そこが今からやってくる黒森のモンスターと戦う最前線となる。

戦う準備に使える時間は三十分。

俺の部隊は、水場から十五分で移動した。

本隊から魔法部隊と冒険者を回すようナダルが命令していたが、はっきり言って間に合わない。

まともに使える人員は、ゲイリアス部隊と砦の守備兵、ナダルの連れていた私兵の計百五十名弱のみ。

……おっさんごめん。

ものすごく偉い人だと理解したが、どうも呼び捨てていた前世からの癖で〝様付け〟しづらい……目の前ではちゃんと敬語を使いますんで。

そんな剣聖ナダルは領主軍の指揮権を掌握するために走り回っていて、砦の人員は俺が統率しても良いことになった。

出世だ。

まあ、非常事態の緊急措置だけど。

「――さて、時間もないことだし、簡単に現状と方針を説明する。敵の誘導によって黒森のモンスターが我が軍を襲おうとしている訳だが、その数自体は多分四ケタには届かないはずだ。どれだけかき集めても、黒森の規模を考えればCからDランクが多くて数百。獣型や爬虫《はちゆうるい》類型が主で、飛行種はいない。ここにいる一人頭、五匹も倒せば襲撃は終わる」

「やってくる進路に魔法トラップを設置しに行く余裕もないんだが？」

「不要だ。砦に近づく前に、弓矢ですべて沈めよう」

不安そうなアロワに言い切った俺の、テンションは高かった。

今回だけは、勝てる自信があった。

砦の脇《わき》には軍の備品が備蓄された倉庫がある。中には各種回復ポーションが保管されていて、制限なく使ってもよいと許可を得ていた。

「まさか初戦から披露することになるとは思わなかったが、こんなこともあろうかと仕込んでおいた奥の手を使う。ゲイリアス部隊、弓の持ち手の部分に別の材質で補強がされているだろう？　その部分を掴《つか》んで、思い切り力を込めて下に降ろし、カチッと音が鳴ったら元に戻せ」

「うおっ？」

「隊長、何か突起が飛び出してきたんですが！」

「っていうか、弓の色が変わってませんか？」

驚く部下たちに、俺は頷きながら自分の弓に仕掛けていたギミックも発動させた。

これこそ男のロマン。〝アイテム改造〟！

実はクロエ平原までの道すがら、武器ランクEの量産品を夜なべしてCランクアイテムの魔法弓に改造していた！

マニュアル通りに量産品を作るしかないNPC武

器職人が、涎《よだれ》を垂らしながら羨《うらや》ましがるだろう、アイテム職人ならではの能力付加改造だ。

部下たちも、俺が弓を強化していたのは実際に扱って知っていただろうが、さらなる強化があったのだよ！

「……矢をつがえると、この突起部分に魔力の矢が生成され、放つと合体して飛んでいく。飛距離は三百メートルに伸びた。魔力の矢は必ず敵を捉えて命中するから、どんどん射て」

あ、ただしと付け加える。

「これ、MPをかなり消費する」

説明に、アロワがこくりと頷く。

MP、HPというゲーム用語も、過去の転生者たちのおかげでさらりと通じるのがすごいな。

ちなみにMPはマジックポイントの略で魔力、HPはヒットポイントの略で体力を指す。

「魔力の矢が生成されなくなったら、MPポーションを飲んで回復して、また射て。射てなくなるまで射て」

「射てなくなる？」

「飲みすぎるとポーション酔いを起こす」

そうか、ポーション酔いを知らないのか、と周囲の反応に、ちょっとだけ遠い目をする。

だよなー、この世界じゃアイテムってそれなりに高価だし。自作でもしない限り、ポーションを酔うまでは飲まないよな。

ポーション酔いは二日酔《ふつかよ》いや船酔いよりキツイ。

先に謝っておく。心の中で。

「もう無理だと悟ったら、砦の守備兵と交代。守備兵の皆さんは、ゲイリアスの兵一名につきサポートで二人ついてください」

俺は手早く、守備兵を三つに分けた。

三分の一はナダルの兵につかせ、残りをゲイリアス側に割り振る。

「改造した魔法弓を持つゲイリアス兵は、三百メートルから五十メートル先までの距離にいるモンスターを攻撃。守備隊は、五十メートル先までに倒しきれなかったモンスターを、砦から二十メートルの距離に近づくまで各自装備の弓で攻撃しつつ、魔法弓を射てなくなった者と交代。それでも突破してきたモンスターは、ナダル……様の部下たちで仕留めてください」

「了解しました。では、今から砦の外側に展開しておきます」

だらしないおっさんの部下とは思えない、いかにも気配り出来ますって感じの部下が率先して従ってくれる。

俺と同じ褐色の肌の青年だ。髪と瞳の色は違うけど。

白い髪に赤い瞳の、ファンタジー感あふれる外見の若者だった……やはりここは、ゲーム《ゴールデン・ドーン》を模した世界なんだろう。

そう、元が《ゴールデン・ドーン》の世界なら、Cランク程度のモンスターの侵攻は、アイテムを注《つ》ぎ込《こ》んでの力技で食い止めることが出来るはずだった。

自分が強化した弓を手に、砦に上りながら俺は笑った。

――負ける気がしない。


クロエ平原の戦い、ドーピングは正義！


平原に延びる街道沿いに、色分けされた旗が等間隔で並んでいる。

目標までの距離と、移動速度が分かる仕掛けだ。

砦に向かってやってくるモンスターが、二キロ先に設置している旗を通り過ぎ、次の旗までの間百メートルを三十秒で移動していたら？

モンスターは約十分後に砦に到達。

弓での攻撃可能範囲三百メートル以内に入るまで、あと八分。

しかし、単位が前世の日本と同じだから、計算が楽でありがたい。

さすがは和製ゲームの世界だ。

ゲームと違って、蘇生《そせい》に失敗したらそのまま復活は出来なそうだけど……こわくてまだ試したことはない。

「等間隔に並んで配置につけ！」

仮設で建造されたものとはいえ、砦の上にはのこぎり形の狭間《はざま》を設置した回廊が作られている。

敵に対して少しでも高い位置から、身を隠しつつ魔法や弓矢による遠距離攻撃をするためだ。

メインの攻撃手は魔法弓を持つゲイリアス部隊。

守備隊には、自分たちの攻撃範囲にモンスターが侵入するまで、サポートをしてもらうことにする。

回復ポーションの瓶のふたを開けて手渡したり、矢筒に矢を補充したりといった弓矢を射つ以外のことだ。

クスリ漬けになって、限界まで休憩も取らずに矢を射続けて、ポーションの過剰摂取で動けなくなったら交代。

俺の考えた案は、単純だが効果はあり、物量に余裕のある短期決戦でしか使えない代物だった。

「……魔法部隊がいないのがつらいな」

側《そば》に並んで立つアロワが、駆けてくるモンスターを望遠鏡で眺めながら呟く。

「今、七百メートルを通過した。魔法ならもう攻撃が届くのに」

「ないものねだりをしても仕方ないだろ……あと二分！」

俺の言葉に、持ち場についた兵士たちの緊張が高まる。

平原の彼方《かなた》から迫ってくるモンスターを前にしても、逃げ出そうとする兵士はいない。……そういう効果を持つ魔法アイテムを使っているので。タダだからと各種ステータス増強アイテムも使用済み。軍の倉庫は宝の山だな！

こういう戦闘直前の場面では、鼓舞するスピーチをしておくのが大事だったっけ。

前世で見た洋画の数々を思い出し、俺は砦の一段高い部分に立つと待機している兵士を見下ろした。

「――獲物が近づいてきた！　時間がないから手早く確認しておくぞ、ウジ虫共！」

「「「イエッサー！」」」

あ、砦の守備隊の皆さん引いた。

部下はノリノリなので、気にしないでください。

「思い出せ、これまで俺が、貴様らを死地に向かわせたことがあるか!?」

「「「ノーサー！」」」

「どんなモンスターも、俺たちに絶望を与えたことがあるか!?」

「「「ノーサー！」」」

「そう、絶望を与えるのは俺たちだ！　あと三十秒！　弓に矢をつがえろ！　すべてのモンスターを屠《ほふ》りつくすぞ！」

「「「「イエッサー！！」」」」

引き絞った弦の、つがえられた矢の下に光の矢が出現する。

「――蹂躙せよ！」

たった三十にも満たない数だった。

だが一撃でモンスターを消し去る威力を持つ光の矢が、平原の彼方に向けて一斉に放たれる。

次々とつがえられては放たれる光の矢は、雨のようにモンスターを目がけて襲い掛かる。

クロエ平原の東端で、もう一つの戦いが始まった。


「――どうだ、カリヤ」

名前を呼ばれ、ＭＰポーションの小瓶を傾けながら振り返る。

背後にいたのは〝剣聖ナダル〟だった。

だらしなかった服装がきちんとしたので、指揮官らしい風格になっている。

彼の後方、砦の内側には大勢の兵が集まっている。

掲げている旗の紋章を見ると、ご領主様のブラットル軍を借り受けて戻ってきたようだ。

「ようやくモンスターの押し寄せる勢いが弱まってきたところですかね。あ、ナダル……様。弓の心得のある交代要員を回してください。ポーションの補充と、床下の掃除もお願いしていいですか？」

砦上の狭い回廊は、投げ捨てたポーションの空き瓶と使い物にならなくなった兵が転がっている。

まさに死屍《しし》累々。

砦下の、ナダルの私兵の補佐をしていた守備隊は既に引き上げて、弓部隊の応援に回している。

ゲイリアス部隊、俺を除いて撃沈。

魔法弓の射手は三人目に交代して、そろそろ余力がなくなりかけたところだった。

ナイスタイミングな帰還だ。

「……輜重隊が、悲鳴を上げるどころか絶叫する消費量だな」

「砦まで到達させてませんよ。ホメてください。最後の壁が役立ってくれています。私兵を残してくださって助かりました」

さすがに数が多かった。

レベルの高いモンスターは、数度攻撃しないと倒すことが出来ない。

弓矢の攻撃だけでは取りこぼすモンスターもいたのだが、砦下のナダルの部下たちがなんとか食い止めてくれた。

ナダルの指示で、倒れていた兵が担架に乗せて後方へと移送される。

床に散らばるポーションの空き瓶も片づけられ、追加の瓶が運ばれてくる。

新たな弓兵も持ち場についたらしく、放たれる矢の数が増えた。

矢羽が風を切る音と、モンスターの悲鳴が大きくなる。

ＭＰポーションだけでなく、ＨＰポーションもついでに飲んで、俺は自分の弓に矢をつがえた。

魔力を帯びた光の矢が、遠くのモンスターを射抜く。

「おまえはまだ余裕がありそうだな、カリヤ」

「指示を出したりして、射ちっぱなしという訳じゃなかったのでなんとか。でもそろそろ酔い始めました。ここの指揮権、預けることが出来る方がいたら交代したいんですが」

「射手ならいる。弓矢を渡せ。だが指揮はおまえがこのまま執ってくれ。混乱は避けたい」

頷き、やってきた兵士に魔法弓を手渡す。

「……ちょっとだけ座らせてください」

そのまま、壁の狭間を背にして、俺は床に座り込んだ。

魔力の矢を射ち続けていた――というよりポーションを飲み続けていたので、飲みすぎで気分が悪い。

ナダルはそんな俺の横に立ったまま、腕を組んでモンスターの襲来を眺めている。

「……連れてきた軍を、砦の外へ展開させないんですか？」

「出来ればやりたくないな。ブラットルの手柄にしない方がいいだろう、この勝利は」

もう勝つ気でいるナダルに、確かに勝つだろうけど……と思いながら俺は呟く。

「俺、ブラットル軍所属ですよ？ ご領主様の手柄になると思いますがね」

「おまえは部下ごと、昨夜にでも俺が引き抜いていたことにしておく。――家族はいるか？ カリヤ」

「いません。妻も子も親も」

「なら面倒はない。そういうことにしておけ」

でないとおまえ、これから生きづらくなるぞ。

脅しにも似た忠告をしてくるナダルに、疲労の回り始めた頭でぼんやりと考える。

もしかして、何故だか知らないが、彼は俺を助けてくれようとしているんじゃないだろうか。強引に自分の部下にしようとしながらも、家族の心配をしてくれている。

これって逆だろ。

引き抜く立場なら、家族を引き合いに出して、部下になれとせまるんじゃ。——今朝方出会ったばかりの徴集兵の、どこかが心の琴線に触れたのかね。煙草《たばこ》までくれてるし……いや、あれは気まぐれって感じだった。

今のこれは、気まぐれなんかじゃない。

つまり、もしかして……。

顔を上げてナダルを見ると、視線に気づいた紫の瞳が座り込む俺を見下ろした。

《ゴールデン・ドーン》の公式サイトで公開されていたNPCの設定イラストと、どこか共通点のある容貌《ようぼう》をした〝剣聖ナダル〟。

何かを言いたげな眼差《まなざ》しに口を開こうとしたその時、

「ドラゴン種だ！」

悲鳴じみた絶叫が、兵の間から沸き上がった。

クロエ平原の戦い、そしてバレる

木造の砦の上、回廊から平原の彼方を眺める。

これまで押し寄せていたモンスターと比較しても、それは巨大だった。

朝の光を照り返す明るいオレンジ色の鱗《うろこ》。

「……ファイヤードラゴン」

ナダルが呟く。

ドラゴン種は外皮の色で強さを判断出来る。色が濃くなるほど強くなるので、目前のドラゴンは最弱の部類だろうが、それでもランクはB。

NPCの精鋭部隊でやっと、互角に戦えるかもしれないランクだ。

「黒森に巣があったのか……？」

「まさか。あいつの生息地は火山エリアですよ」

転がるモンスターの死骸に足を取られ、それでも避けようとする素振りも見せず愚直に突っ込んでくるドラゴン。

知恵を有するモンスターとは思えない行動は、そいつが何かの命令に従っているのだと簡単に推測出来た。

「どうやら敵国に操られてますね、あのファイヤードラゴン。先に我が軍を襲ったモンスターたちは、あいつに追い立てられて森を出たんじゃないかと思います。つまり、あいつの後ろに続くモンスターはいない。あいつを倒してしまえば、この防衛任務も終了です」

――この時の俺は、ポーション酔いで頭が回っていなかったんだと思う。

俺の横にいるのは剣聖ナダルだ。

彼と彼の部下たちなら、少しは手こずるかもしれないが、ファイヤードラゴンを倒せるだけの実力は持っていたはずだった。

「という訳で、さくっと倒しちゃいますね」

砦目がけて突進してくるドラゴンに向けて、左手を差し伸べる。

〝アイテムボックス〟から自作のAクラス武器、『七連弓』を取り出して構えた。

面白いことに、アイテムボックスから何かを取り出す動作をすると、左右どちらかの手のひらから一センチほど離れた中空に該当のアイテムが出現する。だからすぐに使うことが出来るが、遠距離にアイテムを出現させるのは無理な仕様になっている。そこら辺はゲーム準拠らしい。

左手で弓を構えたまま、右手を天に向かって上げる。

手の中に白く輝く矢が出現する。

魔法伝導効率の良い、銀の矢じりを持つこちらはBクラスのアイテムだ。残念ながら、金属と相性の悪い俺は使いこなせる材質が少ない。

弓に矢をつがえる。

『七連弓』の真価は、ここからだ。

つがえた銀の矢の、上に三本、下に三本。白く光り輝く魔力の矢が出現する。

部下に改造して渡した弓は魔力の矢を一本しか生成しないが、この弓は名前の通り七本の矢を敵に向かって放つことが出来る。

魔力の矢の能力も数段向上している。そして付加する属性も変更出来た。

六本の魔力の矢が、氷属性を示す青い光を帯びて震える。

俺は引き絞った弦から指を離した。

ファイヤードラゴンに向かって、銀の矢が放たれる。追尾する青い光は拡散せず、一つに収束した。

続けざまに更に二射。

三本の青い矢がファイヤードラゴンの体に突き刺さる。

三連の爆発音が響き、ドラゴンの悲鳴が途中で途切れた。

のこぎり形の狭間《はざま》から前方を見ると、街道の上で体の半分を氷漬けにしたファイヤードラゴンがこと切れているのが見えた。


あきらかなオーバーキル。

虎の子の『七連弓』だ。これくらいの攻撃力がなくては困る。

「――MPなくなった。もうポーション飲みたくない。すみません、ナダル……様。俺、自分のやるべき仕事は終わったと思うんで、ここら辺でリタイアしてもいいですか？　もうモンスターもあらかた掃討し終わったようですし」

「……カリヤ。おまえ、〝転生者〟だろう？」

「あ、はい。そうです、転生者です」

やはりバレてしまったか。

これまで家族以外に話したことはなかったが、別に秘密にしていた訳でもないので素直に肯定する。

そう、村の誰《だれ》にも、幼馴染のアロワにも転生者かと尋ねられたことはないし。

いろいろとこの世界のお役立ち知識を持っているので、便利屋みたいな扱いをされたら嫌だなぁと思って、俺からは吹聴しなかっただけだ。

婚約していたはずの彼女が裏切った時、ほとんどの村人が俺から距離を置いた。

あんな態度を取られても、彼らに奉仕するほど俺は心が広くない。アロワを始めとした、変わらなかった相手には野菜を貢いだりしてたけど。

頷いた俺を、何とも言えない表情（としか言えない。パイを顔面にぶつけられた相手を見ているような表情だ）で見つめていたイケメンNPCは、やがて深々とため息をついた。

「おまえ……いや待て、ちょっと先に他の問題を片づける。――フィアス！　弓での迎撃はここまでだ。残りのモンスターの始末は任せる！」

「了解しました！」

褐色の肌に白い髪を持つ好青年が、ナダルの命令に明るく答える。

続いて彼は、連れてきたブラットル軍に倒したモンスターからの剥《は》ぎ取りを命じていた。

うん、アイテムって大事。拾えるなら拾っておくに越したことはない。

どこかの誰かさんが、備蓄を空になる勢いで消費したし。

大量の死骸をそのままにしておけば疫病も発生するので、埋めるか焼くかしておいた方がいいだろう。

「――さて、まずその弓をみせてくれないか？」

「別にかまいませんが。あまり確認されると恥ずかしいな。自作なんですよ、それ」

照れつつ、弓をナダルに手渡す。

見栄えもするように一生懸命作ったけれど、良い道具が手に入らなかったのであまり凝った装飾はつけられなかった。

実用本位の、いたってシンプルな一品だ。

「……みたいだな。Aランク武器、『七連弓』。転生者いわく、〝《ゴールデン・ドーン》のNPCが作れる武器ランクはBが限界〟だそうだが」

「ですね」

「つまり、これを作れるおまえは間違いなく転生者だ。――聞かなくても答えが分かっているのが虚《むな》しいが、おまえ、自分が転生者だと届け出はしているか？」

「届け出って、しないといけないんですか？」

首を傾《かし》げた俺に、ナダルが深いため息をついた。

冒険者ギルド職員

前世プレイしていたMMORPG、《ゴールデン・ドーン》。

自由度の高いシステムだったたと思う。あらすじは特になく、プレイヤーはゲーム名と同じ『ゴールデン・ドーン』と呼ばれる世界で、各々が好きなようにゲームを楽しんでいた。

戦闘に特化する者もいれば、魔法を極める者や、生産を楽しむ者もいた。

――俺は生産組だった。

実家が農家だったことは関係ないと思うんだが、同じ生産でも武器防具は専門にせず、のんびりちまちまとアイテム類を作っているのが楽しかった。

奥が深いんだぞー、アイテム作製。

魔法はMPがなくなれば終了だけど、アイテムはそのMPを回復させることが出来る。

武器攻撃は本人の才能＋武器の性能の世界だが、ランクアップアイテムを使えば更に底上げすることが出来る。

自身のランクがSだとしても、アイテムさえ使えばSSSランクの武器が使用出来るようになり、SSSランクプレイヤーともなんとか戦えるようになるのだ。

……まあ、戦えるようになる〝だけ〟で、見えない経験値の差で瞬殺されるんだけどさ。

だが各種アイテムが公式から供給され、廉価で流通していたゲームの世界では、アイテム職人ははっきり言って不遇職だった。

地雷職とまで呼ばれていた。

いいじゃん、生産職。

何もかも自分で作って、自分で消費する自己完結。

貨幣経済なんてクソくらえだよ。自分が毎日毎日数字だけでも大金動かしてりゃ、そう思うこともあるのさ……前世は金融系のリーマンやってたもんで。

《ゴールデン・ドーン》でプレイヤーの所属する属性は三つに分類されていた。

〝戦闘職（物理系・魔法系）〟、〝生産職（金属系・非金属系）〟、そして〝治癒職〟。

治癒職は聖職者じゃないとなれないので別格。戦闘職と生産職は途中までは両立出来るが、どちらかをメインに選ぶともう片方はランクBまでしか極められなくなる。

BランクはNPCが到達出来る限界と同じ水準。

ゲーム内では〝並〟と判断されるランクだった。

前世の俺のステータスだが、生産職だったので戦闘スキルはBランクだった。魔法もBランク。

生産では、武器防具作製がAランク。メインだったアイテム作製がSランク。

……うん、はっきり言って三流プレイヤーです。

SSSで一流、SSなら二流って呼ばれる世界だったんだよ、《ゴールデン・ドーン》。

そんなトッププレイヤーと比べられたらこっちがつらいわ。

ゲームスタイルなんて、人それぞれじゃないか。

——だからあからさまにがっかりした顔見せてるんじゃねーよ、冒険者ギルド職員！

この異世界では、前世の記憶を持った人間が生まれる。

《ゴールデン・ドーン》のプレイヤーが不慮の事故等で天寿を全う出来なかった場合、前世の記憶を持ったままこの世界に転生することがある、らしい。

ゲーム上のスキルやステータスを引き継いだ彼らは、『転生者』と呼ばれる。

ラノベの王道〝トラック転生〟をしてしまった俺だったが、似たような境遇の仲間は他にもいるんだと成長してから知った。

どうやら、この時点で俺は世界を知る旅に出なきゃならなかったらしい。

旅に出た転生者は、必然のように冒険者ギルドの門を叩く。それが前世のゲーム内でのお約束だったからだ。

ゲームのチュートリアルは、冒険者ギルドに登録するところから始まっていた。

前世のように行動した転生者は、そこで新たに自分が生まれ変わった世界のことを教えられる。

この世界の冒険者ギルドは、基本は自分たちと同じように異世界転生をした仲間のためにと、先人が設立した互助組織だ。

だが前世のゲームと同じように、戦争に参加したりモンスターを討伐したりもする。

数が少ない転生者だけでは組織は回らず、NPCを職員として採用していた。

そんなNPC職員が、俺を見てため息ついてます。

どうやら先ほど教えた生産職という前世がお気に召さない模様。

「……カリヤさん。ゲイリアス近辺に冒険者ギルドの出張所がないのは確かです。ですが国民は自分が転生者であれば、成人するまでにギルドへ申告しなければいけないというルールがあります。僻地《へきち》も何年かごとですが、ギルドの者が巡回して確認していたはず。何故今まで黙っていたんです？」

「や、そういうの気づかなかっただけで。なにせ田舎《いなか》も田舎って土地でしたし、文字も読んだことがなかったってくらいで……」

知らんよ、そんなルール。

成人する頃《ころ》には小さな村でハブられてたんだよ。

まあ自分から奥地に引きこもって、アイテム作製に耽溺《たんでき》していたんだが。

朝っぱらから襲来したモンスターを撃退した俺を、

冒険者ギルドの職員だという二人連れが訪ねてきたのは夜も遅くなってからだった。

夜明けとともに始まっていたクラシエルの攻撃を、我が国はなんとか防ぎ切ったらしい。

この世界の戦闘は、基本陽《ひ》が沈む前に終わる。続きは明日の朝からだ。

戦闘が終わって手が空いたので、ようやく俺の元へ聞き取りに来たんだろうか。

彼らを寄越《よこ》したのは〝剣聖〟ナダル・コートレイ。東砦への襲撃が落ち着いた後、急いで本軍に戻っていった。

ナダル自身は悪い人ではなかったんで、彼が差し向けたという冒険者ギルド職員にも愛想よく応対するつもりだったんだが。

(初対面の相手に〝鑑定〟を仕掛けるのは、ルール違反じゃないのか?)

ギルド職員の片方、マントを脱がずにいる奴《やつ》が、先ほどから俺を鑑定しようとしていた。マントの下には『鑑定球』というその名もズバリなアイテムを隠し持ってるんだと思う。

全部、無効にしているが。

相手とランク差が離れていたら、干渉系のスキルは意識すれば打ち消せる。鑑定を掛けられても無効に出来るのだ。

彼はどうも鑑定の才能はないらしい。

その隠し持ってる汎用《はんよう》鑑定球は、アイテムランクCだからねぇ。

ランクSの俺には通用しないぞ。よほど巧妙に仕掛けても無理無理。

わりと温厚だと自分では思っている俺だが、腹が立ったのでこっそり二人を逆鑑定してみた。生産職なので鑑定は必須《ひっす》スキル。自分で持っている。

するとなんと、二人とも偽名を名乗っていた。

もっと詳しく調べてやろうと、バレないように更にスキルを発動させながら思う。

こいつら、馬鹿だなぁ。

ちゃんと本名を名乗って、『あなたを鑑定させてもらえませんか？』と礼儀正しく尋ねてきていたら、俺も前世は日本人だ。

愛想よく応じていた。かもしれない。

スキル構成の披露は、勝ち負けに直結する戦闘職ならともかく、生産職はそう困る訳でもないし……あれ？

更に詳しく〝鑑定〟して驚いた。

この二人、何故か所属国が【クラシエル】と鑑定結果に出たんだが、どういうことだ？

転生者の立ち位置

「――とりあえず確保しとく……かっ！」

手のひらの上に、アイテムボックスに収納していた『呪符』を出現させる。

ぎょっと驚きの表情を浮かべる二人の額に、間髪入れず貼りつけると、動きが不自然に止まった。

面会のために借りた天幕の中で、立ったまま眠りだす自称冒険者ギルド職員たち。

使った呪符（効果・睡眠）はもちろんお手製だ。

そういや異世界転生は、ランクとスキルしか受け継げない仕様っぽい。

アイテムボックス自体は使えたが、中身は空だった。

装備も身に着けていなかったけれど、まあ赤ん坊で生まれるしな……今の外見もゲームとは違うし。

そんな空だったアイテムボックスも、今は自作アイテムで充実している。

あ、金だけはそんなに持ってない。物々交換が主流のゲイリアスじゃ、貨幣自体が珍しかったし。

さて、どうしようと俺は途方に暮れる。

この男たち、敵国のスパイだったってことでいいのかね。出身が隣国というだけで、後はただ性格が悪かったとも考えられるが。

ナダルに確認しに行くべきだろう。

だけど俺、出向いたとしても彼にもう一度会えるんだろうか。ただの農民めって、門前払いをくらいそうなんだが。

眠りこけている職員を前に悩んでいると、天幕の出入り口が開いた。

「カリヤ、話は済んだのかな……どうかした？」

天幕を貸してくださったレド様が、中を覗《のぞ》いて驚いた表情を浮かべる。

事情を説明すると、彼は分かったと頷いてくれた。

「確かに、クラシエル出身者の不可解な行動は気になるね。ナダル様にご報告しよう。連絡を取るためのアイテムは伯父の元にあるから、すぐに部下を向かわせるよ。カリヤはこのまま、彼らを見張っていてくれるかい？」

「よろしくお願いします」

いったん天幕を出たレド様が、兵に指示するとすぐに中へと戻ってくる。

俺の隣に立ち、彼は物珍しそうに呪符を眺めた。

「……あまり見かけないアイテムだな。魔法の〝スリープ〟と同じ効果を持っているのか……これもカリヤが作ったの？」

「はい、そうです。この符は一回限りの消耗品です」

「消耗品ね。そういえばゲイリアス部隊が使用していた弓を回収したんだけど、すべて壊れてしまっていたんだ。それに関しては何故か知ってる？」

軍の物品を管理しているレド様の言葉に、俺の背を冷汗が伝った。

「……実は俺が、かなり無理な改造をしてしまっていたので、耐久力が落ちていたんです。半日持てばいいかと考えて手を加えたので、一度使えば壊れます。すみません」

「やはりあれもカリヤだったのか」

てっきり怒られるかと思っていたんだが、レド様は困った風に苦笑しただけだった。

「いいよ。モンスターを食い止めることが出来なかったら、我が領軍に甚大な被害があっただろうしね。あの改造は他の弓にも出来るの？　うちの領軍の武器職人に教えたら、同じものは作れるのかな？」

「レド様……？」

「君が転生者だとは気づかなかった。どこか風変わりだなとは感じていたけれど、まさかうちの領地に転生者がいたなんて……」

青年の手が伸びて、俺の髪をくくっている白いリボンに触れる。

布地の感触を確かめるように指は動いていたが、視線は俺の顔に注がれたままだった。

彼が浮かべている笑みに、何故か脳内で危険を知らせるアラームが鳴り響く。

やばい、やばい、これはやばい。

獲物認識されている。貞操の危機……とかじゃなく、いやそれも消えてないけど、〝俺〟という存在自体が狙《ねら》われている気がする。

これまでの俺に利用価値はなかった。

腕が多少立って、読み書きや計算が出来る程度の、多分いたら便利だがいなくても困らない平民。そんな存在だった。

今、レド様が浮かべている表情に心当たりがある。

前世に無理な融資を頼みに来た客相手に、上司が控え目ながらも浮かべていた笑みだ。

相手の運命を握っているのだと、自分より下の立場の者に対して抱く、圧倒的な優越。

「――伯父が喜んでいたよ。転生者が自分の領民だったなんて。すぐにも家臣に取り立てようと言っていらっしゃった。カリヤの能力は、戦闘系だったのかな？　生産系だったのかな？　大丈夫、君がこれから何も不自由しないよう、私からも口添えするから……」

「あの！」

俺の今後を語ろうとする声を、無理やり遮る。

「……申し訳ありません、レド様。その、実は俺とゲイリアス部隊ですが、昨夜遅くにナダル様の所属になっています。ご領主様は、今日の一件に関してはナダル様とお話し合いになった方が良いのではないでしょうか？」

「────」

「失礼します、レド様。ナダル様と連絡が繋《つな》がり、指示が下りました。今からナダル様自ら、こちらにいらっしゃるそうです」

天幕の中に入ってきた伝令の兵士が、俺たちに向かって報告した。

ナダル・コートレイ

俺を無人の天幕へと案内した兵士は、ここでしばらく待つようにと言い残して姿を消した。

どうやら打ち合わせのための場所らしく、天幕の中央には何も上に載っていない机と椅子が何脚か並んでいる。

待っておくようにと言われたんだから、椅子は使ってもいいんだよな。

一番端の椅子を引き、よいしょと俺は腰を下ろした。机に突っ伏したくなるのをこらえて、深くため息をつく。

濃い一日だったが、まだ終わった訳じゃない。

今から行われるのは事情聴取なんだろうな……とぐったりしながら考えていると、ナダルが中へと入ってきた。

「ああ、そのまま座っていていいぞ」

立ち上がろうとした俺を制して、ナダルがまず部屋の隅に向かう。

置かれていた水差しから木のコップに水を注ぎ、一気に飲み干した男も疲れているようだった。

もう一度コップに水を満たし、彼が俺に視線を向ける。

「飲むか？」

「いただきます」

頷いたナダルは別のコップに水を注ぐ。

手渡されたそれに礼を言い、俺も一気に飲み干した。

微笑《わら》い、水差しごと机へ持ってきたナダルが、俺の正面に腰を下ろす。

「……やっぱり〝転生者〟だな、おまえは」

「何ですか、急に」

「いや、おまえと最初に会った時に持った違和感は、正しかったと思ってな。カリヤ。おまえ、ずっとゲイリアスの山の中で暮らしていたんだって？」

そうですと頷くと、ナダルも頷きながら笑った。

「それもあるのかもな。あのな、別に俺は慣れているから構わんのだが、普通平民は『ここで待て』と言われても椅子に座ったりはしないんだ。隅の方に立ったまま待ち続け、貴族の姿を認めれば平伏《ひれふ》して下知《げち》を待つ。たとえ勧められたとしても、水を飲むなんて論外だ。――そんな身分差が、転生者は理解出来ない。彼らの元いた世界では、貴族も平民もないらしいからな」

目を見開いて驚いている俺に、苦笑しながらナダルは穏やかに続ける。

「それから――〝ナダル・コートレイ〟の名前には、ほとんどが親近感を持つらしいな。実は俺の、剣の師匠が転生者だったんだ。剣術、この世界とゲームとの関連、その他多くのことを彼には教えてもらった。剣術、この世界とゲームとの関連、そして〝剣聖ナダル〟の存在……」

……俺は、基本的に転生者の味方でありたいと思っている。

おまえたちは大抵の場合、受けた恩を忘れない。この世界を愛し、良かれと尽くしてくれる。ならおまえたちが敵に回らない限り、〝剣聖ナダル〟である俺は、ゲームと同じように味方でありたいと思っている。

「その前提で、今から話を進めていいだろうか？」

ナダルの言葉に、俺は無言で頷いた。

「カリヤ。おまえ、前世で死んだ時は既に成人してたろ?」

何故か水が酒に変化していた。

どこからか酒瓶を取り出した男が、俺のコップに注ぎながら尋ねてくる。

「分かりますか」

肯定すると、にやりと楽しそうに笑われた。

「まぁな。山奥暮らしで常識は知らないようだが、礼儀はきちんと心得ている。……転生者は、傍若無人なガキが多いんだ。師匠いわく、『対象年齢が低かったから仕方ない』そうだが。あっちの世界で若くして死んで、こっちでも成人前に見つかるからな。冒険者ギルドがこっちの常識を叩きこむんだが、前世でランクが高かった者ほど癖が強い」

「あー……だいたい状況が分かります。なんだか申し訳ない」

厨二病という不治の病にかかってしまうんだろうな……と我が事のように恥ずかしくなるのは、自分も現在進行形で発症している自覚があるからだろう。

事情に精通しているナダルとの会話は楽しく興味深かったが、同時にいろいろと痛かった。

もう亡くなったというナダルの師匠は、SSランクの片手剣使いだったそうだ。

SSランク以上の転生者は、初心者向けエリアである中央国家群が物足りずに辺境へと向かい、そのまま帰ってこない者が多いらしい。

だが彼は中央国家群に残り、ナダルや後続に剣を教え続けたそうだ。

——薄々と気づいてはいたが、前世の日本と《ゴールデン・ドーン》に似たこちらの世界では、時間の流れ方が違っている。

ゲームのサービス開始は、前世の俺が死んだ時点から三年前だった。

こちらの記録によれば、約九百年前から〝転生者〟はこの世界に姿を現している。

もしかするとこちらの世界の三百年が、日本での一年なのかもしれない。

まぁ、既にトラック転生した身だからどうでもいいが。

もう二度と日本に戻れるとは思えない。

ならば、このゲームに似た異世界で得た、新しい人生を生きていくしかない。

幸いゲームで得たランクやスキルはそのまま受け継がれている。

《ゴールデン・ドーン》をプレイしていた時と同じように、新しい生も楽しむしかないだろう。

「師匠には、本当に世話になった。覚えの悪かった俺が、『花散里《ハナチルサト》』を振るえるようになったのも彼のおかげだ。自分と同じように転生してきた後続に、よければ手を貸してやってくれというのが遺言だった」

ナダルが俺を見て、紫の瞳を細めて微笑《わら》う。

「カリヤ。俺にも自分の立場がある。ゲームではないこの世界での、ナダル・コートレイという立場が。だが立場が許す範囲で、俺はおまえの、おまえたち転生者の力になろう」

NPCであったナダル・コートレイ。

彼はもうシナリオに沿って動くAIではなく、自分と変わらない〝人〟そのものだった。

だけどゲームと同じように、彼は信頼するに足る存在なのだろう――。

いや、生産職だったんで戦闘系の彼のクエストはプレイしたことがないけどさ。

「さて、では本題に入っていこうか」

自分のコップに酒を注ぎ足しながら、ナダルが切り出した。

「まず忠告からだな。カリヤ、自分の情報は他人に漏らすな。スキル構成や前世どんな人間であったのか」

「俺、しがない生産職でしたよ？　そんな立派なスキル構成じゃありませんが」

「ここはゲームの《ゴールデン・ドーン》の世界じゃない。大多数を占める人間……おまえたちの言葉ではNPCと称したはずだが、そのNPCの最高到達ランクはB止まり。装備と強化アイテムで各一ランクずつ上乗せ出来るが、Sが限界だ。だがおまえたち〝転生者〟はその限界を軽々と超えることが出来る」

個人が、国家が、おまえたちをどれだけ欲しがっていると思う？

「ゲームの中ではおまえの能力はごくありふれたものだったかもしれない。だがこの世界では違う。転生者の数は少ない。脅し、弱みを握り、飴《あめ》を与え、欲望を叶《かな》え。あらゆる手段で取り込みに掛かってくるだろう。それを防ぐために冒険者ギルドがあったんだが……」

ナダルが苦く笑った。

「……あれは信じるな」

「クラシエルのスパイが入り込んでいたから？」

「それもある」

眉をしかめた俺に、肩を竦《すく》めながら男は答えた。

「冒険者ギルドは、ラギオン帝国の傀儡《かいらい》だ。ギルド総本部が帝国にあるからな。その意向に沿って動いているらしい。利用はしても、信用はするな――と死んだ師匠が言っていた」

ティシアにとっては、師匠さんの生きていた昔から冒険者ギルドは帝国と繋がっていたので信用出来なくて、今はクラシエルと繋がっているので信用出来ない、と。

そう確認した俺に、顔をしかめつつナダルは肯定する。

「まぁな。だがそれはティシアの事情だ。カリヤが長いものに巻かれた方が居心地《いごこち》が良いというなら、そういう生き方もある。敵国クラシエル側につかれては困るが、帝国は同盟国だ。あっちの方が良いというなら、止めることは出来ないな……あぁ、近いうちにギルド総本部から、おまえに会いに転生者が訪ねてくるそうだ」

「スカウトですか？」

「おそらくは」

ナダルの話を聞きながら、俺は自分の置かれた状況を整理していく。

どうやら転生者は、考えていたより希少な存在のようだ。

数あるMMORPGの中で《ゴールデン・ドーン》をプレイしていた人数は限られてくるし、プレイヤーも若者が多かったはず。途中で亡くなるなんてことは滅多にないだろう。

だからこの異世界では、転生したプレイヤーの争奪戦が起きているのか。

メインが生産職である俺の戦闘能力はBランクで、はっきり言ってゲーム内ではしょぼい。

だが、それでもこの世界のNPCと比べるなら、精鋭に匹敵する。

それだけでも充分な戦力になるが、プラス先ほどナダルが言っていたように、装備や強化アイテムで上乗せが可能だ。

実力的に、Sランクプレイヤーと遜色《そんしょく》がなくなる。

……いや、彼らも強化するだろうからまた差が出来るのだろうが、それはおいといて。

しかし、強化さえすれば俺もSランク。

〝剣聖ナダル〟と同じ実力をもっていることになるのか……もしかしなくてもティシア有数の戦士なのか。そして弓使いはマイナーなはずだから、弓では国で随一かもしれない。

……やばい、厨二病がうずく。他に弓使いの転生者がいなけりゃの話だけど。

思わずワクワクしながら、ナダルに尋ねてしまう。

「あの、ナダル、様」

「言いにくいだろう。〝様〟はいらんぞ」

おまえは転生者だからなと、苦笑しながら呼び捨てを許してくれるナダル。

「ありがとうございます。では、ナダル。この国にいる、俺以外の転生者について聞きたいんですが」

「……さっき、転生者の情報の重要さについて教えなかったか？」

一本取られた、と落ち込む俺を、複雑な表情を浮かべてナダルが眺めていた。

「――いずれ、教えても良いと判断したら教えよう。それまでは接触させることも出来ない。戦時下ということで納得してほしい」

先ほどまでとは違い、歯切れの悪いナダルの言葉に、渋々ながら俺は納得した。

まるで情報を隠されているみたいだけど、それも仕方ないんだろうな。ティシアの冒険者ギルドは敵国のスパイが入り込んでいたみたいだし。

しかし、何故誰《なぜだれ》もスパイに気づかなかったのか。

最高でBランクまでしか到達しないNPCなら、同クラスの妨害アイテムが流通しているから騙せるかもしれないが、Aランク以上の鑑定スキル持ち転生者には通用しないはず。

そこまで考えて、もしかしたらと俺は思った。

ティシアの転生者には、Aランク以上の鑑定スキル持ちがいないんじゃないだろうか？

――それはかなりやばい。

鑑定は、生産職なら必ず取得しているスキルだ。

それを使える者がいないということは、プレイヤーランクが低いのか、そもそも生産職の転生者がいないということだ。

金さえあれば武器防具は揃えることが出来るが、作った方が安い……ではなく、生産系転生者が作るAランクの武器は、一ランク上までのアイテムなら装備可能という仕様によって、BランクのNPCも装備出来る。

敵国クラシエルに、Aランクの武器が作れる転生者がいたら？

Aランク武器対Bランク武器。NPC兵が使用する武器の能力差で、優位に立てる。

ティシアにAランク以上の生産職転生者がいなかったら？

武器防具もそうだが、鑑定スキルや鑑定妨害アイテムなども存在しないことになる。

それではスパイの活躍を許すことになる。情報は取られ放題だろう。

戦争しても、剣を交える前に内側から負ける。

「……ナダル。ティシアって、実はものすごく不利な状況にありませんか？」

俺の呟きに、剣聖は何も答えなかった。

それが、ますます状況のやばさを教えていた。

着実にフラグが立ちつつある現状

ティシア、実はめちゃくちゃ劣勢だった！

そう気づいてしまった俺。

愛国心なんて持ってなかったはずなんだが、今回の戦いだけは協力する気になった。

何故なら今のままじゃ、最初の段階でフルボッコだ。


この世界の戦争というのは、まずNPCが互いに殴り合って露払いをして、最後に真打の戦闘系転生者登場というのが一連の流れになっているらしい。

その前哨戦《ぜんしょうせん》が既に問題だった。

ティシアには、Aランク以上の鑑定可能な転生者は不在っぽい。

つまり生産系プレイヤーは、いたとしてもBより下のランク。

我が国は、NPCの上限であるBランクまでの武器防具しか生産出来ない。

対する敵国クラシエルは、モンスターを操るAランクのアイテムを使用していた。

用意している武器防具はプレイヤーによって強化されて、間違いなくこちらより上と見ていいだろう。

一応仲間だと認識している自国兵が、タコ殴りにされるのを指をくわえて眺めるのは、さすがに心が痛む気がする。

——俺は装備も自作出来る。

前世のプレイスタイルは生産職。

メインはアイテム作製だったけど、武器防具も作る。そちらのランクはA。

これまで作った各種装備アイテムは、捨てたりせずに転生者のお約束〝アイテムボックス〟に突っ込んでいた。

俺にとってはこれから使う予定もない試作品だし、ナダルに使うかと聞いてみたらひどく感謝された。

まぁ弓と杖《つえ》、メイスくらいしか武器の種類がないのは、非金属系生産職なので勘弁してほしい。

「とりあえず、これだけ渡しておきます」

指定された開けた場所に、アイテムボックスから出した武器防具を積み上げる。

いらないものを全部かき集めてみたら、なんと二千余りも数があった。

アイテムボックスの装備収納限界は一種類につき×九十九。全部の容量を使っていた訳じゃないので、どれだけ多種類作ってたんだ、俺。

思い出せば毒や麻痺《まひ》を付加するだけでも、かなり試行錯誤したなぁ。

ゲームの中でボタンを押すだけで出来ていたアイテムだが、この世界じゃ作製工程はかなり違うものになっていた。

材料を準備したら、体が勝手に動く謎仕様。

慣れてコツをつかむまで時間がかかったので、AからCと品質にはバラつきがある。だけどNPC作の大量生産よりは質的に良いはず。

武器に比べて、引き渡せる防具の数は少ない。

他人に使わせるという想定をしていなかったので、ほとんどを自動サイズ補正を組み込まずに作ってしまっていた。俺と体格が違えば合わないだろう。

木製盾は五百、革鎧《よろい》を五十組と切りの良い数字で出してみた。

アクセサリーや強化アイテムの類もあったんだが、ここでちょっとボランティア精神がなくなった。

広場に集まり、欲に目をギラギラさせている者たち。

目ぼしい装備を勝手に品定めして、自分が使うと主張している。武器に比べて明らかに少ない防具の数に、不満の声も上がっていた。

金属製の武器防具がないことも気に入らないようだが、それは無理だ。諦めろ。

……そういえば、畑を魔改造した時もこういう目で見られたっけ。

見返りもなく、利用だけされそうになったから、村人には最低限のコツ以外教えなかったんだった。

俺が転生者であることも。

転生者は打《う》ち出《で》の小槌《こづち》じゃない。クリスマスのサンタだって、良い子にしかプレゼントを配らない。

義理や恩があるならともかく、なぜ何のゆかりもない他人が当然のように我を通そうとする——？

「ありがとう、カリヤ」

すっと、隣でアイテムの取り出しを見守っていたナダルが動いた。

先ほどから注がれ続ける不躾《ぶしつけ》な視線を、遮るように俺の前に立ち、よく通る声で部下に指示を出す。

「この場の武器防具は、すべて王軍に供出される！交易スキル持ちは目録作成に取り掛かれ。買取価格を確認した物から順次、王軍の倉庫に運び入れる」

「買い取る……？」

「当たり前だろう？　収奪せよと、国が命令するとでも思ったのか？　自由取引に比べれば儲《もう》けは少ないだろうが、戦時下ということで受容してほしい。これからも一切の武器防具は、王軍が直接買い付ける。また、おまえの身柄もティシア王家が預かることになるだろう——フィアス！」

「はい！」

俺と同じ肌色を持つ部下が、名前を呼ばれてナダルの前に立った。

「ゲイリアス部隊はこいつの指揮下に入れるから、安心して俺の元へ来い。フィアス、今からカリヤの部下を引き継ぎに行け」

「了解しました」

にこりと笑った好青年が、おいでおいでと俺を手招いた。

つられて歩き出すと、先ほどまで集中していた視線が途切れる。

振り返ると、ナダルが大勢に取り囲まれていた。うんざりとした様子の横顔が見えていたが、すぐに人ごみの中に見えなくなった。

「ああ、気にしなくていいよ。ナダル様はご自分が苦労性だって自覚されているから。多少の面倒はさばき慣れてる」

フィアスは、俺と同じ平民だった。

最初は『様』付けで呼ぼうとしたんだが、ナダルのことを呼び捨てにしているなら自分もそれでかまわないよと言われてしまった。

彼、年齢的には俺より少し下らしい。


ブラットル領軍に徴集された俺と同じように、ナダル個人の私軍に所属するフィアスは陪臣という位置づけだ。まあ、一小隊長だった自分より階級的にはずっと上みたいだが。

ティシア国陣地の東に展開している、ブラットル領軍の陣地に向かって並んで歩く。

俺の部下であるゲイリアス部隊は、フィアスの指揮下に入るらしい。

転生者である俺だけが引き抜かれることで、残される部下たちはどういう扱いを受けるのかと心配したが、ナダルはきちんと考えてくれていたようだ。

安心した。

「——なるほど、カリヤは祖父の代からゲイリアスに住み着いたのか。それなら良かった。先祖代々領民だったと主張されたら、ブラットルから引き抜きにくかったんだよ。なら今後、先祖は僕と同じハム諸島の出身だと言えばいいよ。中央国家群から見れば東の果てでね、褐色の肌の人間ばかりだ。ここら辺では珍しい肌色だから、奴隷《どれい》として売り飛ばされてきたんだけどね」

あははとフィアスが明るく笑う。

「奴隷？」

「うん。非合法だけど横行してるよ。僕は戦闘スキル持ちで、奴隷商人をぶち殺して逃げ出したんだけど、これからどうしようと悩んでいたらナダル様と師匠が拾ってくださったんだ。既に故郷に家族はいなかったから、そのままこの国に住み着くことに決めた。カリヤにも、血縁はいないいんだよね？」

「いません」

「……なら良かった。肉親の命を盾に取られるのはつらいものだからね。このままナダル様のモノになっちゃうといいよ。もう周囲はそういう目で見ているかもだけど」

——ちょっと待て。

楽しげに笑っている青年に、おそるおそる聞いてみる。

「……フィアスと、ナダルはそういう関係なのかな？」

「まさか！　あの方、だらしなく遊んでいるように見られているけど亡くなった奥方一筋だよ。僕もいつかは可愛《かわい》い子と結婚したい。ので、ナダル様の愛人という風評は喜んで譲ろうじゃないか」

「……はぃ？」

「僕、性奴隷として売られようとしてたんだよ。この肌色のせいかな？　残念だけど、この辺りでは珍らしいということでハム諸島出身者はそういう需要があるみたいだ。あ、でも無理やり意に沿わない行為をされそうになったら、自業自得で相手を殺しちゃえばいいよ。後始末は遠慮なくナダル様に任せて！　僕も任せちゃってるし！」

褐色の肌に白髪《はくはつ》の青年は、穏やかそうな見た目とは違ってかなり過激な人物らしかった。

世間知らず、また一つ現実を知る

昨日《きのう》、クラシエルとの開戦と同時に襲ってきたモンスターの群れを、ゲイリアス部隊は見事に撃退してみせた。

だがその戦果と引き換えに、俺以外は全員が救護所送りになっている。

原因は魔法弓で攻撃するための、MP回復ポーションの飲みすぎ。

ポーション酔いという言葉がある通り、ポーション類は一度に大量服用すると、アルコールの酔いに似た症状を引き起こす。だが深刻な後遺症はない。

一晩休めば症状も改善するはずと安心していた俺だったが、隊長職引き継ぎのために隊に顔を出すと、幼馴染の鍛冶屋がまだ伏せっていることを聞いた。

「それで、見舞いに来てくれたのか?」

「まぁな。おまえに話しておきたいこともあったし」

救護所のテントの中には空いたベッドばかりが並んでいて、使用者は彼一人らしかった。

よいしょと隣のベッドに腰かけ、起き上がろうとしたアロワを「そのままでいいから」と制止してふたたび横たわらせる。

彼は昨日、最後まで俺の横で奮闘してくれていた。使用したポーションの量も、他と比べて多かったんだろう。

「昨日はおつかれさん、アロワ。体調の方はどうだ?」

「……朝よりはだいぶマシになった。しかし酒を飲んでも、ここまでひどい二日酔《ふつかよ》いになった覚えがないんだが、本当に大丈夫なんだろうな?」

「寝ていれば治るって医者に聞いただろう? まぁ、これを飲んだ方が早いが」

ほら、と幼馴染に小さなガラス瓶を差し出す。中に入った黄金色の液体を胡散臭《うさんくさ》げに見ていたアロワは、栓を抜くと中身を一気にあおった。

「……うめぇ」

「そりゃよかった。体調は?」

「完全復活。快調すぎてやばい。いや、ちょっと待て。ポーション酔いが何故《なぜ》治ってるんだ？　それに昔、変に骨を折ったせいで左手の指を動かすたびに痛んでたんだが、そいつもなくなってる……？」

「あー、エリクサーだからそれくらいの効能はあるかもな」

「エリッ⁉」

万能薬、エリクサー。

すべての状態異常を回復させ、蘇生までこなす霊薬は、アイテム類の最高峰に位置する消費アイテムだ。

ランクSから作製することが出来るアイテムなので、前世のプレイヤー時代は小金を稼がせてもらったっけ。

コレ、辺境まで遠出しなくても、中央国家群で拾える素材だけで作れる優良アイテムだったんだよなぁ……とほのぼの懐かしんでいたら、何故か胸ぐらをつかまれた。

「……なんてものを飲ませやがったんだ……」

「いや、昨日はがんばってもらったからお礼のつもり？」

「どこにポーション酔いを霊薬で治す馬鹿がいるんだよ！　寝てりゃ治るのに！　おまえ、エリクサーの値段知らんだろ⁉　この世間知らずが！」

「買ったことがないから知らない。けどまぁ、俺が自作したやつだから気にするな」

「するわ！」

ベッドの上で体を丸めて後悔しているアロワの話を聞いていると、どうやらエリクサーは非常に高価なアイテムだと分かった。

《ゴールデン・ドーン》のゲーム内では、エリクサーは一本一万ゴルドだった。

あ、通貨の単位は〝GD〟と書いて〝ゴルド〟と読む。多分、《ゴールデン・ドーン》というゲームタイトルから名付けたのだろう。

一ゴルドの価値は、日本円では十円くらい。

この転生後の世界でもゲーム内と同じ仕様のはず。

ということは、ゼロを一つ加えて、と。

エリクサー、一本十万円。

……そこそこ高いか？

でも学生ならともかく、社会人の金銭感覚なら、十万円程度なら腹をくくれば出せる値段なんだよな。

特にエリクサーは、仲間に回復担当がいない場合の、万が一の保険みたいな位置づけだったし。

プレイ途中で死に戻ることを考えたら、一万ゴルド程度、可愛《かわい》い可愛い。

しょせんゲーム内だけの仮想通貨だし……あ、今は現実だっけ。

「……あのな？　おまえ、山籠《やまご》もりしてたから貨幣価値分かってないだろ？　宿に泊まるのも百ゴルドかからないんだぞ!?　それに――」

大の男が逆切れしながら説明してくれたのは、驚きの現実だった。

物々交換でこれまで生きてきたから気づいてなかったんだが、どうやらこの世界の金銭価値は、俺の認識から更に開きがあった。

どうやらゼロは二つ、加えないといけなかったらしい。

エリクサー、一本百万円。

一気に高価になった。

ついでに作製出来るのが転生者しかいないので、金額も変更されていた。

エリクサーのお値段。

一万ゴルドではなく、十万ゴルドに暴騰していた。


エリクサー、一本一千万円。


「……ちょっとそれ、作製出来る俺やばくないか？」

「ようやく自覚してくれたか。ついでにその目立つ外見も自覚しとけ。そっちもやばい。おまえ、昨日の今日で自分に関するこんな噂《うわさ》が流れてるのは知ってるか？」

「ん？」

「一晩で剣聖ナダルを誑《たぶら》かして、領主の甥から乗り換えた男」

「――」

目を見開いて驚愕《きょうがく》した俺を見て、アロワが肩を落とす。

「やっぱり噂かぁ……寝てたら相手を利用させてもらえって思ったんだが。しかしナダル様とおまえのやりとりは横で見てたけど、なんだか二人ともお互い意識しているって感じがしてたんだが……」

「ナダルは、俺を転生者だって見抜いただけだよ。で、俺の方は前世で彼の名前を知っていた」

「……やっぱりおまえ、転生者だったんだな……」

どこか痛みを感じているかのような幼馴染の表情に、俺はかすかな笑みを向けて肯定した。

だますつもりはなかった。ただ教えなかっただけで。

だが彼は俺の秘密に気づいていたらしい。

「――もしかして知ってた？」

「ああ。いや、どうだろうな。彼女と一緒になるんだって言ってた昔は、それほど違和感を持ってなかった。おまえのところの爺《じい》さん婆《ばあ》さんが亡くなって、滅多に山を降りて来なくなった頃《ころ》から、もしかしたらそうなんじゃと思ってたかな……」

「正解。自覚したのは、多分その辺」

じっと俺を見つめたアロワが、しばらくして大きなため息をついた。

「……てめぇ、時々村にやって来てた冒険者ギルドの巡回無視してたろ？　転生者は届け出をしとかなきゃいけないって知ってたか？」

「知らなかった。うん、ちょっと怒られたけど、まあ今となっちゃ些細《ささい》なことだ」

「ったく……」

幼馴染が、仕方ないなぁという風に苦笑する。

一緒になって苦笑した俺は、そのまま笑顔で彼に告げた。

「まあそういう訳で、バレたから国に召し抱えられることになったわ。剣聖ナダルの部下になる、と思う。昨日《きのう》の今日の話だから、細かいことはまだまだ未定なんだが」

「そうか」

「ゲイリアス部隊は、ブラットル領軍所属からナダルの直属に移管される。ほら、砦を一緒に守ったフィアスって青年が彼の部下にいたろ？　あの人がこれから部隊の面倒を見てくれるって。俺だけ引き抜かれたら残されたおまえらがどうなるかって心配してたけど、配慮してもらえてよかったよ」

「了解。じゃあ今後は、そのフィアスって上官に従うわ」

「アロワ」

俺は腰を下ろしていたベッドから立ち上がると、二十五年間付き合いのあった幼馴染の名を静かに呼んだ。

左手のひらを上に向け、アイテムボックスの中から弓を取り出す。

Cランク。ゲイリアス部隊の面々に使わせた無理な強化を施した魔法弓じゃない。

彼が己の能力だけで扱うことが出来る、素朴な見た目だが軽くて壊れにくい両手弓だった。

「――餞別《せんべつ》だ。やるよ」

「……ありがたくもらっておくが、普通、餞別なら俺がおまえに贈るものじゃないか？」

「いいんだ。これまで、おまえやおまえの家族には世話になった。で、実は本当の餞別はこっちの方なんだわ。心して受け取れ」

笑いながら一歩踏み出すと、俺は弓を彼のベッドの傍らに立て掛けた。

そのまま体を進め、ベッドの上にいる彼を抱擁する。

「カ、カリヤ!?　いや、俺、おまえにはこれまで興味なくて、これからも出来れば興味を持ちたくないというか……」

「いいから黙って聞けよ、馬鹿」

――いや、ベッドの上に片膝《かたひざ》乗り上げて、覆いかぶさるように抱きしめられたら、たとえ相手が誰《だれ》でも貞操の危機を感じるかもしれん。

すまん、アロワ。おまえが愛妻家なのは知っている。

だけど……と、俺は抱き寄せた彼の耳元に唇を近づけ、ひそめた声で囁《ささや》いた。

「どうやら、テントの出入り口の隙間《すきま》から覗かれているみたいだ。聞かれたくないから、耳元で話すぞ?」

「へ?」

「そのまま動かずに聞け。……ゲイリアス出身者の強みは、他地方の人間よりモンスターに慣れていることだ。俺がおまえたちを連れて王軍に参加しても、対人戦闘じゃ強みを生かせない。このまま、黒森から迷い出すモンスターを相手にしていた方がいい。

そう説明して、持ち場は変えないでもらった。今後もおまえたちは、黒森の外周担当だ。だから」

一瞬だけきつく目をつむり、俺は小さな声で続ける。

「――我が軍がクラシエルの攻撃で壊滅するような事態になったら、黒森の奥に逃げるんだ。俺が作ったモンスターよけの匂《にお》い袋を渡しているだろう? あれを水に浸せば、三日間だけ効果が強烈になる。三日間、寝ずに走り続ければ黒森は突っ切れる。いいか、決して街道は使うな」

「……カリヤ」

「黒森を抜けたら、そのままゲイリアスに帰れ」

アロワが、震える手を俺の背に回した。

強い力で抱き寄せられる。俺の耳に唇を寄せて、彼が掠《かす》れた声で囁く。

「ティシアは、負けるのか――?」

「……ま、最悪の事態はってことだな。そうならないように、とりあえずがんばってくるわ」

幼馴染の背をあやすようにポンポンと叩きながら、

俺は遠い目でこの戦争の行く末を考える。

正直、俺以外に生産職の転生者がいない現状はきついと思う。Ａクラス以上のアイテム類の備蓄がどれだけあるかが鍵《かぎ》だ。

なんだよ、エリクサー一本十万ゴルドって。

他のアイテムも絶対高値だろう。作れる者がいないんだから。

つまり短期決戦に持ち込まないと、ジリ貧確定。

――うん、勝てる要素が思いつかないが、戦争なんて最後に負けてなければいいよな、多分。

別れ

「カリヤ、戻ってきたんだって？」

突然、テントの出入り口にかかっていた垂れ幕がめくられた。

中に入ってきたレド様に、寄り添っていた幼馴染を突き飛ばしてベッドから距離を取る。

すまん、アロワ。

リアル修羅場って、覗かれてるのを事前に分かってても、心臓に悪いものだと初めて知ったわ……しかし覗いていたのはレド様だったか。

やばい、俺のよく分からん噂に尾ひれがつきそう……。

「――王軍に預けていた君の弓が、鑑定が終わったらしく戻ってきたよ。その件について話がしたいんだけど、今からいいかな？」

にこやかに微笑《ほほえ》みながら仰《おっしゃ》るレド様は、先ほどまで覗き見してした様子をおくびにも出さなかった。

誘いに、こちらもにこやかに頷かせてもらう。

ふむ。昨日、モンスターを撃退した後に没収された七連弓、戻ってきたのか。

そのまま接収されるかと思っていたが、一発射るたびにＭＰ消費量が半端ないせいで持て余したんだろうなぁ。

尖《とが》った性能の武器って、生産職としての男のロマンだよね……でも防具にロマンは求めない小市民。命を守る防具は、堅実かつ安定が第一。

出入り口で待つレド様の元に向かう俺の背中に、アロワが声を掛ける。

「カリヤ！　俺はまた、おまえと会えるよな？」

……何故か修羅場続行中？

「おう、戦争が終わったらな。おまえも死ぬなよ」

片手を上げ、軽い口調で別れを告げる。

出入り口に垂れ下がった布を、俺のために上げて待ってくれていたレド様は、テントから出た俺を自分の天幕へと連れて行った。

何度か訪れたことのあるレド様の天幕の、机の上に七連弓は置かれていた。

分解して調べられたということもなかったらしい。

弓を受け取りそのまま彼の元を辞そうと考えていた俺だったが、レド様に飲んでいかないかと引き留められた。

大人の世界で、酒に誘われるということは話があると言っているのと同じ意味だ。

平民に拒否権など存在しないので、勧められた椅子に腰を下ろす。

天幕の隅に置かれた台の上で、酒を注いだレド様は、優しく微笑みながら俺に杯を手渡した。

多分、毒は入っていないはず。彼に俺を殺すメリットはない。

怪しい薬も入っていないだろう。

ナダルと話をしてから、俺は手首を保護するために巻いている布の下に、念のために腕輪型の各種アイテムを仕込んでいた。

攻撃軽減や、状態異常防止の効果も持っている自作アクセサリー。木製なので一回限りの使い捨てだけど。

ぬるい葡萄《ぶどう》酒は、渋くて重い口当たりがすきっ腹に効いたが、美味《うま》かった。

腕輪に反応はない。

クスリの類は仕込まれていなかったようで安心……いや、レド様は敵ではないはずなんだけど。

「王軍から連絡があったよ。カリヤは王家に直接仕えることになるんだね」

「……そうなんですか？」

「転生者は貴重な戦力だからね。出来ればこのままブラットルに残ってほしかったけど、カリヤ個人としての意見はどうなんだろう？」

残る気があるのなら、伯父は重臣として迎え入れると言っているよ。

微笑みながら告げるレド様に、あいまいな笑みを浮かべる。

「……多分、もう俺個人の意見など通用しないんじゃないでしょうか？　上の命令に従うだけです」

「転生者は誰の命令にも従わなくていいんだよ。そういう取り決めが、君たちの代表である冒険者ギルドと中央国家群諸国の間で交わされている」

国境も越えて、自分の仕える相手を好きに選べるのが転生者だ。

そして私たちは彼らの判断を尊重しなくてはいけない。

「……だけどカリヤは、別に生まれ故郷であるブラットル領に思い入れはないみたいだね」

困った風に笑いながら、レド様が寂しそうに呟く。

俺は反論出来なかった。

その通りだった。

戦争が始まって徴集されていなければ、俺はゲイリアス山岳地帯を捨てて、何のしがらみもない土地に旅立っていた。

前世が日本人だったという記憶を持つ限り、転生者がこの世界に愛着を持つのは難しいのかもしれない。

《ゴールデン・ドーン》というゲームの中には、現実の日々を忘れる理想郷があった。

だけどゲームが現実になったここは、決して理想郷じゃない。

「君がそう考えているなら仕方ない。伯父から、断られた場合には君に餞別として贈りたいと装身具を預かっているんだよ。ブラットルの民として、身に着けてもらえるとうれしいんだけど……」

レド様が、どこからか木箱を取り出した。

ほら、と俺にふたを開けてみせる。

中に入っていたのは、男でも身に着けられる革製のチョーカーだった。

俺の瞳の色とよく似た緑色の宝玉が、中央で光っている。

一瞥《いちべつ》しただけで、高いと分かる宝玉だった。

「さすがにこれはいただけません。ご領主様のお気持ちだけで充分です」

「いいから。きっと似合うよ。つけてあげるね」

木箱からチョーカーを取り出したレド様が、椅子に座る俺の後ろに立った。有無を言わせるつもりはないらしい。

首すじを見せてと言われたので、白いリボンごと一つにくくった髪を持ち上げる。

チョーカーが俺の首に巻きつけられ、鋭い破砕音が天幕の中に響いた。

「――――え？」

「……」

革が千切れた装身具を、震える手で掴んで鑑定する。

鑑定する前から、それがいったい何だったのか気づいていた。何故《なぜ》なら、響いた異音はチョーカーの宝玉と、手首に装備していた腕輪が砕けた音だったからだ。

「……〝隷属の首輪〟……」

俺の背後に立つレド様は、何も言わなかった。

何も言わずに黙り込んだ彼の態度が、伯父から渡されたアイテムの正体を知っていたのだと教えていた。

捕虜や奴隷《どれい》に嵌《は》める首輪。

抵抗を許さず支配するそのアイテムの、ランクは

Aだった。

NPCに使うならBランクで充分なはずだ。彼らのランク上限はBだから。

俺にと用意されたAランクの隷属の首輪は、明らかに転生者を封じるために作製されたアイテムだった。

「……Aランクの武器を作っていたから、俺のランクもAだと思いましたか？」

立ち上がり、俺は領主の甥に振り返った。

背後で立ちすくんでいたレド様は、顔を赤くして唇を噛《か》みしめていた。

自分の行為の卑劣さを、理解して行動していたのだろうかとぼんやりと思う。

輜重隊に配属されていた彼は、剣を手に取って戦うべき領主一族の、本流からは外れていたのだろう。

元々は優しい方だった。

商業の街ルイセルで、ヒゲを生やした山男にたまたま声を掛けた時、彼にはたいした下心もなかっただろう。

皆でたわいもない話をして過ごした昼下がりは、本当に楽しかった。

「……この七連弓は、ご領主様でなくあなたに差し上げます。もらってください。田舎者《いなか》に優しくしていただいてうれしかった。これまでありがとうございました」

「——待って、違うんだ！　ごめん、カリヤ。違うんだ、私はただ」

「このリボンもお返しします。もう俺には必要ありませんから」

「————」

髪をまとめていた白いリボンを外して、机の上に置く。

そうして俺は、レド様の元を去った。

リボンをつけずにナダルの元に戻った俺に、何故だか彼は新しいリボンをくれた。

色は今度も白。

ふわふわとしたレースの、女性が身に着けるような可愛《かわい》いらしいリボンだった。

……また、後ろ盾になってくれるという意思表示なんだろうか？

しかし、ナダルに下心はないと分かるんだが、それを周囲が理解してくれるかは別問題だ。

幕間

「――なんて真似《まね》をしてくれたんだブラットル！」

こぶしをテーブルに叩きつけ、ナダルは地方領主の蛮行に呪《のろ》いの言葉を吐いた。

テーブルの上には、引きちぎれた革の首輪が置かれている。

ランクAの〝隷属の首輪だったもの〟。

先ほどまで自分の天幕を訪れていた転生者が、気まずそうに残していった証拠品だった。

彼は部下のフィアスが、自分の陣幕内の来客用天幕に案内している。

身柄を預かることになった青年だったが、本来の徴集兵扱いで遇するのは不可能だった。

まだこの場で転生者と公に披露することは出来ない。

だが本来の身分のままで扱い、戦闘を経験したばかりで興奮している下級兵たちの中に放り込めば、見目の良い彼がどんな対象にされるのかは簡単に想像出来る。

泣き寝入りはしないだろう。彼は少なくともAランク以上の転生者なのだから。

怒りのままに反撃すれば、小隊の一つや二つ潰せる実力のはずだ。

だが自業自得な兵の損害より、嫌気を覚えた彼がティシア軍を去ろうと考えないかと、それが恐ろしかった。

ほとんどの転生者は義理堅い性格をしている。

日本人の特質なのだと、転生者だった師が苦笑しながら説明していた。

礼を尽くして相手に接すれば、かならずそれ以上の恩恵を返す。ただ、ないがしろにする振る舞いを見せれば、彼らは無言で去っていく。

『冒険者ギルド』という後ろ盾を持っている彼らは、決して一つの国に縛られない。

――それをティシアは既に思い知っているはずだった。

「不始末は己の首で清算させてしまえばよろしいでしょうに」

来客に出した茶を片づけていた灰色の髪の男が、頭を抱えていたナダルの傍らでぽつりと呟いた。

紫色の瞳だけを動かして、ナダルは呟いた男を見る。

彼が生まれた時から側《そば》にいて、戦場までついてきた乳兄弟は、向けられた視線に気づくともう一度静かに繰り返した。

「こじれる前に、謝罪の姿勢をみせてはいかがですか？　今ならブラットルとその甥、それに一族の半数も首を刎《は》ねておけばおそらく納得するかと」

「……既にカリヤ本人が不問にしている。小隊長として取り立てられていたことには恩義を感じているらしい。彼が許した以上、こちらからは手を出さない方がいい――甥に関してはな。ブラットルは別だ。転生者に対する暴行は王家が処断する」

「その甥との関係。やはり二人は噂《うわさ》が立っていたような仲だったのですか？　……いえ、気になるという訳ではなく」

「あー、気になっているんだな。安心しろ、グウィン。それはなさそうだ」

ずっと独身を通している乳兄弟が、同性を恋愛対象にしていることを知っているナダルはにまりと笑ってみせた。

「なぁ。俺にはそこまでよく分からんのだが、おまえからカリヤはどう見える？」

「……なんですか、それは」

「いいから聞かせてくれ。俺はどうもそっち方面の見立ては上手《うま》くないんだ。鑑定持ちでも読み切れない部分だからな」

頬《ほお》をわずかに赤くしていた男は、ため息をつくとぽつぽつ語り始めた。

「……これまで、彼がどの男とも関係を持っていなかったのが奇跡だと思えますね。辺境であるゲイリアスで暮らしていたと聞きましたし、高地の民特有の露出が極端に少ない格好をしていたからでもあるのでしょう。造作の整った、美しい青年だと思います。ハム諸島出身の者に偏見があるつもりはなかったのですが、諸島特有だろう艶《つや》のある肌に視線が引き寄せられました。指で触れたら吸いついて離れないだろうと思わせる滑らかさなのに、手足の先まで衣服で隠しているから、その布地の下を暴きたくなる。なによりもあの瞳の色。最高級の黒真珠よりも鮮やかなピーコックグリーン。あの不思議な光を放つ緑の瞳を奥深くまで一度でも覗けば……まだ深淵《しんえん》を覗かれていないでしょう？　ナダル様。きっと戻れなくなる。魔性の瞳ですよ、あれは」

森の中に存在する底なしの湖が、緑色の水を湛《たた》えているのが分かる気がする。

一歩、足を踏み込んで沈んでしまえば、二度と浮かび上がれない――。

詩的な表現を好む男だとは理解していたが、語り始めた乳兄弟の言葉にナダルは引いていた。

語れと命じたのは自分だった、と先ほどまでとは別の意味で頭を抱える。

「……つまり、外見はふるいつきたくなるほど良い男って認識でいいか？　俺から見た奴は、気の良い兄ちゃんなんだけどな。頭の回転が早くて腕っぷしも確か。度胸もあるが、世間知らずですれていないのが気にかかる。悪い輩《やから》にいいように利用されないか……まあ奴は賢い。大丈夫だとは思うが」

「ああ、やはりそういう意味でリボンを渡されましたか」

無造作に長い髪をくくっていた青年に、一目見ただけで高価だと分かる装飾品を渡していたナダル。

支援している後ろ盾を匂わせるリボンは、彼の異国めいた顔立ちにとてもよく似合っていた。

「ですがあれ、彼の美貌《びぼう》では間違いなく周囲に誤解されますよ？　甥はそれを狙《ねら》っていましたが、あなたもそう受け取られることを忘れずに」

「……フィアスもそう思われているし、今さらもう一人増えても……ああ、でも家には連絡を入れておくか。この戦争が終わってからも、彼とは家族ぐるみで付き合っていきたいからな」

「そうなさってください。特に坊ちゃんにとっては、〝彼〟は特別な存在となるはずですから」

領地に残してきた家族を思い出して微笑《ほほえ》むナダルに、彼の乳兄弟もなごやかに同意する。

「ただいまー、ナダル様、グウィン様。カリヤを無事送ってきましたよ」

褐色の肌に白い髪の青年が、明るく笑いながら戻ってきたのはちょうどその時だった。

勧められた椅子を笑って固辞すると、立ったままフィアスは報告を始める。

「首輪の一件をどう思っているのか心配だったので尋ねてみましたが、それほど気にしていないみたいですね。貴族怖いと言っていたので、怖いから気をつけようねって返しておきました」

「そこは怖くないと……いや、警戒しておいた方がいいだろう。気にしていないのなら何よりだ。他には？」

「天幕の警備兵が彼の色香に迷いかかっていたので、〝注意〟しておきました。客人を就寝中に襲ったら、ナダル様の失点になりますから」

しかしモテますね、彼。

しみじみとフィアスが続ける。

「部隊を引き継ぐ時にいろいろ聞いてきましたが、

どうやら行軍中、部下たちが苦労していたみたいですよ。ずっとゲイリアスにこもっていた世間知らずなので、貞操に関する危機感は持ってくれているがどうも薄くてたよりない。なので気をつけてやってほしいとのことです」

「……同性と楽しむ趣味は本当に持ってないようですね……」

残念そうなグウィンの呟きを、ナダルは聞かなかったことにする。

「ありがとう、フィアス。今夜はもう休んでくれ。おやすみ」

「はい、ではお先に失礼します……ああ、」

天幕の出入り口の前に立ち、フィアスは微笑みを浮かべたまま振り返る。

「ナダル様。ブラットルの悪事の直後で切り出しにくいでしょうが、カリヤには早めに教えておいた方が良いと思いますよ？　今、我が国には彼以外に転生者がいないって現実は」

「――――」

「おやすみなさい」

ティシアでは珍しい褐色の肌を持つ青年が、出入り口に垂らした布をかき分けて去っていく。

残された主従は、互いに無言のまま布の揺れが収まるのを見つめていた。

タキリン城砦《じょうさい》へ

前世でプレイしていたMMORPG、《ゴールデン・ドーン》の世界は広大だった。

現実のように行動していては、移動するだけで時間がかかる。だからプレイヤーたちは幾つかのスキルや施設を駆使して、世界を駆け巡っていた。

移動スキルは二種類。〝リターンホーム〟と〝ジャンプ〟。

〝リターンホーム〟は取得ランク制限なし。

スキル名通り、プレイヤーの本拠地〝ホーム〟への瞬時の帰還を果たす。ただし、プレイヤーの敵対地域内では無効。このスキルを使って脱出は出来ない。

〝ジャンプ〟は瞬間移動。取得可能ランクは生産職戦闘職問わずA以上。

プレイヤーの視認出来る範囲で〝跳ぶ〟こと出来る。

戦闘時にも使用可能なので、上位プレイヤー同士の死闘はすさまじいものになっていた。

ジャンプは便利だが欠点もある。唱えるプレイヤーの自重以上は一緒に運べない。他人を連れて跳べるのは、自分より体格の小さな相手を一人のみだ。

だが、パーティーを組んだプレイヤー全員が一度に移動出来る施設が、《ゴールデン・ドーン》には存在していた。

〝転移ポータル〟。

中央国家群から辺境まで。世界の随所に設置された魔法陣間を移動出来る施設だ。

描かれた魔法陣上のすべてが転移対象になるポータル。その余裕のあるスペースは人だけでなく、物資の輸送も可能としている。

そんな転移ポータルが複数設置されている施設は、〝転移ステーション〟と呼ばれていた。

ティシア国内には、転移ステーションが二か所存在している。

一つは王都アルティシア近郊に。

そしてもう一つが、クロエ平原の南方に位置する、冬でも葉を落とさない森の中にそびえ立つ『タキリン城砦』——。

さて、前世のゲーム内での移動手段はそんな感じだった。

基本的に、移動にそれほど時間はかからない。戦闘や探索に時間をかけたいプレイヤーが多かったからな。

最寄りの転移ポータルへと〝ジャンプ〟や転移アイテムで出向き、ステーションを地下鉄のように乗り継いで目的地へ。ホームへの帰還は〝リターンホーム〟一つで終わっていた。

当時の俺は、ゲーム内のＮＰＣがこの広い世界をどう移動しているのかなど考えたことはなかった。

今なら分かる。

徒歩。もしくは馬、馬車、船。

現在は、馬車に乗って絶賛移動中――。

「……おまえが馬に乗れなかったのは予想外だったな」

「いえ、俺、一応生まれた時から農民ですから。馬なんて飼ってませんでした。そもそもゲイリアスほど険しい山じゃ飼ってもラバ程度で、荷物を運ぶしか使い道はありません」

向かい合って座る馬車の中で、俺は付き添いのナダルに説明する。

転生者が何でも出来るって幻想を持っているのなら、即座に捨ててほしい。

確かに騎馬スキルは前世ゲーム内に存在していて、馬に乗って楽しんでいたプレイヤーもいた。

だが大抵のプレイヤーは馬に乗っていなかったと思う。

スキルを使って移動した方が早かったし、馬は飼うと維持費がかかる仕様だったんだ。こだわりがないと乗馬プレイはしない。

「タキリン城砦で、練習出来るように手配していいか？　乗れるようになってほしい。王族が馬に乗って移動する際、付き人のおまえが馬車に乗っては速度が出せないからな」

「――了解です」

馬車の窓から見える景色《けしき》を、遠い目で眺めながら俺は頷く。

なんと、ゲイリアスのカリヤ氏。

自国の雲上人である、ティシア王家に直接雇用されてしまった。

とりあえず、〝この戦争の間だけ〟という期間限定なんだが。

前世で生産職だった俺は、前線に立たせておくより後方支援に回した方が良いと判断された模様。

うん、Sランク以上の戦闘職転生者に目の前に立たれたら、軽く瞬殺される自信はある。

俺が強いのは、あくまでNPCや中央国家群のモンスター相手だけだ。

どうもこの国では鑑定能力持ちの転生者が不在だったこともあり、王族のセキュリティに不安があるらしい。

王族の傍らで鑑定スキルを駆使し、周囲に諜報《ちょうほう》アイテムが隠されていないか、敵国のスパイが暗躍していないかを警戒するのが今後の俺の任務になる。

《ゴールデン・ドーン》の世界で転移ステーションだったタキリンは、この世界では城砦として実際に使用されていた。

全土から物資や兵士を集め、前線のクロエ平原へと輸送する。

そんなタキリンに、我が国の王子と王女が滞在されているらしい。

「あれ？　今回の戦争、国王陛下と王太子殿下のお二人がクロエ平原まで親征されていましたよね？

……総大将の王様が前線まで出てくるのは百歩譲るとして、その他の王族の皆様方は王都で守られるものじゃないんですか？」

「すぐにも王都に戻っていただきたいと、こちらも思っているんだが……どうも『白の天蓋《てんがい》』の設置に手間取っていて、終わるまでは滞在していただかないと困るというのが現状だ」

「――『白の天蓋』」

その名を、俺は知っていた。

NPCのみが扱うことが出来る、国宝級アイテムの一つだったはず。

血統アイテムと呼ばれるそれらは、ナダルの持つ『花散里《ハナチルサト》』と同じで該当する血統に属していれば使用出来るが、使いこなせるかはまた別になる。

『白の天蓋』は範囲防御アイテムだ。

王都を守っていただろう希少アイテムを、持ち主のティシア王家はクロエ平原の自軍に対して使うつもりらしかった。

「今、タキリン城砦には第一王子と第三王子、第一王女が滞在していらっしゃる。先ほど陛下と王太子に引き合わせたが、今度は三人に会ってもらうぞ？ 終われば第一王子は王都アルティシアに戻られ、第三王子は『白の天蓋』設置のために俺と共に前線へ移動する。カリヤ、おまえには城砦に残る第一王女の警護を頼むことになる」

「え⁉」

まさかの護衛対象、お姫様。

後から振り返れば、これが
夜もかなり更《ふ》けた頃《ころ》、馬車はタキリン城砦に到着した。

驚くべき速さだったようだ。何度も馬を変えた。

そこまで強行したのは、

「月明かりの下、ご苦労だったな、ナダル。先に水晶球で連絡が来ていたが、無事に着けるか心配していたぞ」

「殿下。お待たせして申し訳ありませんでした」

……我が国の王族三人を待たせていたからです。

城砦の広い玄関ホールでナダル（と俺）を待っていたのは、黒髪の第一王子殿下だった。

パッと見でも美形なのに、眉間に深く刻まれたしわが怖い。

もしかして、急ぎの用が王都に待っていたんだろうか。

乗馬出来ないことを伝えたのが、目の前に鞍《くら》をつけた馬を引き出された後だったからな……タキリン城砦で待つ彼らの、今日一日の予定を狂わせてしまったのは間違いないようだ。

ナダルと言葉を交わしていた王子殿下が、背後に立つ俺に険しい視線を向ける。

と、彼の黒い瞳が見開かれた。

「……この者が？」

「はい。名はカリヤ。ゲイリアス山岳地帯の出身です。これまで山岳地帯の奥地で暮らしていたため、冒険者ギルドの存在を知らず、今回の戦争に徴集されて初めて転生者と名乗り出ました」

「我が国は幸運だったと喜ぶべきなのだろうな。今この時に、上位ランクの転生者が現れたのだから」

呟き、王子が歩を進めて俺の前に立つ。

俺より背が高い青年だった。

以前耳にした情報によると、年は同じ二十五歳。

先にクロエ平原で引き合わされた国王と王太子は金髪だったが、第一王子の長い髪は濡《ぬ》れたような輝きを放つ漆黒だ。顔立ちもそれほど似ていない気がするのは、彼が庶子だという話を聞いたせいだろう。

彼の母親は身分の低い寵姫《ちょうき》だったという。なので長男でも王位継承権はなく、正妃から生まれた第二王子が世継ぎの王太子なのだとか。

「――ルシアンだ。ゲイリアスのカリヤ。君を歓迎する」

「カリヤです。どうぞよろしくお願いします」

前世仕込みの接客用スマイル。そして礼。

土下座はしなくていいと言われている。でもこの世界特有の儀礼なども分からないので、とりあえず自分なりに偉い人には失礼にならない対応をしてみたんだが、笑顔を向けた王子がたじろいだ様子を見せていた。

……山奥での一人暮らしが基本だったから、営業用スマイルって今世は浮かべ慣れてないんだよな……ちょっと不自然だったかな。

だが、一応誠意は伝わったらしい。

ぎこちないながらも応《こた》えて、微笑《ほほえ》み返してくれる王子様。

眉間に刻まれていたしわが消えている。

「──ナダル。城砦の者と打ち合わせがあるのだろう？　彼は私が弟たちの元へ連れて行こう。するべきことを済ませてきてくれ」

「かしこまりました。では終わり次第、地下の転移ポータルへ向かいます……カリヤ、そんな顔をするな」

まさかここで別行動になるとは思っていなかった。よほど俺はショックを受けた顔をしていたんだろう。ナダルが苦笑し、ポンと俺の頭に手を置くと撫《な》でられた。

子供みたいな扱いだ。

「大丈夫。後で会おう」

歩き出したナダルの周囲を、すぐにホールの隅に待機していた兵士たちが取り囲む。王子との会話が終わるのを待っていたらしい。

囲まれて去っていく男の後ろ姿を見送っていた俺に、王子が声を掛けてきた。

「ずいぶん懐いているのだな」

「え？」

「いや……弟たちの元に案内しよう」

ついてきなさい、とルシアン王子が歩き出した。

玄関ホールの壁面には下へと降りる階段がいくつも並んでいたが、彼は正面にある大きな扉へと向かった。

──MMORPG《ゴールデン・ドーン》では、タキリン城砦の転移ポータルは地下にあった。

複数のポータルが設置され、ステーションと呼ばれたタキリン。大勢のプレイヤーが移動のため、ここを訪れていた。

だが高い尖塔《せんとう》を有していた城砦の、地上部分を知るプレイヤーはいなかったはずだ。

タキリン城砦の、玄関ホール正面にあった大扉が開いたことはない。開くイベントも存在しなかった。

サーバーの容量には限界があるよという、オトナの事情だったのだろう。

でも、ここはもうゲームの世界じゃない。

扉の両脇に控えていた兵士が、王子の接近に扉を押し開く。

ゲームでは存在しなかった建物内部に、俺は足を踏み入れた。

三階までは兵士が廊下を頻繁に行き来し、軍事施設の趣が強かったタキリン城砦だが、四階からは一気に雰囲気を変えた。

メイド姿の女性がいる。

城砦に滞在する偉い方の、居住空間として利用しているんだろうか。

最上階にあたるらしい五階の、豪奢《ごうしゃ》な意匠を施した扉の前で王子が立ち止まった。

振り返り、俺がついてきていることを確認すると頷いてみせる。

「――カザリン、ウォルド。待たせたな。転生者を紹介する」

扉が開かれ、明るい光が廊下までこぼれ出た。

魔法アイテムの照明は、部屋の中を昼間のように照らしている。

暖炉の前に置かれていた椅子に座っていた少年と少女が、兄の来訪に揃って立ち上がった。

どちらも腰まで伸ばした美しい金髪の持ち主だった。

一歩進み出た第三王子ウォルドは十五歳。平民なら徴集出来るギリギリの年齢だ。

線が細く、微笑みの似合う優しい顔立ちをしている。

戦場に出るには早くないかと心配してしまう儚《はかな》さがあった。

ナダルも言っていたが、範囲防御アイテムである『白の天蓋』はティシア王族しか扱えない。稼働させるために、まだ幼い彼も戦場に出向くのだろう。

「あなたがカリヤさんですか？　会えてうれしく思

います。僕はウォルド。そして彼女が――」

　少年が、傍らの少女を紹介する。

「――カザリン。僕の双子の姉、ティシアの第一王女です」


〝彼女〟は美しかった。


　これまで、美しい人間はそこそこ見てきた。

　この世界の貴族はたいてい整った顔立ちをしている。レド様は美人だったし、無精ヒゲのナダルも眠たそうではあるが精悍《せいかん》な男前だ。

　王や王太子もキラキラしていた。ルシアン王子もハンサムだし、ウォルド王子も可愛《かわい》い系だと思う。

　アバターとしての美醜なら、前世のゲームプレイ中、周囲は美男美女だらけだった。そりゃあ自分の分身は、誰《だれ》だって見栄えするようにしたいなと思うだろう。

　なので美しい容姿を持つ人間を前にしたら、素直にその外見に対して感嘆していた――これまでは。

　俺は、真に美しい存在というものを分かっていなかったんだと思う。

〝彼女〟は美しかった。

　凛《りん》と伸ばした背すじ。透き通った白い肌を縁取る黄金の髪は、ゆるやかに波打って流れている。

　宝石を思わせるきらめく瞳の色は鮮やかな緑だった。俺を見据えるまっすぐな視線の強さ。

　その整いすぎた美貌を前に、美女や美少女という形容は思い浮かばなかった。

　ただ、美しさが力を持つものだと初めて知った。

反省と転移ポータル

　顔合わせは本当に顔合わせだけだった。

　一気に移動を始める王族の皆さん。行先は地下の転移ポータルだ。

……すみません、到着が本当に遅くなってしまいまして。

あと二時間ほどで日の出なんだが、皆さん明日の予定は大丈夫だろうか。

ほぼ徹夜状態だが、俺の体調は大丈夫。

アイテム作製にのめり込んで完徹はよくあることだ。NPCと比べると転生者はステータスが高いので、そう肉体的なダメージは受けないし。

タキリン城砦地下は、幾つもの大きな部屋に区切られている。

部屋ごとに複数のポータルが設置されていて、部屋と部屋を繋ぐミニポータルさえ存在していた。

ゲーム内で見知っているはずの光景に、だが俺は眉をひそめる。

違和感の正体はすぐに気づけた。

ポータルを利用している者がいなかった。

王都アルティシアとタキリン城砦を繋ぐ転移ポータルの部屋にだけ、大勢の人の姿があった。

床の中央に固定された、厚さ十センチほどの円盤がポータルとなる。

白い円盤の上には木箱が山積みにされていて、文官や兵士があわただしく転移の準備を進めている。

あの木箱の中身は、ついでに送ってしまうつもりの荷なんだろう。

大量の荷は普通、馬車で輸送する。その方が安上がりで、荷物運びに転移ポータルは使わないのが常識だ。

でも……。

「不思議そうな顔をしているな」

俺の隣に立ったのは、ルシアン王子だった。

手元の書類の束にサインを済ませ、官吏に手渡すと黒髪の王子様は俺に向き直る。

「なにか気になることでも？」

「……他のポータルの利用者は、何故《なぜ》いないんですか？」

ああ、と王子は頷いた。

「平時ではないからな。他国と繋がるポータルは一時的に封鎖し、国内での利用も制限されている」

それ以外にも理由があるんだが、と王子様が苦く笑った。

「我が国はMPポーションの備蓄が少ないんだ」

「……」

「ポータルを動かすためには魔力が必要だが、君たち転生者とは違ってこの世界の人間はMPが少ない。戦時中なので、MPポーションは必要としているクロエ平原に回している。Bランクの魔法使いは戦場に出ている。残ったCランクの魔法使いでは、自前のMPでポータルを稼働させるのは、数日に一度が限界だ。私も出来る限りタキリン城砦に足を運びたいと思っているが、王都に戻ればもうこちらに来る機会は持てないかもしれないな」

「……」

「カリヤなら自分のMPでポータルを稼働させることが出来るのだろう？　アルティシアに来る時には歓迎しよう」

……肉体的なダメージは受けなくても、精神的なダメージは受けたりする。

己のしでかした行為に、王族の前じゃなきゃ頭を抱えて座り込みたかった。

黒森のモンスターを撃退するためとはいえ、どれだけMPポーション消費してしまったんだろう、俺。

転移ポータルを使わないようにしてまで節約していたポーションを、某所で湯水のように消費してしまった。

「ルシアン殿下、準備が出来ました」

転移ポータルが低い唸《うな》り声を上げ始めた。魔法使いが数人がかりで、操作台に対して魔力を注ぎ込んでいるのが見える。

なるほど。

前世ではプレイヤーが転移ポータルの中に入っただけで、勝手にMPが消費されていた。

MPが少ない場合は、外部からサポートして、こうやって動かすのか。

王子が金髪の双子を軽く抱きしめている。母親は違うが、兄弟仲は悪くないらしい。

別れを済ませ、随員たちが待つポータル内に王子が足を踏み入れた。

円盤の縁から、わずかに光を放つ透明な膜が出現し、半球状にポータルを覆っていく。

放つ光が強まって、消えた。

「――戻られたか」

第一王子を見送ったナダルが、すぐに残った者たちに命じた。

「簡易ポータルの稼働準備に取り掛かれ。既に隣室に設置している」

懐から取り出したMPポーションを飲み干しつつ、魔法使いたちが隣室に移動し始めた。

視線の合ったナダルが頷いたので、俺も移動する一行の後に従う。

小さな部屋だった。元々、控室として使っていたようだ。

隅に応接用の家具が片づけられ、床に敷かれた絨《じゅう》毯《たん》の上に、組み立て式の簡易ポータルが設置されていた。

転移ポータルには二種類ある。

建物内に設置された固定ポータル。こちらは大型で、安定して利用出来る。

そして、小型でどこにでも設置可能な、組み立て式の簡易ポータル。

クロエ平原には固定の転移ポータルがない。

軍の陣地のどこかに、この簡易ポータルの対が置かれているんだろう。

MPを回復した魔法使いたちが、操作台に手をかざすと魔力を注ぎ込み始めた。

「――やはり納得出来ません。私がクロエ平原に向かうべきです」

ご自分の胸の下で、両手を固く握りしめていたカザリン王女がぽつりと呟いた。

「ナダル。私が向かいます。私の方が魔力は強いのです。『白の天蓋』を発動させる時間も短縮出来るはず」

「〝姉上〟」

固い表情で訴える少女の、握りしめたこぶしに弟が優しく触れる。

「……父上や、兄上たちと話し合って、決めたことではありませんか。無事『天蓋』の設置が終われば、僕はすぐに戻ってきます。姉上はそれまでタキリンで待っていてください」

「でも」

「王女殿下、弟殿下は私が命に代えてもお守りいたします」

王女に笑いかけていたナダルが、俺を見る。

「この方を頼んだぞ、カリヤ」

向けられる紫の瞳は真剣そのものだった。

頷いた俺に、男がうれしそうに笑う。

「ナダル様、ウォルド殿下。ポータルの中へ」

「ああ、早く馬に乗れるようになっておけよ、カリヤ。タキリン城砦とクロエ平原の距離なら、馬の方が気楽に行き来出来る。乗れるようになったか、確認しにくるからな！」

簡易ポータルは、ナダルとウォルド王子が二人ぎりぎりで乗れるくらいの大きさしかない。

それも光の半球が囲える範囲が狭いので、しゃがんだ姿勢でないと使えなかった。

ポータルの中で片膝をつき、手を振っているナダルと優しく微笑《ほほえ》んでいる王子の姿を、光の膜が包み込んで消えた。

王女様と私……多分ダンスは踊らない

ナダルと第三王子が前線に戻ったのを見届けて、その場はお開きになった。

時刻はもうすぐ夜明け。

女官の中には眠そうにしている者もいたが、彼女たちに囲まれて立つ王女は疲れた様子を見せていなかった。

改めて見ても綺麗な少女だ。

まだ未婚なので髪は結い上げていない。背を流れる金の髪の上で、黄金細工のティアラが輝いている。ティアラも確か、国宝級の血統アイテムだ。王家の宝冠と呼ばれている。

中央国家群の王家すべてに共通している仕様で、干渉阻害アイテムだったはず。なのでどの国でも王族に鑑定や洗脳は通用しない。

女官に囲まれ、背すじを綺麗に伸ばして立っている姿を見れば、女性にしては長身だと分かった。

ドレスは首すじや手首の先までを覆う品の良いデザイン。肩から胸元を飾るレースで目立たなくしているせいもあるだろうが、胸の大きさはまだそれほど……十五歳らしいし。まだまだ。

あ、つい見てしまったが、俺に彼女をどうこうなんて野望はない。

身分違いにもほどがある。

それに王女様、前世なら女子高生だからね……学生相手は、一歩間違えると犯罪。

「明日……もう今日になったが、昼までは休息を取ることにしよう」

「〝カザリン様〟」

「ああ、すまない……リザ。先走ってしまいましたね。明日の予定については、あなたに任せます。警備担当者も交えて打ち合わせをしてから、出来るだけ早く〝彼〟を私の元に寄越してください」

カリヤさん、と彼女が綺麗なアルトで俺の名を呼んだ。

「ただのカリヤで結構です、カザリン王女殿下」

「――ではカリヤ。まず私のことはただ〝殿下〟と呼んでほしく思います……それくらい良いでしょう？　リザ。明日になればこのリザ女官長から改めて話があるでしょう。ますはゆっくりと体を休めてください」

「ありがとうございます」

フッと、彼女が微笑みを見せた。

美人が浮かべる笑みはすごい威力だ。女性ばかりが集まっている王女側とは対照的に、兵士や文官といった男ばかりが集まっていたこちら側のメンバーにどよめきが走る。

と、女官長のリザさんが凄《すご》い顔で睨《にら》んできた。

王女は気にしない様子で、周囲を女官に囲まれながら先に地下を出ていく。

美人のいる職場は天国だけど、美人でも女ばかりの職場は天国ではない。

そんな前世の言葉が頭に浮かんだ。

まず間違いなく、俺は王女の側《そば》でボディガードをすることになる。あの様子だと、イコール女ばかりの職場と考えていいかもしれない。

女性ばかり……美女がうれしいとか思う前に、上手《うま》くやっていけるかの方が不安かも……。


そう心配していた俺の予感は、半分は当たっていたが半分間違っていたと後で知る。


朝(もう昼だけど)、清々《すがすが》しい気分で目が覚めた。

警備の都合上だろうが、すごい部屋に案内されてしまった。タキリン城砦四階の部屋だ。

普通、兵士は階級に応じた宿舎に泊まる。徴集兵の俺なんて、待機していたルイセルでは街に入れず街壁外の仮設テントで雑魚寝《ざこね》。行軍中は野宿だった。

でもタキリンでは、おそらく訪れた貴族が宿泊するための客室が与えられている。

ベッドは羽毛布団。灯《あか》りは魔法アイテム。見事な調度に、用意されていたパジャマはシルク。

前世でも寝る時に羽毛布団を使っていたし、格式のあるホテルにも泊まったことがあるから戸惑いはしないが、今世での極貧生活を思うと少し感慨深い。

用意されていた着替えは、将校クラスの軍服だった。下士官では王女の側に立てないのだろう。

さりげなく、ものすごい勢いで階級が上がっていっている気がする。軍を辞める時に、相応の退職金がもらえたらいいのに。

仕度を済ませた頃《ころ》に運ばれてきた食事も立派だった。

朝から（昼だけど）肉を食べたよ、肉。本当、将官並みの待遇だ。

……この世界に転生してから、まだ子供の頃は何度となく餓死しかかったっけなぁ、俺。

成長してからは、前世の記憶を駆使して無双だったけど。

食事を終えたら、リザさんの部下が迎えに来た。

案内されて、城砦内の一室に向かう。

中で俺を待っていたのは、女官長本人と、警備を担当する偉い方々だった。

「……やはり転生者なのですね。物おじしない立ち居振る舞いを見ると分かります。庶民は刺繍《ししゅう》をしたシルクの服を前にしただけでも萎縮する」

口元にしわを刻んだ迫力のある女官長は、俺を一瞥してそう評した。

遠慮なく観察してくる視線に、直立不動で晒《さら》される……だってこの女性、絶対怒らせちゃいけない存在だと思う。

シルクの服には萎縮しないけど、彼女の前では別の意味で緊張する。

と、どこからか〝鑑定〟されているのが分かった。

「……あの、NPCの鑑定は通用しません。こういうものも身に着けていますし」

言いながら、軍服の袖口《そでぐち》をちょっとめくってみせる。

銀で補強している木製の腕輪を認め、彼女がため息を漏らした。

「通用しないということは、Aランク以上のアイテムですね。あなたはAランク以上の元生産特化型プレイヤー……武器防具職人、でいいのかしら？」

否定も肯定もせず、俺はあいまいな微笑を浮かべたまま彼女の話を聞く。

ナダルが言っていた。自分の情報は無暗に教えるなと。

断ることなく〝鑑定〟を仕掛けてくる相手は、それが立場上必要だと理解していても複雑な気分になる。

言ってくれればいいのに。『～したいけどいいですか?』って。

そうしたらこちらも要求を検討して、正当性があるなら受け入れる。

「――過剰な期待はしないでくださいね。俺は生産職で、〝武器防具を作製する腕前〟はA止まり。転生者の、戦闘職のトッププレイヤーにはとても太刀《たち》打《う》ち出来ませんから」

「Aランク以上なら充分です。あなたにお願いしたいことはただ一つ。……有事の際は、王女殿下を安全な場所までジャンプで逃がしてもらうことだけでしょうねー」と、俺は納得した。


〝ジャンプ〟。

取得可能ランクA以上の、瞬間移動スキル。

ランクAなので、基本NPCは使用出来ないスキルとなっている。

――〝基本〟と付けるのは、自身のランクを一つ底上げ状態にする装備アイテムが存在するからだ。

前世でもBランクの魔法特化型NPCは、アイテムで能力を底上げしたらAランク魔法を使えていた。

余談だが、剣聖ナダルがSランク武器を扱えるのもこれが理由だ。

NPC上限Bランクの彼が、アイテムで底上げしてAランク相当になる。武器防具は一ランク上まで装備可能なので、Aランク相当になった彼はSランクの『花散里《ハナチルサト》』を使えるようになるという仕組みだ。

まあそのまえに、花散里はコートレイ家の血統アイテムなので、ナダルの名を持つ者以外は使えないんだが。

今、タキリン城砦にはジャンプを使える者がいないのか。

地下にある転移ポータルを使えば、万が一の時にはタキリン城砦から逃げられるが、地下にたどりつくまでを危惧《きぐ》してるんだろう。

転生者にとってはただの便利な移動手段でも、NPCにとってはとんでもないチートスキルという認識なのかも。

「了解です。では、今からでも殿下には覚えていただきましょう」

「……なにをですか？　王女殿下の魔法ランクはC。必要MPも足りないでしょうから、ジャンプは習得出来ません」

「いえ。一緒に跳ぶための〝コツ〟です」

うん、《ゴールデン・ドーン》ではお手軽な移動手段だったジャンプだけど、転生したこの世界で使うには、実はちょっとしたコツがいる。

ジャンプ準備

リザ女官長いわく。

王女殿下はタキリン城砦から外には、足を運ばれないらしい。

メイン建築物である、転移ポータルの存在する城砦本体の、居住スペースである四階より下の階にもお出向きにはならないらしい。

練習は城砦中庭のような、開放感のある広い空間で行いたかったんだが。断固阻止する構えを見せた女官長の指示に従って四階の広間を使うことになった。

……まぁ、言い分は分かる気がする。

気にしているのは警備の問題ではなく、王女個人のスキャンダルだろう、多分。

カザリン王女は超美人で、まだ未婚。人目に触れて万が一でも間違いが起こってはならないし、噂《うわさ》にさえなってもいけないはず。

だが、どうするか。

実際に体験してもらわないとジャンプの感覚はつかめないと思うんだが、仕方ないから実演を見てもらうだけでいいか。


「――カリヤ、頼みがあります」

城砦四階にある大広間でジャンプ実演の準備をしていた俺に、王女様はこう切り出した。

「将来ジャンプを使いこなすことを目標にしている若い魔法使いたちがいます。その者たちも同席させ、己の目で見て今後の勉学の糧にさせたいのですが、かまいませんか？」

女官を従えて凛と立つ王女殿下は、今日も美しかった。

周囲の女官たちも美人が多いが、まだ若いのに彼女の存在感は別格だ。頭上のティアラの輝きよりも目を奪われる、エメラルドの強い眼差《まなざ》し。

そういえば、ゲイリアスの山中でもこんな瞳を見た覚えがある。

険しい地に生きる、誇り高い獣だった。まっすぐ向けられた眼差しに見据えられ、心が震えたのを覚えている。

……王族と獣を同列に見てしまってすみません。今世じゃ、比較対象があまりないんです。

「もちろん対価は」

「殿下、それはあなた様が口にすることでは」

「あ、別に見てもいいですよ」

続けようとした王女、止めようとした女官長の言葉にかぶせるように俺は頷いた。

「殿下には連れの方々と一緒に、窓とは対面になる廊下側の壁際で見学してもらいます。他の壁際は少し危険になるかもしれませんので。そんな場所でよければ、興味のある方もご一緒にどうぞ」

「ありがとう、カリヤ――見学を希望する魔法使いを、すぐに呼びなさい！」

王女が綺麗に笑い、傍らにいた護衛の兵士に指示を出す。

こめかみに指先を当て、ため息をついている女官長の様子に、苦笑しながら俺は近づいた。あまり周囲に聞こえないよう、そっと話しかける。

「王女殿下は『魔法使いに見せるなら対価を払う』と仰《おつしや》られようとしていたと思うのですが、上の者から切り出す話じゃないですよね？」

「――その通りです。殿下はまだ、学ばれなくてはいけないことが多い」

「あーすみません、山奥育ちですのでよく知らないのですが、スキルや魔法って見せるだけで対価がもらえるものなんですか？　教えてほしいと言われたら、普通に見せますけど」

「え？」

リザさんが驚いた顔を見せている。

なるほど、商売になるんだ……商売になるほど、転生者の能力は珍しいものなのか。

「冒険者ギルドにも所属せず、ずっと生まれ故郷の山奥で暮らしてきたものですから。そういった〝常識〟はあまり知らないんです」

「……なるほど」

そういえば、ナダルからも聞いていましたと呟いた女官長は、俺に向き直って説明を始めた。

「あなたが前世プレイしていたという〝ゲーム〟でどうだったかは知りませんが、この世界での魔法やスキルは、上位の他者の発動を見るだけでも触発されて習得する可能性があります。もしくは習得が未見の場合よりも容易になる。先ほど、打ち合わせの最中にあなたが言っていた、『コツをつかむ』というやつですね。本来なら転生者のスキルの披露は、冒険者ギルドがあまり良い顔をしないのです。殿下は早まってしまわれましたが、決して何も知らないあなたに付け込んだ訳ではないことを分かってください」

「ああ、いや、悪い気にはなりませんでしたから大丈夫です」

謝ろうとする女官長を、あわてて俺は制止した。

「本当のことを言いますと、殿下にああ言ってもらえたのはうれしかったです。自分が協力出来ることを行うのは、別にいいんです。ちゃんと面と向かって頼まれたら、応じたいと思っています」

俺は、転生者の自覚がなかった頃からわりと器用でして。

知識を利用しようとする輩《やから》もいました。理不尽に命令されたり、騙そうとしてきたり。

「ああいう風に、筋道を通してちゃんと『お願い』されるのっていいですよね。俺に出来ることは協力させてもらいますよ」

じっと俺を見つめていたリザさんが、ふっと厳しい顔をほころばせてみせた。

「分かりました。ではカリヤ、私の方からもよろしくお願いいします」

「はい、俺の出来ることでしたら」

「それと、殿下が仰っていた対価ですが、渡さずに後で冒険者ギルドから睨まれるのも困ります。正当な報酬として受け取りなさい。今、なにか不自由はありますか？」

太っ腹に尋ねられ、俺は考える。

金銭以外でもいいんだろうか？　それなら欲しいものはある。

「では、MPポーションを作るための材料をいただけますか？」

「――理由を尋ねても？」

「いやー……我が軍の在庫をかなり減らしてしまいまして。使っていいよとは言われていましたが、使いすぎました。申し訳ないんで自作で埋め合わせします」

「……後で担当に引き合わせましょう。皆、集まってきたようです。まずは王女殿下が第一。実演とやらを始めてください」

彼女の指摘に壁際を見ると、見学希望者が多く集まっていた。

ちょうど中央に置かれた椅子には、王女がドレスを広げて優雅にお座りになっている。

王女殿下を囲むように立つ女官たちに護衛の兵士。お仕着せの鎧を着ていない、体格的にひょろりとした若者たちが魔法使いだろう——あ、おっさんやじいさんも集まっている。興味があるのかな？

「——殿下。では今から、〝ジャンプ〟のコツと注意点を説明していきます」

大広間の中央に立ち、集まった人々の視線を浴びながら、俺は目の前の貴婦人に一礼した。

ジャンプ、ジャンプ、ジャンプ

しかし、魔法使いたちの興奮がすごいな。

よほど自分の目で見てみたかったんだろう。彼らの瞳が期待にキラキラと輝いている。

「ここに集まっている皆さんは、既に〝ジャンプ〟というスキルをご存じだと思いますので、使うにあたっての注意点を実演しながら説明していきます。——ではそこの青いストライプの上着の眼鏡《めがね》さん。ちょうど殿下と同じくらいの体格だと思いますので、手伝ってください」

せっかくなので、実演に付き合ってもらう王女役は魔法使いの中から選ぶことにした。

僕ですか、と自分を指さした少年が、頷くと顔を輝かせて飛び出してくる。

「ボンドンです！　Cランク魔法使い、得意なのは風の魔法です。よろしくお願いします！」

「あ、よろしく。カリヤです。ではボンドンさん」

「どうぞボンドンと呼び捨てで！」

「……ボンドン。まず、俺と抱き合ってもらえるかな？」

手を広げてウェルカム、と待っても、何故かボンドン少年は動かなかった。戸惑っているようだ。

これは、ジャンプについて本当にあまり知らないんだなと俺は判断する。

周りにも分かるように説明しておこう。

「――誰《だれ》かと一緒にジャンプする場合、相手の体が自分の体に触れていないと跳べません。そしてジャンプした時に反動があるので、体は抱き合うくらい接触させておいた方が安全なんです。という訳でボンドン。俺の背中に手を回して。三、二、一で跳ぶよ。――三、二、一」

彼の体に手を回して抱きしめ、俺はスキルを発動した。

ジャンプは前世で一般的にいうところのテレポーテーションだ。同じ部屋の中、三メートルほど離れた場所に転移する。

悲鳴を上げたボンドン少年が、あわててしがみついてきた。互いに向かい合わせに抱き合った姿勢のまま、俺は説明を続ける。

「――これがジャンプです。ボンドンの体が転移後、反動を受けて飛びそうになっていたのが分かりましたか？　ジャンプをした本人にはそれほど反動はありません。ですが同行者は複数回転移を繰り返せば、そのたびに反動が大きくなっていくので、撥《は》ね飛ばされる危険があります。ボンドン、次から俺は支えないから。何回か連続してジャンプするから、撥ね飛ばされないようしがみついてて。――三、二、一」

転移スピードを上げて、左右に何度もジャンプしてみせる。

ジャンプするたびに、だんだんと俺の体に回されていた少年の腕が緩んでいくのが分かった。

六回目。とうとう腕が外れる。小柄な少年の体が、誰も立たせていなかった壁に向かって飛んでいった。

すかさず、無詠唱で空気のクッションを間に挟み、衝撃を和らげておく。

俺の戦闘ランクは、魔法攻撃も生産職で習得出来る上限Bまで上げている。

魔法はアイテム作製の触媒になるから、炎も水も風も土も、ついでに光と闇《やみ》も覚えた。

……強ぃような気がするだろ？

だけど実際にはそんなことないんだぜ。戦闘職固有のスキルは持っていないから。生産職は戦闘に関して、器用貧乏って扱いなんだよな……その通りで返す言葉はない。

ジャンプで移動して、足元に転がるボンドン少年に手を差し出しながら尋ねてみた。

「どうだった？　なにか感想は？」

「……カリヤさんから良い匂《にお》いがしましたぁ」

「ああ、それはモンスターと虫よけの香。怪我《けが》はしていないようだな」

少年が立つのを手伝い、乱れていた上着を整えてやる。おつかれさん、と俺は彼の背を叩いた。

「申し訳ありませんが殿下も、実際にジャンプする時はしっかりとしがみついてください。布越しでも体の一部が触れていると跳べますが、マントの裾《すそ》など布だけでは無理です。そして一番大事なことは、一緒にジャンプ出来る相手は、自分より体重が軽い者だけだということです。彼なんかは、鎧を脱いでもらっても無理かなぁ？」

指さしてみせた大柄な兵士は、何故か前に進み出てきた。

「じ、実演してもらってもいいですか？」

「はい、いいですよ……いや、きついです、鎧痛いです。もうちょっと優しく抱いてほしい――」

「王女殿下の御前です！　真剣におやりなさい！」

リザ女官長の雷が落ちた。

抱きついていた兵士が俺から離れ、直立不動の姿勢を取る。うん、ちょっと拘束きつかった。

だけど、敵に囲まれた場合を想定したら、ありなシチュエーションだ。

「じゃあ応用も見せてみましょうか。すみませんが、抱きつかなくてもいいんで俺の腕を掴んでください

――三、二、一」

俺はジャンプした。

兵士を置いて移動すると、どよめきがあがる。自

分よりも大きい相手とは一緒に跳べず、取り残してしまうことを理解したらしい。

「じゃあ、次はあなたで。彼の近くに跳びますよ——三、二、一」

近くにいた痩せた老魔法使いの肩に手を置き、兵士の元にジャンプして戻る。

「今、ご老人が吹き飛ばなかったのは、俺が風魔法で包み込んでフォローしていたからです。ジャンプと魔法の同時発動はごっそりMPを削られますんで、複数回連続して跳ぶのは負担がきついです。はい、それでは次は兵士殿がご老人の腕を掴んでください。殿下が敵に拘束された場合の想定ですね。——三、二、一」

俺はご老人の肩に手を置いて、彼だけを連れて行くように意識しながら数メートル横に跳んでみせた。

また兵士は置き去りになっている。

一緒に連れて跳んだじいさんの、キラキラした目に至近距離から見つめられてしまった……。

「素晴らしい！　素晴らしいですぞ、カリヤ殿！」

「お怪我はないようですね」

興奮しているご老人に微笑《ほほえ》んでみせながら、自分の手首に嵌めていた腕輪に手をやる。

飾りに似せた光玉を押し込むと、玉の中に封じていたMPが補充された。

「それは回復アクセサリーですかな？　なるほど、玉にあらかじめ封じていた魔法や回復アイテムを行使出来ると！」

「老。今は魔法使いのために講義を行っている訳ではありません」

女官長の低い声に、ご老人は震えながら元いた場所へと戻っていった。

このタキリン城砦で、一番強いのは彼女だろう、間違いなく。

「——ジャンプは、発動にかなりのMPとランクをアップさせる補助アイテムが必要ですが、職業としての魔法使いでなくてもBランクなら使えるスキルです。応用は幾つもありますよ。不利な仲間を助ける。敵の武器を奪って跳んで逃げる。ただ、ジャンプをする場合は忘れてはいけない注意点がありま す。

『視認出来る場所にしか跳ばない』こと」

「……ジャンプは、『視認した場所にしか〝跳べない〟』のではありませんでしたか？」

思慮深く発言した王女に、俺は首を横に振った。

「実は跳べます。これまで一度でも見てイメージ出来る場所なら、どこへでも。ただ、リスクが大きすぎるんです。夜はジャンプが出来ないとか、壁の向こうや遠くまでは跳べないとか、聞いたことはありませんか？　あれらには理由が二つあります。一つは距離。遠くなればなるだけ、MPを使うので跳べる距離が限られているだけです。SSSランクの魔法特化転生者なら、中央国家群内はどこへでもジャンプ出来るはず。ですがおそらく、その者は出来てもやらないでしょう。何故なら『ジャンプする場所に何も存在しない』かを事前に確認出来ないから。それがもう一つの理由です」

合図を送ると、女官が大きなクッションを二つ運んできた。

あらかじめ頼んで、用意してもらっていたものだ。それを受け取り、片方は手に持ったままでもう片方を足元に置く。

「事前に何もないか確認せずにジャンプすると——こういうことになります」

数歩離れ、俺は元の場所に短い転移をしてみせた。

注目していた人々が息をのむ。

引きずるように手に持っていたクッションが、転がしていたクッションに同化するようにめり込んでいた。

「……痛いですよ、コレ。ジャンプして壁にでも埋まったら、間違いなく即死すると断言します。前世では転移地点に障害物がある場合、ジャンプ自体が出来ない仕様でしたが、こちらでは出来ます。そしてこうなります。この世界はゲームとは違って、虫もいれば鳥も動物もいる。下調べをしていても、移動する場所に何もないかは賭《か》けです。だから視認出来る場所にしか跳ばない。――いくつか、城砦内でジャンプの着地地点に予定している場所がありま す。囲んで印をつけておくので、その場所には絶対に入らず、何も置かないでください」

こうして、ジャンプの実演は終わった。

そういや鑑定師として雇われていました

ジャンプの実演が終わり、その場はお開きになった。

興奮した面持ちで持ち場に戻ろうとしている魔法使いたち。その中にいる、先ほど協力してもらった少年に俺は声を掛ける。

「ボンドン、ちょっといいかな?」

「カリヤ様!」

「……〝様〟はいらないよ。その、さっき風魔法をまとわせた時に気づいたんだけど、どうも君、風属性については親和性が低いんじゃないかな。どの属性が向いているか、自分のステータスをちゃんと確認したことはある?」

問いかけに、少年が悲し気な顔をした。

「いいえ。……高い鑑定能力を持つ者は我が国にはいませんから。学園で師事していた先生が風魔法を得意としていたので、それを手本にしていました」

「そうか、やっぱり。……えーっと、もしよければ君を鑑定しようか? まだ若いんだ。今から適性のある他属性に転向しても、充分使いこなせるようになると思うんだけど」

「本当ですか? ぜひ、ぜひお願いします!」

少年が弾む声で答える。

頷き、俺は壁際に片づけられていた椅子の側《そば》に近づいた。

向かい合わせに座れるよう椅子を二脚並べ、彼に腰かけるよう促す。

「はい、前に座って。アイテムを使わなくても鑑定は出来るんだけど、せっかくだから鑑定球を使おう」

椅子の片方に腰を下ろし、俺は自分の左手のひらに〝アイテムボックス〟を意識した。

中に収納しているアイテムから、『鑑定球（Aランク）』を選択し、取り出すことを意識する。

受け止める重さを感じれば、手のひらの上に野球ボールほどの大きさをした水晶玉が出現していた。

しかし、つくづくチートな存在だ、〝アイテムボックス〟。

ゲームをプレイしていた頃《ころ》は仕様だからとまったく気にしていなかったが、リアルになると便利なことこの上ない。

おまけにゲームではカーソルを動かして選択していたものが、転生したこの世界では、念じるだけで実行される。

まあ、宙に浮かぶ操作画面とかもないけどね。

ふんわりと感覚だけで使っている。

目で確認出来る訳でもないのに、混乱せず使いこなせている理由は知らない。

ちなみに俺のアイテムボックス、転生で中身は失われてしまっていたが、容量は課金して大きくしていた分も使用可能だ。

社会人なので、金の力に飽かせて最大容量に課金していた甲斐があった。

まだ空きに余裕があるが、いつか自作のアイテムでぎっちり埋め尽くしたい……とまあそれはさておき。

すくい上げるように鑑定球を持った両手を膝の上に置き、上から両手でボンドン少年に触ってもらう。

四つの手で水晶の球を包み込むような形だ。

「出来るだけ素直に、〝抵抗しない〟と意識し続けるように……でないとうまく読み取れなくなる」

目を閉じ、俺は脳裏に浮かんできた〝鑑定結果〟

を確認する。

「……うん、風属性の親和性……適性はDだった。習熟度はCだけど。よく頑張ったね。適性は土がBで一番高い。後、水はC。光と火がDで、闇《やみ》はE。魔法六属性はこんな感じ。これからは土をメインに、サブは水と風がいいんじゃないかな」

「ありがとうございます……！」

「ついでに、短杖《たんじょう》がCだ。魔法の触媒になる。こっちも意識して修めたらいい」

武器系統の鑑定もサービスしてみた。

閉じていた目を見開くと、何故かボンドン少年が座る椅子の後ろに、魔法使いたちが一列に並んでいた。

少年と同じく、彼らの目がキラキラと輝いている。なにが言いたいのか分かったので、苦笑しながら俺はこちらを見ていた女官長に声を掛けた。

「せっかくですから、今こちらに集まっている皆さんの適性を鑑定しましょうか？　魔法使いだけでなく、兵士も女官の皆さんもよろしければ」

退室せず、遠巻きにしながらやりとりを見ていた面々がうれしそうな顔を見せている。

リザさんが「よいのですか？」と尋ねてきたので俺は笑いながら頷いた。

「王女殿下は宝冠の守護があるので鑑定出来ませんが、他の方々なら大丈夫です。とりあえず、この部屋に集まっていた魔法使いと兵士から。終わった後に、別の場所で女官の皆さんはいかがでしょう？料理や裁縫などの適性も鑑定出来ますよ」

「――任せます」

タキリン城砦で一番偉い人の許しを得た俺は、はりきって鑑定作業に取り掛かった。

……そして、女官の皆さんも鑑定終了。

リザさんが用意したのは、何故かカザリン王女のいらっしゃる書斎（仕事部屋？）の一隅だった。

横目で見ていた王女殿下は、女性なのに働き者だった……言い方が悪くて申し訳ないのだが、俺は未婚の王族女性は花嫁修業をしているものだとばかり思っていたんだ。

刺繍や礼儀作法なんかを学びつつ、己を磨いているのかなー……と。

とんでもない。

兵士によって運び込まれてくる書類に、きっちり目を通してはサインをしている。王族の裁定が必要な書類なんだろう。

たまにダメ出し。

周囲の補佐役の意見を聞きつつも、きりりと働いている様はやり手の実業家さながらだ。

転移ステーションのタキリン城砦は、戦場であるクロエ平原の一大補給基地でもある。

人と物流の拠点であるここでは、処理しなくてはいけない諸々《もろもろ》も膨大なんだろう。

そんな働き者の王女の部屋で、鑑定を終えた最後の女官がうれしそうに頭を下げて退室していった。

片づけた書類を持って、他の面々も退室していく。

部屋に残ったのは王女殿下と女官長。

そして、とても偉い感じがする初老の男だった。灰色のカイゼル髭《ひげ》が似合っている、軍服を着た爺さんだ。

「カリヤ。こちらはタキリン城砦の責任者であるオーリン将軍です」

「ディエス・オーリンじゃ」

「こちらはゲイリアスのカリヤ。転生者です」

女官長が、彼に俺を紹介した。姓はないので、出身地の地名を名乗る。

うむ、と老人が頷いた。

「ナダル・コートレイより、そなたが鑑定スキルの持ち主だと既に聞いておる。その能力を見込んで」

「ああ。俺も彼から聞いています。俺の仕事は緊急時の王女殿下の避難と、鑑定でタキリン城砦に敵国のスパイが入り込んでないかチェックすること、ですよね？」

何故かオーリン将軍とリザ女官長が顔を見合わせ

ていた。

　二人の間に挟まれて席についていたカザリン王女が口を開く。

「――どのように協力してもらえるのですか？　カリヤ」

「はい。先ほど集まっていた魔法使いと兵士、女官の皆さんについては能力の鑑定ついでに調べ終えています。他国出身者はいませんでした」

「……同時にそこまで」

「他の者についてですが、俺一人では時間がかかりすぎるので、Ａランクの鑑定球を複数お譲りします。これで調べてもらえますか？　自分の適性を鑑定出来ると言えば、誰《だれ》もが進んで協力するでしょう」

「な、なるほどのぅ」

「鑑定はしなくてもいいと辞退する者がいたら？」

　女官長の心配に、あっさりと答える。

「ああ、でしたらそいつが敵国のスパイです。もしくは犯罪者。これまでランクＢ以下の鑑定しか受けたことがないのに、タダでランクＡの鑑定をしてもらえる。衝立《ついたて》を間に置いて、誰を鑑定しているのか分からない状態にしておけば、他者に自分のスキル構成を知られるという心配も抑えられるでしょう。皆が飛びつくんじゃないですか？」

　もちろん、別室で誰を鑑定したかこっそりチェックをしておくということで。

「……確かに。Ｂ以下とＡ以上のランク差は大きい。デメリットなく本当の適性を知ることが出来るのなら……」

「もし対象が鑑定を妨害するアイテムを身に着けていたとしても大丈夫。鑑定球のランクＡに対して、ＮＰＣの――あなた方のランク上限はＢ。上位ランクの鑑定を、下位ランクに妨害は出来ません。念を入れてランクＡの妨害アイテムを使ったとしても、同ランクなら抵抗されたと気づきますから。アイテムを外すよう促して、外さなければそいつもスパイですね」

「カリヤ。Aランクの鑑定球ですが、おそらくこのタキリン城砦にいる者には扱えません」

いるのはランクCまでですから。

王女の指摘に、大丈夫ですよと俺は笑った。

「ランクを底上げする装備アイテムも自作していますので、一緒にお渡しします。一つ分ランクを底上げしてB相当になれば、もう一つ上のランクAアイテムも扱えますからね」

「まさか、ランクアップアイテムを作製出来るというのかっ？　ならっ、ならば！」

「オーリン！　譲ると申し出てくれているのは彼の好意だ。物資不足が気にかかるのだろうが、転生者の能力を利用するような真似《まね》は、ティシア王家の者として許せない」

「〝王女殿下〟」

オーリン将軍の突然の叫びに驚いた俺に、王女がすかさず彼を制止する。その低く固い声音に、女官長の注意が畳みかけるように飛んだ。

リザさんの淑女教育、半端ないなぁ……咳払《せきばら》いし、王女が言い直した。

「……分かっています、リザ。きつく言ってしまいましたね、オーリン。ですが王家の意思は汲《く》んでください。そしてカリヤ、私たちはあなたの意に染まないことをするつもりはないですから、安心なさい。好意はありがたく受け取らせてもらいます」

「……はい」

三人の反応は、まるで俺を——転生者を、どこか腫物のように扱っている気がした。

何故《なぜ》だろう。

接し方はとても丁寧だけど、恐れられている？

この国には怒らせると怖い転生者でもいるんだろうか。

不思議に思いながら、俺は鑑定球とランクアップアイテムを将軍に引き渡す。

さすがに俺一人でタキリンの全員を鑑定は出来ない。

残りはよろしくお願いします。

アイテム大量生産！


「追加の空き瓶が到着しました」

「カリヤ様、ＭＰ回復ポーションの作製をお願いいたします」

「光玉の器もそろそろ補充を――」

次々に掛けられる声に頷き、まず大鍋《おおなべ》の中にＭＰ回復ポーションの材料を投入した。

後は体が勝手に動く。杓子《しゃくし》でかき混ぜ、タイミング通りに追加材料を投入すると、鍋の中身が光って出来上がり。

ゲームがベースになっている世界ならではの謎理論でアイテムが作製されていると思っていたんだが、周囲に集まっているＮＰＣにとっては不思議でも何でもない光景だったようだ。

他の生産職の働きを初めて間近に見て気づいたんだが、違和感の原因は俺自身だった。

転生時に前世のゲームのスキルとランクを引き継いでいた俺は、下位の工程を短縮してこなす。作製スピードも速くなっていた。

どうやらそれが、魔法のように短時間でアイテムを作ることが出来る理由らしい。

低ランクアイテム作製なんて、ほとんど一瞬だ。それが普通の感覚になっていた。

だがＮＰＣは手順を短縮せずに実行する。

そういえば俺も、ゲーム内で低ランクの頃《ころ》は乳鉢で材料をすり潰すところから作製していたな……前世での体験だからほぼ忘れてた。

ジャンプの実演を終えた次の日から、王女の執務室の一角に俺も詰めることになった。

護衛という名のジャンプ要員だから、非常事態に備えて彼女のすぐ側にいなくてはならない。

昼間は常に視界に入る距離に待機し、夜は何かあれば寝室の前に跳ぶことになる。

護衛対象の王女殿下は、ずっと四階の執務室で仕事をされている。

彼女の行動範囲は四階と寝室のある五階。たまに転移ポータルのある地下まで足をお運びになる程度だ。

城砦上階はセキュリティが万全なので、賊が突然現れることもない。つまり、ジャンプ要員は暇な訳だ。

だが万が一という事態がないとも限らないから、離れる訳にもいかない。

なので執務室の一隅をお借りして、ＭＰ回復ポーションの作製を始めてみた。

ポーションの作製自体は、工程短縮を駆使するので簡単に出来るんだが、出来た中身を小さな瓶に詰めていくという地道な作業は時間がかかる。

すると王女殿下がご自分の女官を手伝いに寄越してくれた。

王宮と違って城砦内は仕事が少ないらしく、暇な女官の皆さんが手伝ってくれる。

すると作業効率が上がる。

余裕が出来たので、生産スキルを持っていた女官に作り方を指導してみる。

彼女たちはすごい勢いで上達していった。

適切な師匠を得ればスキルの習得や上達は容易になる。プレイヤーとＮＰＣで組んだ場合、その効果は顕著だ。

――《ゴールデン・ドーン》の世界では逆だったな。

プレイヤーは何かスキルを習得したい場合、まず名人と呼ばれるＮＰＣに師事していた。

ＮＰＣの下で基礎を学ぶクエストを受ければ、同じプレイヤーに教わったり独力で修めるより簡単にスキルを習得出来る。

立場を変えて同じことが起こったようだ。

彼女たちよりもランクが高い俺が指導すると、

次々と新たなスキルを習得したり上達している。

夕食後には魔法使いたちにも魔法を教えることになった。

生産職だから魔法ランクはB止まりなんだが、それでもNPCにとっては俺の指導は魅力的らしい。ボンドン少年は既に適性のあった土魔法をBまで上げていた。

早い。早すぎる。

元からかなり素質はあったんだろうが、転生者の与える効果ってすごいのかもしれない……まあ、ランクが上がっても経験も積まないと身にはつかないから。

そこは自力でがんばれ。

王女殿下の執務室に置かれた長机を囲むように座って、女官たちが作業をする。

MPが少なくスキルのない者は、ポーションを瓶に詰めたり、足りない素材を補充し完成品を片づけたりする単純作業担当。

身近で他の者の作業を観察していると突然素質が出現したりもするので、喜んで真面目《まじめ》に仕事に取り組んでくれている。

MPが多い者には、光玉に自分のMPを込める作業をしてもらっていた。

光玉は、簡単に説明すると充電池だ。

ポーションのように酔うことなくMPを回復出来る。補充し直せば繰り返し使えるが高価で、プレイヤーもランク上位にならないと利用しなかった。

光玉は高価なアイテムだ——そう、アイテム。

Sランクアイテム職人の俺なら、素材があれば作製可能。そして高価な素材は、ティシア王家が惜しむことなく提供してくれていた。

光玉の器を作っては、座って待機している女官たちに渡していく。

親指の爪ほどの大きさの玉を両手で包み込むように握りしめ、MPを補充していく彼女たち。

くすんだ色合いだった石の玉が、ほのかに光を放ち始める。

注入したＭＰは時間が経《た》てば蒸発するように消えていき、この程度の大きさなら二週間後にはなくなってしまうんだが、戦場ならすぐ使ってくれるだろう。

しかし、トッププレイヤー用の光玉なんかは時間も手間もかかる芸術作品になるんだが、ＮＰＣが使う下位ランクのアイテム作製は楽だ。

分業体制にしているから、各担当者の負担も少なく量産出来ている。

「疲れたら休んでくださっていいですよ」

熱心に作業している彼女たちに声を掛けたら、まぶしい笑顔が返ってきた。

「まだ大丈夫ですわ。ありがとうございます、カリヤ様」

「後方とはいえ、戦場に来ているんですもの。前線のお役に立てるならうれしいものです」

「こうやってＭＰを使っていれば、最大量が増えますし。私たちは、日常の生活ではＭＰを使う機会はありませんから。良い訓練をさせていただいています」

楽しそうに答えていた彼女たちが、一斉に口をつぐんだ。

向けている視線の先をたどる。

そこには、机の上を興味深そうにのぞき込んでいるカザリン王女がいた。

……いつ来たんだ、王女。

たしかに彼女は、女官たちの作業する様子をずっと気にしていた。書類仕事をしている合間にも、チラチラとこちらに視線が向けられていたのは気づいていた。

部屋の中を確かめると、いつも王女の側《そば》に控えているリザ女官長の姿がなかった。

お目付け役が席を外しているから、こちらにやって来たんだろうか。

「……カリヤ。私も手伝いたいのですが」

「殿下？」

「いえ、ただ鍛錬がしたいだけなのです。タキリンに来てからこちら、中庭に出ることも許されていません。剣を振るえないのは仕方ありませんが、ならば魔力くらいは鍛えて増やしたい。光玉を作るのなら、書類を見ている合間にも出来ますから」

「――そうですね。MP注入ならご負担にはならないと思います。一人でも多く手伝っていただきたいところでした。よろしくお願いします」

答えると、美少女がうれしそうに微笑《ほほえ》んだ。はにかみを含んだ笑みだった。

主人の美貌を改めて目の当たりにし、女官たちが小さく歓声を上げる。

お付きの彼女たちの感嘆の眼差《まなざ》しには気づかず、王女様はうれしそうに空の光玉を小さな器に盛って席に戻っていった。

かなり可愛《かわい》いかもしれない……しかし、王族女性は剣の嗜《たしな》みもあるのか。すごいな。

後で、戻ってきた女官長に王女の握る光玉に気づかれ、睨まれはしたがお咎《とが》めはなかった。

良かった。

冒険者ギルド総本部

タキリン城砦での俺の一日は、前日に作製されたアイテムを回収してまわることから始まる。

女官の皆さんが空いた時間を利用して勤《いそ》しんで作ってくれた、各種回復アイテム。

実はそれ以外にも、アイテムは作製されている。

魔法関連の消費アイテムを作る魔法使いチーム。

素材をすぐに使用出来るように事前加工してくれるメイド&下働き混合チーム。

使わないMPを、職務の傍ら光玉に補充してくれるその他兵士チーム。最近、カザリン王女もその一員に加わった。

一大アイテム生産地となってしまったタキリン城砦。

このところ新しい顔を見かけるなと思っていたが、転生者である俺の作業を間近で見てスキルを覚えたいと、魔法使いを筆頭に王城から転移ポータルで人材が送り込まれているらしい。

……転移ポータルを動かすだけの、MPポーションの余裕が出来ているんだろうか。

なら良いことだ。

転生者の教えを受けることはただのきっかけに過ぎない。スキルの開花や成長は当人の努力次第。

俺も前世はNPCの師匠に同じように世話になった。恩が返せるのなら、と思う。

クロエ平原での戦闘は、変わらず続いている。

もう開戦から一月《ひとつき》以上が過ぎていた。

「よっし、積み込み終了!」

アイテムボックスから取り出した最後の木箱を馬車に載せ、俺はよしっと胸を張った。

いやー、荷物移動が楽だわ。

重い荷物を持たずにその場でアイテムボックスに収容し、目的の場所に到着したら取り出す。

本来なら兵士が数人がかりで行わなくてはいけない重労働を、俺は目的地まで歩くだけの労力でこなしていた。

「おつかれさまです」

「ありがとうございます」

背後で作業を見守っていた護衛担当の騎士コンビから、ねぎらいの声が掛かる。

現在、転生者の俺はVIP待遇だ。

タキリン城砦にやってきてすぐの頃《ころ》は、一人で歩くともれなく絡まれていた。

最初に乗馬のスキルを取るために、乗馬服なんて大層なものは持っていなかったので普段の服装で出歩いていたのが悪かったんだろう。

まるきり見た目は辺境の山男だからな。言いがかりをつけられたり、詰所に連れて行かれそうになったり。

すぐに気づいたリザさんが護衛を手配してくれて、絡まれることはなくなった。乗馬スキルも無事に取得出来た。

だけど心配されてしまって、その後も城砦建物の三階以下に降りる時には二人ほど案内係兼ボディガードがついてきてくれている。

輜重隊の出発にはまだ時間があったので、俺は顔見知りになった御者に声を掛ける。

「ここ数日の、戦況はどんな感じだい？」

「一時は我が国が押されていましたけどね、物資が行き渡ったので押し返しているらしいですよ」

ナダルからの指示を受けている兵士は、愛想よく戦場の様子を教えてくれる。

「膠着状態《こうちゃくじょうたい》、か」

「まだ『白の天蓋』の設置作業は終わっていません。敵の妨害が激しいそうでして。魔法使いにかなりの被害が出ているようです」

「ラギオン帝国軍がクロエ平原に到着したら、一気に形勢も変化するのでしょうが、まだ到着していませんからねぇ」

「第四王子は何をしていらっしゃるんだか。ちゃんと協力は求められているのか？　何のために帝国にいるんだよ」

のんびりとした護衛の騎士の発言の後、彼より若いもう片方がいら立った声を上げている。

主家に対して厳しいなと、目を丸くしている俺に、のんびりした方が苦笑いしつつ説明してくれた。

ティシア王家には、第三王子の下にまだ弟がいたらしい。

エリナー王子。御年十二歳。

六歳の若さでラギオン帝国に留学されたそうだ。

「……ええ、まあ体の良い人質ですね。帝国の庇護《ひご》を得たい中央国家群の国々は、王位継承権の低い王子を幼い頃から留学という名目で預けるのが慣例です」

どこか悲し気に年長の騎士が続ける。

「エリナー殿下はまだ幼いが多分発言力がない云々《うんぬん》じゃない。ただ舐められているんでしょうねぇ、うちの国は。あちらは大国だし、何と言っても六年前の……いえ、失礼しました」

途中で言葉を濁した騎士は、その続きを言うつもりはなさそうだった。

そろそろ出発するという御者に、道中の安全を祈る言葉を掛けて車止めを離れる。

号令と共に、物資を載せた馬車の列がタキリン城砦を出ていく。

城砦を囲む森の中を抜けると、クロエ平原へと続く一本道だ。

展開して布陣している自軍の背後にあたるから、途中で襲撃されることはないだろうが、無事に到着することを祈らずにはいられなかった。


一度に運ぶ光玉や消費アイテムの末端価格、日本円に換算すると一億超えるんじゃないかな……。

敵に奪われたらと考えると恐ろしい。

箱に細工して、奪われたら自爆とかいう機能をつけておこうかな。うん、そうしよう。

クロエ平原へと向かう隊列を見送り、持ち場の四階執務室へと戻る。

ボディガードの二人に礼を言って別れ、王女はまだかと不在の部屋を見回していたら、呼び出しがかかった。

指示された五階の客間に向かう。

客間に置かれたソファーにはカザリン王女が腰かけ、両脇にリザ女官長とカイゼル髭のオーリン将軍が並んでいた。

タキリン城砦の偉い人が全員揃っている。

促され、王女と向かい合うようにソファーに座る。

「――カリヤ。ラギオンにある冒険者ギルド総本部から、連絡がありました。あなたに会いに帝国の転生者がやってきます」

「転生者？」

「ええ」

リザさんが固い表情で頷いた。

見ると、王女も将軍も、どこか緊張している様子が窺える。いつも姿勢が良いと感心している王女だが、青ざめた美貌の少女が背すじをまっすぐに伸ばした様は、どこか痛々しさを感じさせた。

「……なにか不都合でも？」

「今、我が国の冒険者ギルドはほとんど機能していません。敵国のスパイが潜伏していたくらいです。カリヤはまだ転生者としての正式な登録を済ませていませんね？　それを、促しに来るというのが表向きの理由でしょう」

「裏の理由は？」

「……引き抜き、じゃろうな。冒険者ギルド総本部……その背後にいるラギオン帝国は、有能な転生者を集めておる」

なるほど、と俺は思った。

彼らは俺が去るのを恐れているんだろう。

戦争の最中に、おそらくはたった一人の上位生産職転生者がいなくなることを考えて。

「忙しいので会えないと断れば？」

「――我が国としては、会ってほしいのです。カリヤの意思で。決して我が国は接触を妨害などしていないと示さなくては」

小さく震える声で、カザリン王女が告げた。

「カリヤが望むなら、引き留めはしません。帝国に保護された方が、安全な生活が送れるでしょうから。ですが、もし」

手を上げて、俺は彼女の発言を止める。

引き留めの言葉が出るのだろうと推測はついたが、出来れば誇り高い彼女にそんなすがるような台詞《せりふ》は言わせたくなかった。

「――大丈夫ですよ。ナダルと約束しましたからね。このタキリン城砦で、あなたを守ると」

にこりと笑いながら、安心させるように告げる。

「俺はあなたの護衛です。今のところ、その役目を放棄するつもりはありません。女官長、その転生者は、ギルド総本部に所属しているという肩書で来るんですか？　それとも帝国人として？」

「冒険者ギルドです」

「了解しました。転生者には会いましょう。すみませんが、出来れば王女殿下に同席していただきたく。女官長や他の女官もご一緒で結構です。殿下の護衛をしているので、側《そば》を離れることが出来ないとアピールしたいので」

「では王女殿下の私室を使いましょう。ティシア王家はカリヤを信頼しているとの、こちらからのメッセージにもなります」

い、いいんですか？

王女は嫁入り前で、俺は男ですよ!?　そんなプライベート空間……あ、お付きの方々も一緒だからいいのか。


ボン、キュッ、ボンが来た！

勧められるままに、カザリン王女の私室でスタンバイ。

私室と言っても、もちろん寝室ではない。彼女のプライベートルームでもない、と思う。

そういえばここは王宮ではなく、タキリン城砦だった。

部屋に置かれた調度はそれなりに豪華だが、城砦に滞在する貴族のためにある客室のうちの一つに過ぎないんだろう。部屋の壁に飾られたタペストリーだけが剣に星の天蓋というティシア王家の紋章で、王族の使用する空間であることを教えている。

王女殿下はお付きの女官たちに囲まれ、部屋の窓近くに置いた椅子に座って刺繍をしている。

針の動きがどこかぎこちないのが可愛《かわい》い。

出来る印象の強い美少女にも、苦手なことがあったんだなぁと微笑《ほほえ》ましい思いで見守っていたら、客の先触れを告げる兵士の声がした。

そして現れた転生者の容姿を見て、俺は王女殿下（とお付きの皆さん）を同室にしたことにちょっとだけ後悔した。

――ボン、キュッ、ボンだった。

案内されてきた冒険者ギルド所属の転生者は、男女の二人組。

男は黒縁の眼鏡《めがね》を掛けた、事務職みたいな印象を与える青年だった。戦闘職ではないが、生産職にも見えない。

前世のゲーム内で、こういう雰囲気を持ったNPCのギルド職員がいたなと思い出す。

きっと帝国内にあるという冒険者ギルド総本部で、彼も働いているんだろう。書類鞄《かばん》らしきものを持っているし。

問題は女性……ツインテールの赤毛の少女の方だった。

まだ幼さの残るあどけない顔をしているのに、首から下がやばい。

ボン、キュッ、ボンとしか形容の出来ない、ダイナマイトバディだ。

豊満な肉体を強調しているのは、《ゴールデン・ドーン》内ではネタ装備として知られていた、お椀《わん》と紐だけのビキニアーマー。

Aランク金属鎧だが、派手な露出の見た目に反して防御力はそう悪くない。激しく動いてもポロリはない安心仕様だ。

うん、性能的には悪くない装備だと思う。

だけど転生者以外には少し刺激が強いんじゃないだろうか。

前世で遊んでいたゲーム内の仕様でもそうだったが、この世界のNPC――住人は肌を隠す衣服を好んで着ている。王女や女官の皆さんなんて、首回りや手の甲まで隠すドレス姿だぞ……とちらりと部屋の向こうに視線をやると、真っ赤《まっか》になってこちらを窺っている女性たちの輪の中、王女殿下がご自分の胸元に視線を落としていた。

……大丈夫、まだまだ王女は成長期だ。多分。

「こんにちは。あなたがティシアで見つかったプレイヤーなのねっ。お仲間に会えてうれしいわ。私はイルマ。Aランクの金属系生産職よ。一緒に来た彼の名はダイドー。Dランクの未選択プレイヤー」

ああ、と俺は前世プレイしていた《ゴールデン・ドーン》のプレイスタイルを思い出していた。

ゲーム内で生産や戦闘といったスキルを覚えてランクを成長させていくプレイヤー。だが、MMORPGで純粋な異世界生活のみを楽しむというプレイスタイルを取る者たちもいた。

生産職や戦闘職といった選択肢を選ぶことなく、NPCと変わらないステータスのまま、のんびりと仮想現実の世界だけを楽しんでいた未選択プレイヤー……多分、彼は転生後のこの世界で苦労したんじゃなかろうか。

スキルの有無やステータスの高さが、今ではリアルそのものとなった世界で。

「あなたほどじゃありませんよ、カリヤさん。僕はラギオン帝国出身で、物心ついた頃《ころ》に冒険者ギルド総本部に引き取られましたから。だけどあなたはよりにもよって、中央国家群では最難度エリアの一つに挙げられるゲイリアス山岳地帯に転生していただなんて。おまけにこの世界での家族を早くに亡くしている。苦労したんでしょうね。ですが安心してください。迎えが遅くなってしまいましたが、これからは冒険者ギルドが新しい家族となってあなたを守りますから」

「そうっ。冒険者ギルド総本部には今、SSSランクの戦闘系プレイヤーが二人もいるのよ。これってすごいことなんだから。Aランク武器職人――よね、カリヤさんは。もう大丈夫よ。生産職なのに、戦場なんて危険な場所に出なくてもいいの」

来客用の応接ソファーに座った二人が笑顔で話し

続けている。

王女の部屋から話し合いの場所を変更したいと提案してきた来訪者たちだが、彼女の護衛が任務なのでと断った。

話し合いを始めて、彼女たちが何故《なぜ》部屋を移りたいと最初に言ったのか分かった。

俺は、雇い主であるティシア王女の前で、かなり露骨にラギオン帝国へと引き抜かれようとしていた。

同じ転生者だから助け合って生きていこうという誘いの言葉は分かるんだが、どうにもきな臭いと感じるのは手法のせいだろうか。

美少女が何故か俺の隣へと移動していた。

前屈《まえかが》みの姿勢で体を寄せてくる彼女の、胸の谷間があざとくて仕方ない。

これは間違いなく、お色気攻撃なんだろう。

二十五歳だものなー。独身男だものなー。

普通、この年頃の男でおっぱい嫌いはいない。

――年齢、性別、それに出身地やランクといった俺の個人情報を、彼らは事前に得てやってきたらしい。

情報はティシア側から得たのだろう。同盟国なんだし。

クロエ平原で国軍に自作のAランク武器を供出した。これで俺は生産職プレイヤーだとばれている。

そしてタキリン城砦内でポーション類を作っているが、エリクサーといったSランクアイテムはまだお披露目《ひろめ》していない。

なるほど、俺はAランク生産職プレイヤーだと思われているのか。本当はSなんだが……まぁ、SS以下は三流と呼ばれている《ゴールデン・ドーン》で、たいした違いもないだろうからいいけどさ。

そういえば……と、タキリン城砦に来る前に剣聖ナダルから受けた忠告を思い出す。

彼は、冒険者ギルドを信用するなと言っていた。

スキル構成などの個人情報は、信用出来る者以外には漏らすなと。

「――カリヤさんは、クロエ平原での初戦でモンスターと戦って、そのままタキリン・ステーションに異動したのよね？　間に合って良かったたって思ったの。前世、私たちプレイヤーはモンスターと戦っていた。戦争イベントで敵側の人間も殺した。だけどあれはゲームの中での出来事。転生したこの世界で、人を自分の手で殺《あや》めるのは覚悟と勇気がいるわ。だって、元は平和に暮らしてきた日本人なんだもの。『人を殺してしまった』事実に、耐えられないプレイヤーって多くて――」

「あ、もう人は殺したことがあるので、その葛藤《かっとう》についてては大丈夫です。特にトラウマもありません」

「え？」

驚いた表情を見せる二人に、なるほど彼らはまだなのかと考えながら説明する。

「ゲイリアスの山奥を根城にしていた山賊を、若気の至りで退治したことがあるんですよ。生死問わずの通達も出ていたし、改心は無理そうだったんで皆殺しにしました」

絶句しているお色気美少女に、当時のことを思い出して忠告しておく。

「イルマさん。その鎧、自作ですよね？　自分が作った作品を身に着けたいという気持ちは分かります。ものすごく似合ってますけど、その鎧は男にとっては刺激が強すぎる。あまり見せない方がいいです。でないと、あの時俺が助けた女性たちのようなひどい目に遭うかもしれませんよ」

「あの時？」

「――山賊のアジトには、攫《さら》われてきた女性たちが何人か捕らわれていました。山賊連中を皆殺しにした時よりも、彼女たちを助けた時の方が精神的につらかったですね……同じ女性として、ああいった光景は出来ればもう見たくないですから」

「……同じ女性」

呟いている美少女に頷き、身も心もボロボロにされていた女性たちを救出した時のことを思い出す。

ひどい状態だった。

治療も兼ねて神殿に身柄を預け、無事家族の元へ戻れることを祈らずにはいられなかったが、彼女たちはその後どうなったんだろうか。

どちらかというと、山賊を殺したことよりも彼女たちの惨状の方がトラウマになった。

あの山賊退治の後、俺は娼館に行けなくなった。

相手を買えるほどの金も持ってなかったから、どの道行けなかっただろうけど。

彼女たちと同じ女性である美少女に、そういった目には遭ってほしくない。

「……女の人だったの？」

「ええ。捕らわれていたのは女性ばかりでした。……彼女たちを辱めた男と、自分も同じだと思うと恥ずかしかったですね」

「そんなことないです！」

何故か、俺の手を真剣な顔をしたお色気美少女が両手で握りしめていた。

「あのね、カリヤさん。前世が女だったとしても、転生したら性別が変わってたってことはたまにあるの。だから気にしなくていいから！　ちゃんと、女性として生きてもいいんだから！」

「――――はい？」

え？

俺が女性？

女じゃないですから

どうやらこの世界、前世でプレイしていたキャラクターのスキルだけじゃなく性別もこちらに引き継げたらしい。

その結果、本来の自分とは逆の性別でプレイしていたプレイヤーは、ゲームと同じ性別で転生するという悲劇が起きているようだ。

よくあると思うんだがね、違う性別のキャラを動かすなんて。

《ゴールデン・ドーン》は複数キャラ作製が不可能だったので、俺は自分と同じ男性キャラを使っていた。

なので、前世の性別が女ということはない。

逃げられたけど彼女もいたし、今世でも、逃げられたけど婚約者もいた。……あ、ちょっと女性運悪い気もするが気にしないでおこう。

だけど冒険者ギルド二人組は俺の訂正を聞いてくれなかった。

どれだけ違うんだと主張しても聞く耳をもたず、ボン、キュッ、ボンに至っては俺のことを『カリヤお姉さま』なんて呼びながら帝国に戻っていった。

スカウトはまた改めて挑戦するらしい。

肉体は成長していても顔はまだロリな少女の、痛々しいお色気攻撃がなくなったことはほっとしたが、違う意味で懐かれてしまった気がする……。

そして現在。

誤解は何故か続いていた。

「カリヤ様が前世女性だったなんて……だからそんなに綺麗なお顔をしていらしたんですね」

「それなら納得ですわ」

いや、女官さんたち。あなたたちの方がどう見ても美しいです。

それに前世のキャラクターと今世の外観は関係ないはず。

俺、前世のゲームキャラは肌の色が白かったんです。髪の色は群青だった。顔立ちも地味だったと思う。

今のこのオリーブ色の肌の男が、客観的に見てそれなりに美形だろうというのは否定しないが、女はない。ないわー。

はしゃいでいる女官たちに囲まれていたカザリン王女は、俺を真剣な表情で見つめていた。

「……転生者は今世、どのような性別であったとしても、前世の性別で扱うのが望ましいと言われています。カリヤが元女性だったというのなら遠慮はありませんね。彼――彼女の部屋を今の四階から五階に移します。私の私室近くに控えてもらいましょう」

「ええっ⁉」

「リザ。すぐに手配をしてもらえますか？　〝間違いが起こる前に〟」

「かしこまりました」

命じられた女官長が、パンパンと自分の手を叩いて注目を集めた。

「王女殿下のご命令です。今すぐカリヤの部屋を王女殿下の……寝室の正面に移動させなさい」

「「かしこまりました」」

見事な唱和と共に、女官たちが動き出す。

部屋を出ていく彼女たちが、呆然《ぼうぜん》と立ち上がった俺の脇《わき》をすれ違い際に囁いていく。

「ようこそ、カリヤ様。歓迎しますわ、女の園へ」

「心配していましたの。四階とはいえ、不逞《ふてい》の輩《やから》が夜中に押し入らないかと」

「同じ五階なら安心ですわ」

くすくすと笑いながら務めを果たしに行く女官たち。

部屋には俺と王女とリザさんだけが残された。

「……っと、王女殿下！　俺は前世も男です！　誤解を招く発言をしてしまったようですみません。謝罪します。ですから早まらないでください！　嫁入り前のお姫様が、どこの馬の骨とも分からない平民を側《そば》に置いちゃいけません！」

「――カリヤ。王女殿下はあなたの貞操を心配されているのです」

「……は？」

リザさんが重々しい口調で説明を始める。

「転生者であるあなたの、身の安全を心配されているのです。突然ゲイリアスから現れたあなたの容姿や能力に、興味を示す者は少なくありません。性別を気にしないほどに。城砦内で、不審な声を掛けられることはありませんでしたか？　護衛を付けましたが、それでも諦めない者もいると私たちは気づいています。ナダルにあなたの身柄を任されました。ですから、責任をもってあなたを保護したいと考えています」

ナダルの心遣いを聞いて、少し胸が熱くなった。

そういえば俺は、冒険者ギルドも把握していなかった転生者なのだ。おまけにゴタゴタがあったから、まだギルドに登録していない。つまり、正式な後ろ盾がまだない。

自分たちとは違う強大な力を持つ転生者を警戒したり、その力を己の物にしたいと考える者がいても不思議じゃない。

そんな俺の立場を心配して、彼は自分の配下として庇護下に置くだけじゃなく、王女にも口利きしてくれていたらしい。

……いい人だよな……《ゴールデン・ドーン》で人気があったのも頷ける。

「冒険者ギルドと帝国があなたを女性だと判断したのなら、それを利用しましょう。私たちもその方が都合が良いので。カリヤ。あなたを女性として保護します」

城砦最上階は現在、王女と貴族の娘である女官たちが使っている。護衛以外の男は立ち入りを厳しくチェックされていた。

転生者という特殊な立場である俺を女性として扱えば、彼女たちの評判に傷もつかないだろう。

問題は俺自身の評判なのだが……どうせこの戦争が終わればティシアから出ていくつもりだ。

もう二度と戻るつもりのない国なら、どう噂《うわさ》されてもかまわないと開き直るか。

しかし女官長。

野郎の貞操の心配ではなく、女性たちの貞操の心配をしてください。

もちろん俺から手を出すつもりはない。

さっき冒険者ギルドの二人にも話したが、嫌がる女性という存在は本気でトラウマになっているのだ。

出来れば女の子というものには笑っていてほしい……そういやカザリン王女の笑顔は俺、見たことあったっけ。

かすかな微笑程度なら見たことはあるが、心からの笑顔はまだ見ていない。

今は戦時中だし、家族は前線にいる。笑うことも出来ないのだろう。

視線を向けた彼女は、まっすぐな瞳で俺を見つめていた。

明るい緑の瞳がまぶしくて、思わず目を細めてしまう。

「――了解しました。ありがとうございます」

目を細め、微笑みを浮かべながら俺は配慮に努めてくれている主従に頭を下げる。

「では、お言葉に甘えてお世話になります。〝同じ女性〟としての立場は守ります。皆さまの信頼を裏切るつもりはありませんので、ご安心を」

「ナダルの信頼する者を、私たちも信じましょう」

……気にかけてくださってありがとうございます、王女殿下、リザさん、その他女官の皆さん。

でも一応忘れないでほしい。

俺、体は男だけど心は女……じゃありませんから。心も本当に男ですから。

気をつけてください、結婚前のお嬢さん方！

――彼女たちに迷惑を掛けないためにも、当初の予定通りに戦争が終わったらこの国を出ていこうか、うん……。

気持ち的に、懐かしい相手

尖塔のバルコニーから眺める戦場はあまりに遠かった。

強く吹きつける冬の風に体を持っていかれないように結界を張りながら、俺は眼下に広がる森の向こうにあるはずのクロエ平原の方角に視線を向ける。

《ゴールデン・ドーン》での、クロエ平原からタキリン城砦までの直線距離は覚えていない。

前世の俺は、中央国家群内からならタキリンまで、多くても三度のジャンプで到達していた。

タキリンからクロエ平原に跳んだこともない。あそこは初期のレベル上げとイベント以外には使われない場所だった。

データ容量の限界があったゲーム内のフィールドと比べて、現実となったこの世界は広い。

多分だが今、タキリンからクロエ平原に向かうには、十回以上ジャンプを繰り返さないと到達出来ないだろう。

まず、この城砦の中央にそびえたつ尖塔の最上階。今俺が立っている狭いバルコニーに向かって跳ぶ。

そうして見晴らしの良いバルコニーから、安全を確認しながら空中を連続で転移することになる。

着陸場所を視認出来ないと、ジャンプは失敗する。転移した先に異物があれば、出現した肉体の中にそれを取り込んでしまうのだから。

前世のゲーム内では仕様により起こらなかったアクシデントは、ゲームがリアルに置き換わると恐ろしい現実となった。

俺の今世初ジャンプは、転移した先に蜂がいた。痛みに泣きながらナイフで太ももの肉をえぐって取り出した。心臓だったら死んでいたかもしれない。

……うん、森の中を跳ぶなんて論外だわ。危険すぎる。

安全なジャンプを行おうとしたら、指定した目的地を魔法で〝掃除〟しておく必要がある。

ジャンプと魔法の同時発動はMPを食う。生産職のランクB程度の魔法適性じゃ、連続転移はかなりきつい。魔法は距離が開くほど難易度が上がり、連続発動が困難になっていくので。

つまり、俺は『ちょっと前線の様子を見てきます』なんてふらっとクロエ平原には出向けない訳だ。

残念ながら。

仕方ないので、高い位置から望遠鏡を使って戦場を眺める。

「……続いているなぁ」

続く森を越えた先で、ごく小さな花が空に咲いているのが見えた。

空中に展開される魔法陣が、敵から放たれた魔法攻撃を防いでいる。

まるで花火のように散る攻撃魔法だが、火花は半球の形を描く。平面に展開する防御魔法陣の向こう側には、魔法は影響を及ぼさないからだ。

その半球の向きから、現在の戦況を分析する。

「――ティシアは完全に受け身だな」

半球の底面はすべて同じ向き。

一方的に攻撃を加えているのは敵国クラシエル側だった。

我が国は、同盟国であるラギオン帝国からの援軍が到着するまで持ちこたえれば勝てるのだ。

だから積極的に攻め込むことはしないのだと、今戦場にいる末端の兵ならそう考えているかもしれない。

――でも、補給基地であるタキリン城砦に身を置く俺は気づいている。

時間稼ぎをしているだけで勝てるからと、攻めないんじゃない。

攻める余裕がない。

後方から送られてくる物資を注ぎ込んで、なんとか時間を稼いでいるだけだ。多分、転生者である俺がタキリンで生産側に回らなかったら、その戦術さえ早々に破たんしていたと思う。

「なにをやっているのかね、帝国は」

イルマと名乗った冒険者ギルドのお色気少女は、あの後もタキリン城砦に一人でやってきていた。

……ギルドに加入しないかという誘いを保留にしているのはたしかに俺だ。だが勧誘を名目に、あれは間違いなく遊びに来ている。

何故か『お姉さま』呼びも健在だ。

誤解を解くタイミングは、ティシアを去る時でいいかと放置している。

露出度抜群だったビキニアーマーは、ＮＰＣの前では着ないようにと言い聞かせたら素直に頷いていた。

気分は親戚《しんせき》のお兄さんだ。彼女にとってはお姉さんかもしれないが。

帝国軍が遅れている理由を知っているかと尋ねてみたら、あからさまに動揺しながら言葉を濁していたので、なにか不都合な事態が起きているのかもしれない。

まあ、援軍が到着しなくても春まで持ちこたえれば、クロエ平原が沼地に戻ってこの戦いはお開きになる。

そう考えてティシアは防御を固めているんだろう。

『――……カリヤ、聞こえますか？』

腰のベルトから下げている魔法アイテムから、リザ女官長の声がした。

望遠鏡をアイテムボックスに仕舞う。ペットボトルほどの大きさのアイテムをベルトから外し、顔の近くに寄せた。

「はい、聞こえます。どうぞ」

『……カザリン王女殿下が今から城砦地下の転移ステーションに向かわれます。護衛をお願いします』

「了解しました。戻りますので、執務室のジャンプ地点を空けておいてください」

無線機に似たこの魔法アイテムは、用途そのままに『携帯電話』と呼ばれている。

ゲームにはなかったアイテムで、転生したプレイヤーがこちらで新しく発明した。

元々、《ゴールデン・ドーン》内での通信手段としては、据え置き型の水晶球が使われていた。

そしてプレイヤー間のやりとりはボイスチャットが可能。携帯するタイプは必要なかったので、ゲーム内に存在していなかったのだ。

今世でボイスチャットは使えない。なら水晶球を改造しようと考えたんだろうな、先人は。

そんな先人に続けと、俺も改造に挑戦中だ。

この大きさでもかなり小型化されているようだが、〝携帯〟を目指しているのなら缶コーヒーくらいの大きさにしたい。ついでに微妙に狭い通信範囲もなんとかしたい。

スイッチを切り、携帯電話を腰のベルトに付け直す。

そのまま大きく息を吸い、俺はカザリン王女の執務室に〝ジャンプ〟した。


タキリン城砦の地下にある転移ステーションは、自室と執務室の往復以外出歩かない王女が、唯一と言って良い足を運ぶ場所だ。

何故なら彼女が溺愛《できあい》(多分)している双子の弟が、転移ポータルを使って数日に一度、戦場から戻ってくるからだ。

その出迎えと見送りを、彼女が欠かしたことはない。

アルティシア王家に伝わる血統アイテム『白の天蓋』を設置出来るのは王族だけ。

カザリン王女の双子の弟である、第三王子ウォルド殿下は十五歳。そして十五歳にしては線の細い小柄な少年だった。

父である国王や兄の王太子がずっと身を置いている戦場も、少年にとっては過酷な環境なのだろう。

数日に一度だけ稼働出来るという転移ポータルを使って、タキリン城砦まで戻ってくる少年は、ゆっくりと一晩休んでまた戦場へと己の務めを果たしに行く。

……本当なら、王位継承権を持っている王族が戦場に集まるのはやばいんじゃないかと思う。

一人くらい、安全地帯に退避しておかないと。

だけど『白の天蓋』設置には、王族が三人は必要らしい。輜重隊の御者から聞いた話だと、かなり時間が経《た》っているのにまだ設置が完了していないのは、敵からの妨害が激しいせいだとか。

「姉上！」

地下に設置していた、クロエ平原と繋がった転移ポータルが光を放つ。

簡易式の小さな魔法陣の上に光の半球が形成され、消えるとそこには第三王子の姿が現れていた。

ほっとした表情を見せている姉の元に、優しく微笑《ほほえ》みながら少年が足を運ぶ。

いつもなら、馬車で運ぶより早く到着させたい書類を詰めた箱などが一緒に運ばれてくる。

だが今日彼と一緒に戻ってきたのは、無精ヒゲを生やした紫の瞳の男だった。

「――よぅ、カリヤ。王女の護衛、おつかれさん」

「ナダル!?」

驚く俺を前にして、〝剣聖ナダル〟はいたずらが成功したとばかりに楽しそうな笑みを浮かべた。


……今、俺の心中はヤバいことになっている。

最近は眠りにつく前のひととき、アイテム職人として携帯電話の改造に勤《いそ》しむのが日課と化していた。

今もパジャマ姿に上着を羽織り、自室のテーブルの上に部品を広げてはいるんだが、機械に組み込むべき魔法陣も触媒の組み合わせもまったく思い浮かばない。

理由は分かっていた。

昼間、ナダルがタキリン砦にやってきたからだ。

俺が馬に乗れるようになったか確かめに来ると言っていた彼は、言葉通り確認に来たらしい。

なので中庭で腕前を披露しました。

筋は悪くないと褒めてくれたので、練習した甲斐があったというものだろう。

もちろん俺の様子を見に来ただけではなく、タキリンでの仕事も待っていたらしく、諸々《もろもろ》の処理に忙殺されているようだった。

そして先ほどまでの、王子王女や偉い人とのディナー。

末席で俺も呼んでもらえました。

忙しいナダルは、明日の朝には王子と共にクロエ平原の戦場へ戻るらしい。

つまり彼と話がしたいのなら、今夜しかない訳だ。

「……押しかけたら、やっぱり迷惑だろうなぁ」

アイテムの部品が散らばるテーブルに突っ伏して、呟く。

彼に会いに行きたい。

ちなみに夜這いではない。

ただ俺は、ナダル・コートレイという男と、話がしたいだけだ。

だって彼は多分、初めての理解者だ。

《ゴールデン・ドーン》に似ているが違う世界で、前世は日本人だった〝俺〟のことを理解してくれる相手。

ごく普通のサラリーマンだった俺が、何故かゲームの世界に転生して生きてきたことを、『大変だったな』と共感してくれる相手。

だから話を聞いてもらいたい。

いや別に、聞いてくれなくてもいい。

〝俺〟が誰《だれ》であるのかを知る相手がいる。たったそれだけのことが、これほどうれしいなんて思いもしなかった――。

「よお、カリヤ。いい酒があるんだ。よかったら一杯付き合わないか？」

「うわぁおぅ!?」

ノックの返事を待たずに扉が開いたんですけどぉッ!?

椅子から転げ落ちそうな勢いで振り向いた先には、にこやかに会釈して去っていこうとしている案内の女官さんと、軍服から楽な私服に着替えているナダルがいた。

手には空のグラスが二つと、酒瓶が一本。

部屋の中をひょいと覗き込んだ彼が、部品が散乱したテーブルに首を傾《かし》げる。

「ん？　ああ、そういや何か作っているって女官長から聞いていたが、今作業をしていたのか。邪魔したか？」

「大丈夫！　携帯電話を寝る前にちょっとずつ改造してるだけで、すぐに仕上げるつもりじゃありませんから！」

部品をテーブルの脇《わき》に除《よ》けて、男を手招きする。

悪いな、と笑いながらナダルが部屋へと入ってきた。

「ああ、部屋の扉は開けたままにしておくぞ。さっきの案内してくれた嬢ちゃんに、女性の部屋を男が訪ねる時は、扉を閉めきらないのがマナーだと言われてしまってな――」

「えーっと……それは……」

「――事のあらましは他から聞いた。前世の性別がどうのこうのってやつだろう？　帝国の転生者の誤解に、うちの連中がこれ幸いと乗ったとか……すまないな、カリヤ」

俺の前世女性疑惑の真相を知っているらしいナダルが、ため息をつきながら頭を下げてきた。

「……俺、本当に前世も男でしたから」

「ああ、そうだろうなと思う。前世と違う性別だという転生者には昔会ったことがあるが、彼……いや彼女か、彼女とはまったく違う雰囲気というか立ち居振る舞いだしな、おまえは」

なんと、前例がいたらしい。

それも男の体をしているが、前世の性別が女性だった模様。

「おまえの外見は目立つからな。勘違いを利用して居住区域を移動させ、身辺の警戒度を上げたと女官長から聞いている。カリヤ個人の評価を歪《ゆが》めてしまったのは確かだ。謝罪したいが、この戦争が終わるまでは現状のままでいてほしい」

「了解しています。王家との雇用契約は〝戦争が終わるまで〟でしたからね。その間は別にかまいませんよ」

「そう言ってもらえると助かる」

ほうっと息をついたナダルが、俺の前に置かれたグラスに酒を注ぎ始める。

うん、この国なら女で通し続けないといけないだろうが、戦争が終われば出ていく国だからな。

出ても誤解された状態が続くのなら、外見を少し変えて改名してしまえばいいだけな気がするし。

髪を別の色に染めたりとか。

肌の色も、ちょっと面倒だが変えてしまうアイテムを作れる。

酒を注いだグラスを持ち上げて、乾杯の仕草を取るとさっそくいただく。

白い葡萄酒の爽《さわ》やかな喉越し。

タキリン城砦内の酒蔵から、良い酒をかっぱらってきたんだとナダルが笑った。

前線の食事情は厳しいからなぁ。やはり美味《うま》い酒はうれしいのだろう。

俺にとっても、これまで飲んだことのある酒の中で、一番美味いと感じる味だった。

「あー、それとタキリンから送られてくる物資な。あれも助かっている。旧来の品より品質が良くなったし、潤沢に使えるおかげで戦線を立てなおせた。

アイテム類は生産職のおまえが中心となって量産してくれているようだが、ちゃんと正当な対価は受け取っているか？　俺は国に支払える金があるのか不安になってきたんだが……」

「それでしたら、ちゃんといただいてますのでご安心を」

じゃん！

と、アイテムボックスの中に仕舞っていた小さなインゴットを取り出して披露する。

「最近は希少金属を現物支給でいただいてます。銀やミスリルなら武器武具に使えますし、他の金属もアイテム作製で使います。ちゃんと交易スキル持ちに判定してもらってますから大丈夫ですよ。いやー、一応自力で採掘は出来るんですが、量の確保が面倒で。インゴットで融通してもらえて助かります」

「採掘するのか……ああ、生産職はその手のスキルがあったたな。――素材は国がため込んでいたか、そういえば。それなら良かった」

「タキリンの人員を使って生産しているので人件費はいらないし、原材料も豊富にありますしね。お役に立っているなら何よりです」

ふふふ、崇《あが》めてくれてもいいのだよ、アイテム職人を。

前世のアイテム職人の扱いは不遇だった。

課金でほとんどの消費アイテムが買えていたんだものなぁ。運営会社も商売だから、仕方ないと言えば仕方ないが。

だけど異世界には、課金システムなんてもちろん存在しない。

ポーションなどの消耗品は必要不可欠な存在で、それを作製する職人も一目置かれている。

ありがとうの一言でいいんだ。

感謝の言葉がもらえれば、がんばっちゃうものなんですよ、生産職ってモノは。

「――ありがとう、カリヤ」

そうしてナダルは、俺の一番欲しい言葉をくれた。

夜這いがバレました

夜ふけに酒を酌み交わしながら、ナダルといろんなことを話す。

俺、ずっとゲイリアスの山奥で世捨て人のように生きてきたからな。

他の転生者が冒険者ギルドで教わるだろう当たり前の常識も、多分まだ知らないのだと思う。

剣の師匠を通して転生者を知るナダルは、雑談に混ぜながらこの世界とゲームの違いを教えてくれた。

なんだよドワーフとエルフが互いの国に引きこもっているって。

たしかに見かけないなとは思っていたけど。

種族自体が存在しないのかと考えていたが、自分たちの国の外へ滅多に出てこないだけらしい。

なんでも昔、異世界転生をしてテンションが上がりまくった転生者が、ゲームのノリで傍若無人に振る舞って彼らの領土をめちゃくちゃにしたのだとか。

……ああ、多分根こそぎアイテムを採取&採掘しまくったんだろうなぁ。

ドワーフの国もエルフの国も、素材アイテムの宝庫だ。

だがゲイリアス山脈での暮らしで俺も気づいているが、この転生した世界では一度アイテムを入手すると次の入手までは時間がかかる。

根こそぎ取ってしまうと、年単位で素材が取れなくなる。

それは嫌がられるだろう。

細々と交易は続いているが、両国とも不可侵の結界に閉ざされているのだとか。

「転生者は非難されなかったんですか？」

「そういう経緯もあって冒険者ギルドが設立された。一応、その後は改善している。人間ともそれなりにぶつかったが、転生者から与えられる富や知識の方が欲しかったんだろう、ご先祖様方は。今では持ちつ持たれつって感じだな」

「プレイヤーで、エルフやドワーフに転生した者はいます？」

「聞いたことはないなぁ。ドワーフの国『北方山脈』も、エルフの国『大樹海』もほぼ鎖国状態だから、中のことは分からん」

ドワーフの方はまだ酒を求めて外に出てくる、とナダルが空になった酒瓶を振りながら呟いた。

「飲み足りない……」

「あ、この部屋にも何本か置いていてくれています。持ってきますね」

ものすごく悲しそうに言うものだから、苦笑しつつ棚に向かう。

適当な酒を手に戻ってくると、酔っ払いが興味深そうに、テーブルの隅に除けていた部品をつついていた。

「あ、すまん。触っちゃいけなかったか？」

「いえ、大丈夫です。興味あります？　それ、今改造している『携帯電話』の部品なんですよ」

これです、と中身をまだ入れていない本体を紹介する。

大きさは従来のペットボトルから手のひらに収まるサイズに。残念なことにスマホ型はスキルが追いつかないので、昔懐かしいフィーチャーホンの外観にしている。

折り畳み式にも出来なかったよ。職人ランクS止まりの我が身が残念。

説明すると、すごいな、とナダルが顔を輝かせた。

「改造は男のロマンだよなー」

「ですよね！　部品の小型化は出来たと思うんですよ。後は溜《た》めておけるMPの量と、稼働するために使用する量のバランスの調整が主な問題です」

「ああ。〝携帯〟だから移動しつつ使うのか」

「水晶球のように、固定して外部からMPを供給することも出来ますけど、目指すは持ち運びです。理論的にはタキリンからクロエ平原くらいなら余裕で通話可能なスペックのはずなんですが……」

男の紫色の瞳がキラーンと光った。

「これが完成したら、俺が走り回る必要がなくなる！　現地でテストするか？　付き合うぞ」

「協力してくれるのはうれしいですけど、使用した感想を聞きつつ何度も調整しなくちゃいけないんですが。俺もあなたもそう移動出来ないんじゃ？」

「……移動している心当たりに、協力を仰いでみる」

ふらりと酔っ払いが立ち上がった。

そして開いたままだった扉を出ていき、廊下を挟んで向かいの扉を叩く。

――俺の部屋の向かいは、カザリン王女の部屋だ。

扉の両脇に立つ女性兵士が、呆然と酔っ払いの行動を見守っている。

これはさすがに止めないとまずいか、と椅子から立ち上がろうとしたら、王女の部屋の扉が薄く開いた。

熱心に何か話しているナダル。ひそめている声はこちらまで聞こえてこない。

やがて破顔した男が扉から体を引く。

もう少し扉が開かれ、金色の髪の頭がひょいひょいと二つ並んで出現した。

上がカザリン王女で、下がウォルド王子だった。

第三王子は姉の部屋にいたらしい。揃いのガウンを着ている姿は、彼女と彼が双子なのだとはっきり分かるほど似通っている。

ウォルド王子が柔らかく笑い、俺に向かって両手で丸の形を作る。

どうやらナダルは、タキリンとクロエを行き来している王子に携帯電話の運搬を頼んだ模様。

そんな弟をあきれた表情でカザリン王女が見下ろしていた。

うん、王女が綺麗系で、王子が可愛《かわい》い系だな、あの姉弟《きょうだい》。

双子が部屋の中に引っ込み、うれしそうな顔でナダルが戻ってくる。

「承諾をもらってきた！」

「……あのお二人と親しいんですね」

「縁あって、俺が剣をお教えしている。師弟の関係ってやつだな。ティシア王家は魔法に重点を置いているから、護身程度だが」

「ああ、『白の天蓋』……」

ティシアの国宝である血統アイテム『白の天蓋』は、ＭＰを使って発動する魔法アイテムだ。

王族は魔法を嗜《たしな》んでいるのだろうが、剣も学んでいるらしい。

そういえば王女がそんなことを言っていたな……。

話を聞いていると、ナダルと現国王は幼馴染で、同じ師匠から剣を学んだのだそうだ。

兄弟弟子というやつか……コートレイ家はやはり名門なんだな。そういう繋がりが王家とあるなんて。

今は、彼が王の子供たちに剣を指南しているのだとか。

「……『白の天蓋』といえば、設置作業は終わったんでしょうか？」

「――まだだ。補助出来る魔法使いが足りない。作業が進めばクラシエルから邪魔が入って、また一からやり直しの繰り返しだ。早急に設置してしまいたいんだがな……」

楽しそうに酔っぱらっていたナダルが真顔になった。

静かに呟く姿に、これまで感じていたティシア軍に関する違和感を思い出す。

我が軍は生産面でのバックアップが弱い。

おそらく、高ランクの生産職転生者がいないからだ。

だがもしかしたら、サポート出来る魔法職転生者の数も少ないんじゃないだろうか。

でないと、直系王族を三人も戦場に向かわせて設置しようとしていることや、手間取っている説明がつかない。

「……ナダル」

目をつむっていた男に声を掛ける。

いつもの眠そうな印象もないが、鋭さも感じない素の眼差《まなざ》しが俺に向けられた。

「……もしかして、我が国の転生者は……」

「――やはり気づくか？」

ナダルが力なく息を吐いた。

「カリヤが考えている通りだ……ティシアの転生者は」

「何をしているのですか、ナダル・コートレイ！」

ナダルの体が、座っていた椅子から飛び上がった。

もちろん俺の体も飛び上がっていた。

「リ、リザ女官長……！」

閉めずに開け放していた扉から、仁王立ちの女官長が中を覗いていた。

廊下の向こう、王女の部屋の脇に立っていた女性兵士が顔を逸《そ》らしているのが見える。

あれだけ堂々と訪ねてしまったので、報告せざるを得なかったんだろう。

またまたひょいひょいと、王女の部屋から金色の頭が二つ並んでこちらを覗いている……。

「――ナダル」

「はいっ！」

「あなたは何を考えているのです！　ここが五階だと分かっているのですか!?　未婚の女性の部屋に夜分遅く訪問するなんて！　それに明日の朝も早いのではなかったですか!?」

「はいっ、すみません！　すぐに自室に戻ります、失礼しました！」

リザさん、やはり強い。

さすがの剣聖も彼女には勝てないらしい。

頭を下げながら部屋を出ていこうとする男に、すれ違いざま女官長が声をひそめて尋ねた。

「……何か軍の打ち合わせでも？　それなら階下に部屋を用意しますが」

「いえ、彼……じゃなかった、彼女と一緒に飲んでいただけですから。もう戻ります。こちらこそ配慮が足りず失礼しました」

ナダルが振り返る。

無精ヒゲのおっさんは、俺に向かって人懐こい笑みを向けた。

「またな、カリヤ」

次の朝、ナダルとウォルド王子は転移ポータルでクロエ平原へ戻っていった。

『携帯電話』の片方は王子に預けた。

日中は互いに忙しいので、テストは夜にするつもりなんだが、それにも王子自ら付き合ってくれるらしい。

恥ずかしそうに笑いながら『協力しますよ』と仰《おつしや》ってくださってありがとうございます。

やはり男なら〝改造〟の単語にはときめきますよね。

カザリン王女は、そんな弟君に仕方ないなぁという風に苦笑していたけれど。

さて、せっかく協力者が現れたんだ。アイテム職人はがんばるぞー！

あ、もちろん各種アイテム作製も。

何故かドナドナを思い出す

物資を積んだ荷馬車がタキリン城砦を出て、クロエ平原へと向かっていく。

砦を取り囲む深い森を抜ける街道を、連なって進んでいく荷馬車の列。

出立を見送った俺は、最後尾を追いかけていくはずの、まだ支度を終えていない幌馬車《ほろばしや》へと視線をやった。

大きな荷物を背に担いだ、ローブ姿の魔法使いたちが馬車の周囲をあわただしく動き回っている。

彼らはクロエ平原に詰めている魔法部隊の、補充要員だった。

敵軍から放たれる攻撃魔法を、自軍に到達するまでに処理し続ける魔法使いたち。

その消耗はばかにならない。

戦場からの要請を受けるたび、タキリンに詰める魔法使いがクロエ平原へと向かう――。

「カリヤさん！　見送ってくれるんですか？　うれしいなぁ」

「――ボンドン」

俺が最初に〝ジャンプ〟を実演してみせた眼鏡《めがね》の少年魔法使いが、肩からずり落ちかけた荷物を背負い直しながら笑顔を見せた。

「僕もいよいよ前線です。年が若いということで先輩たちが先に行ってくれてたんですけどね、ずっと特別扱いも申し訳なくて。魔法ランクもBになりましたから、がんばらないと！」

「────」

一瞬言葉を失った。

この世界は転生前の平和な日本じゃない。子供でも盗賊やモンスターが襲ってくれば戦う。

貧しければ幼い者から飢えて死に、親に売られることだってある。

そう理解していたつもりだったのに。

『子供が戦場へ行く』という言葉の響きは、元日本人にとっては重いモノなんだなと改めて思ってしまった。

若くても魔法使いの一員である少年にとっては、戦争に参加することも、日ごろ行っている盗賊やモンスター退治とあまり変わらない認識なのかもしれない。

俺自身も、転生後はそこそこ意識の持ちようが変わったと思っていたが、まだまだだったようだ。

今から前線に向かうという幌馬車。

初陣のボンドン少年は意気軒昂《けんこう》という様子だったが、年配の魔法使いには顔色がすぐれない者が多かった。

ジリ貧の戦場に向かうということが、彼らの表情を暗くしているんだろう。

「……無理はしてもいいけど、無茶はするなよ？ああ、せっかくだから、とっておきのアイテムを餞別にあげよう」

お守り代わりに持っていくといい、と、俺は手のひらに出現させたアイテムをボンドンに差し出した。

「材料が手に入らないから、滅多に作れなくてこれまでの補充品には入れてなかったんだ。知ってるかな？『魔法使い殺し』。指定した魔法を一定時間無効にする、使い捨てアイテムなんだけど」

聞き耳を立てていたらしい周囲の魔法使いたちがざわめく。

おどろいた表情を見せている少年に、祈る少女像の形をしたアイテムを手渡しながら、周りにも聞こえるように俺は続ける。

「アイテムの効果は約五分。時間が短いから使い勝手が難しいけれど、敵の魔法を広範囲で無効にするからね。お守り代わりに持っていくには良いと思う。アイテムを収納している箱に入れて、使うタイミングについては経験豊富な先輩たちに任せなさい」

「はいっ、そうします。ありがとうございます、カリヤさん！」

素直に受け取ったボンドン少年が、馬車の横で積まれるのを待っている木箱の前にしゃがみ込んだ。

箱に埋め込まれている錠前部分。

そこにぺったりと手のひらを当てて、目を閉じる。

「……この、カリヤさんが転生者としての知識を使って作った箱って、すごいですよね。鍵が実際には必要なくて、中に潜んでいる〝しすてむさぽーと〟っていう精霊が、開けるかどうか心の中に問いかけてくるんですよ……」

それは俺もびっくりしている。

前世、ゲームの中で出現していたステータス画面やメッセージウィンドウは存在しなくなった。代わりに、謎の声が頭の中で聞こえる謎仕様に変化してるんだよな……。

しかし、NPCにも聞こえるのか。

すごいな、謎の声。

……こういうゲーム的な部分って、転生者の互助組織である冒険者ギルドなら、もう謎が解明されてたりするんだろうか。

いまだに冒険者ギルドには加入していないからなー。

熱心な勧誘は続いているんだけど、スパイが入り込み放題のザル加減といい、どうにも胡散臭い気がするのが……実際、加入しなくてもなんとかなってるし。

「——その箱、魔法ランクBのティシア人にしか開けられない設定にしているから。他の者から頼まれたら、代わりに開けてあげるんだよ。支給された物は遠慮なく使っていい。各種ポーションもMP回復の光玉も、使っていい」

「好きに使っていいんですか？」

「光玉なんて、二週間もしたら中身が抜けてしまうからなぁ。どんどん使ってくれ。出し惜しみなしが軍の意向だ。アイテムが足りなくなったらタキリンで作って、即座に送るから安心しろ」

うれしそうに頷くボンドン少年と、周囲の魔法使いたちを見回し、さっきまで見えていた暗い顔がなくなっていることにほっとする。

少しは気分が切り替わっただろうか。

サービスで、木箱を馬車に積み込む作業を手伝う。

そしてようやく彼らの出発準備が終わった。

ボンドンや魔法使いたちを乗せた幌馬車が、ゆっくりとクロエ平原に向かって動き出した。

「行ってきます！」

馬車の後部から身を乗り出し、笑顔で手を振るボンドン。

タキリン城砦を囲む城壁の上で、ラッパ兵が出発の曲を吹いて送り出す。

晴れた冬の寒空に、透き通るようなラッパの音が響く。

……吹いてくれるのはうれしいんだが、一人だけの演奏は物悲しいな。

先発の荷馬車隊のように、複数で勇壮に奏でてほしかったかも。遅くなってしまった魔法使い隊が悪いんだが。

クラシエルとの戦争が始まって三か月。

もう一か月もすれば、春が訪れるはずだった。

同盟国であるラギオン帝国軍は、クロエ平原にまだ姿を現していない。

戦場は二手に分かれ、平原より西の地でクラシエルの別働軍と対峙しているのだと聞く。

春になり、クロエ平原が水に浸《つ》かるまで、あと一か月。

あと一か月、ティシアが持ちこたえたら、多分戦争は終わる――。

「……よし、俺も自分の戦場に戻るか」

「カリヤさん。王女殿下がお呼びですよ。迎えが来ています」

ボディガードをしてくれている騎士の言葉に、視線を城門の向こうから背後へと戻す。

建物の入り口近くに立っていたカザリン王女付きの女官が、俺の視線に頭を下げた。

「すぐに向かいます」

側についてくれていた騎士たちに、ここまででいいからと警護の礼を言い、俺は彼女の元へ歩み寄った。

王女様の秘密

王女付きの女官に先導されながら、勝手を知ってしまったタキリン城砦の中を進む。

カザリン王女のボディガードを始めて三か月が経《た》った。

それなりに親しくさせていただいているとは思う。

俺の日中の仕事場は王女の執務室だし。おそらく気分転換を兼ねて、王女もたまにアイテム作製を手伝ってくれる。砦内での会食やお茶の席に呼んでくださったりもする。

が、別に彼女と恋愛的に良い雰囲気だとか、既に恋人同士になってしまったとかは一切ない。

片や深窓の姫君。片や一農民。

生まれ育った世界が違うからな。ラノベ的展開なんて、現実では起こらないんだよ。

それに王女殿下はとても賢い方だ。

ご自分の立場を理解していて、その価値を下げるような行いは一切しない。

建物の四階より下にほとんど降りられることがないのは、異性との不必要な接触を避けるためのようだし。

絶世の美少女だからなー。まだ婚約者はいらっしゃらないとか。

行動範囲がほぼ建物の二階分という軟禁生活を受け入れている彼女だが、さすがにストレスは溜まってきているようだ。

ゲイリアスのカリヤ氏。

最近は王女の剣の練習相手も務めるようになりました。

場所はジャンプの実演を披露した四階の広間。

ナダルに剣の手ほどきを受けている彼女の、相手を出来る腕前の女官は残念ながらいなかったらしい。

かといって男の兵士は性別で論外だ。

となると、生産職だけど戦闘スキルをBまで上げている転生者の俺（男だが何故か女性扱い）が最適任な訳ですよ。

……実は、最近カザリン王女に関して、もしかしてと感じることがある。

これまではその身分からおそれ多いと考え、彼女の容姿を注視することはなかった。

だが剣の練習相手まで務めることになり、至近距離で対していると、遠目に眺めているだけでは分からなかった違和感に気づく。

凛と背すじを伸ばして立つ、美しい王女殿下。

エメラルドの輝きを放つ緑の瞳も綺麗だが、ゆるやかに波うつ黄金の髪が縁取る、透き通った白い肌も目を引く。

しかしその肌はほとんど、首回りや手の甲までを覆うドレスに隠されていた。

体のラインも隠しているドレス。

でも剣を振るう動きを見ているうちに気づいてしまった。

圧倒的なまでの美貌に目を奪われるが、その肢体には女性らしい丸みや柔らかさがないことに。

疑念を確かめることは出来ない。

〝彼女〟の頭上に輝くティアラは干渉阻害アイテムで、『鑑定』が通用しない。

リザ女官長を始めとする周囲の臣下が傅《かしず》いているのならば、彼女はティシア王国の第一王女だ。

『白の天蓋』を扱えるのはティシア王族だけ。

だが何故《なぜ》、三人必要だからといって王と王位継承権を持つ息子たちが直々に戦場に出向くのかと危惧していたが、手は打っていたということなのだろう。

後方の安全地帯に詰めている第一王女。

クロエ平原で何かが起こっても、たまたま瓜二《うりふた》つの双子が入れ替わり、戦場に向かっていた時に遭遇したのだと説明が出来る――。

家族の総意で安全なタキリンに留《とど》まっているのだと、この耳で聞いている。

数日に一度は戻ってくる〝弟〟の帰還を心から喜び、明朝送り出す時には己の非力を嘆いている彼女の姿をこの目で見続けてきた。

〝カザリン王女〟を責める気にはなれない。ティシアの民として、裏切られているのだとも考えない。

己の命を浅ましく惜しんでいる訳じゃないからな。

民を思うからこそ、知らせなくてもいい真実はある……まあ、俺はティシアの民という自覚は薄いんだが。

不思議に思うのは、無理をする王家を支える親戚の存在がないことだが、『白の天蓋』を扱える魔力の持ち主がいないのだろう。

第一王子のルシアン殿下も、魔力が少ないらしいし。

しかし、人数少なくないか、ティシア王家。

これじゃろくに血統アイテムである天蓋を動かせないんじゃないだろうか？

結婚したばかりだと聞く王太子だが、妾妃《しょうひ》は十人くらい持たないと立ちいかなくなるんじゃ……。

そんなことを考えているうちに女官に案内されて

たどりついたのは、城砦四階の広間だった。

カザリン王女は広間の中央で俺を待っていた。

本日も絶世の美少女だ。

鍛錬の時も着替えることはせず、体の線を隠す品の良いドレスを身にまとっている。

だが、彼女の手に模造剣はなかった。

女官に促されて広場の中央に進み、王女殿下の前に立つと、彼女は低いアルトの声で語りだした。

「今日、カリヤに頼みたいのは剣の相手ではありません。私に〝ジャンプ〟という移動手段を実際に体験させてくれませんか？」

「ジャンプを？」

「ええ。心構えが必要だと聞いています。リザから了解は取りました。このタキリンの四階以上の範囲でしたら、訓練を行っても良いと。……ああ、この広間にはいません。彼女も、ずっと私の側《そば》で控えている訳ではありません。ナダルの信用する者を、我々も信用する。三か月間あなたに接していてようやく納得してくれましたから、本来の職務に戻ったのです」

思わず女官長の姿を探した俺に、殿下が答える。

どうやらずっと警戒されていたらしい……当たり前か。突然現れた、どこの馬の骨とも分からぬ農民だしな。

俺だって同じ立場ならすぐには信用しない。出会って早々に信じてくれたナダルが特別なんだと思う。

王女第一の女官長なら、立場的にも当然の対応だ。

そうか、ようやく信用してくれたのか……。

控え目だが目を引く美しい笑みを浮かべ、王女が俺にドレスの袖から指先だけが覗く手を差し出す。

「手を握って、ジャンプは行うのでしたね。よろしく頼みます」

「――かしこまりました、殿下」

そっと王女の手を握る。

初めて触れる手は、しっかりとした固さを持っていた。

「では三メートル横に転移します。三、二、一」

彼女を伴ってジャンプする。

数センチほど床から浮いた状態で出現したことに、気づいてもらえただろうか？　ぎりぎりで移動して事故が起きないようにする、安全マージンなんですよ。

移動した体が、一拍おいて下に落ちる。

厚い絨毯が音もなく着地を受け止めてくれた。

「――いかがでしたか？」

「……不思議な感覚ですね。カリヤから吹き飛ばされそうな力をわずかに感じました。たしかに、これは実際に体験して慣れるしかないかもしれません。続けてください」

王女の求めるままに、何度か広間でジャンプを繰り返す。

よろめきながらも踏みとどまった彼女が頷いた。

「連続して行うと、このように反発する力は強くなるのですね。では次は、この部屋の外へお願いします。女官と衛兵たちには言い含めています。私が突然現れても騒ぎにはなりません」

「なら……尖塔のバルコニーに跳ぶのはいかがでしょう？　建物内をジャンプで移動することは、事故の可能性があるのであまりやりません。実際に移動することになる建物の外へ跳んでみませんか？」

タキリンで一番高い場所に跳ぶので、誰《だれ》にも見られることはないと思いますし。

提案に、王女が女官の一人に視線をやった。

リザさんの次くらいに偉い人なのかもしれない、年配の女性が頷く。

「――殿下。外部からタキリン城砦の建物の中へはジャンプ出来ないよう結界が張られていますので、この広間には戻ってこれないでしょう。バルコニーの窓には鍵がかかっております。やはり外部からは開かない仕掛けになっておりますので、鍵を開けに向かいます」

「頼みます。ではカリヤ。バルコニーへ向かいましょう」

「かしこまりました。では失礼して」

断って、俺は彼女と繋いだままの手を自分の腰回りに引き寄せた。

いぶかしげな表情を見せた彼女に、安心させるように笑いかける。

「恐怖を感じたら、このまま俺の腰にしがみついてください。それでは跳びます。三、二、一」

――視界が二色に染め分けられた。

頭上に広がるのは雲一つない青い空。

足元には冬でも枯れることがない緑の森が広がっている。

どこまでも続く一面の緑の中に存在する〝タキリン・ステーション〟。

青い瓦《かわら》屋根に白く浮き出た『18』というナンバリングは、ゲーム《ゴールデン・ドーン》の仕様のはずだったが、異世界でも存在している。

〝十八番目の転移ステーション〟を意味する数字が書かれた城砦の、中央にそびえたつ尖塔に視線をやる。

そのバルコニーに人の姿がないことを確かめた直後、一拍おいた浮遊感が消えた。

「――――!」

悲鳴を上げるのを耐えた王女が、俺の腰にしがみついてくる。

うん、やっぱり……胸がないなぁ……。

重力にとらわれて落下しながら王女を抱き寄せ、俺は尖塔のバルコニーへとジャンプした。

一拍分の間をおいて、ストンと着地する。

「……このような感じですので、ジャンプには慣れが必要なんです」

顔をほのかに赤く染めて身を離す王女に、もちろんからかいの言葉なんて掛けません。

仕事、仕事。

美少女(?)に抱きつかれて役得だなんて、たとえ思っても口にしては駄目。

「空中にわざわざ跳んだのは、安全を確保するためです。跳ぶ前にも念のため、風魔法で出現地点を事前に掃除していますよ。ジャンプの直後、一瞬その場に留まっていたのがお分かりになったでしょうか？　あの間は他からの干渉を受けません。なので普段は、その間に連続でジャンプを続けますね。恐ろしくMPを消費しますが」

「……びっくりした」

「すみません、説明を重ねるより、ご自身で実際に体験した方が理解が早いと思ったもので」

確かにそうだが……と、乱れてしまった金の髪を指先で整えながら、王女が息をつく。

と、エメラルドの瞳が彼方を向いた。

北の方角。

広がる青い空と緑の海のはるか先、天と地の境界で微小な泡が弾けているのが見える。

「あちらの方角がクロエ平原か……」

「はい」

「遠いな」

「早馬なら半日、荷馬車で三日の距離です」

「転移ポータルなら一瞬なのに」

バルコニーの手すりに両手をかけ、王女が身を乗り出すようにして戦場の方角を見つめる。

冷たい風が、長いドレスの裾と金の髪を翻弄《ほんろう》するかのように強く吹いている。

乱れる髪にかまわず、彼方を見つめながら王女が呟いた。

「――毎晩、父上たちもタキリンに戻ってくればいいのにと思う。ここは安全なのに」

「兵士と共に戦場に在るということが大事なのでは？」

「そうだとも。分かっている。だがあの地で何が起こっているのか、直《じか》に分からないこの身がもどかしい」

「……望遠鏡を使えば、もっとはっきり飛び交う攻撃魔法が見えますが、ご覧になりますか……？」

「──いや、いい。きっと戦地へ向かいたくなるだろうからな……」

雪こそ積もらない地だが、冬の風は冷たい。

鍵のかかった窓を、内側から開けるはずの女官はまだ到着しないようだった。

そっと、王女へと吹きつける風を見えない魔法の壁で遮断してみる。

落ちてきた髪を肩から背へと戻した王女が、俺に振り返って微笑《ほほえ》んだ。

「助かる。ありがとう、カリヤ」

「……えーっと、殿下、その、今さらですが途中から口調が……」

あ……、と〝彼女〟が呆《ほう》けた表情を見せた。

やはり自覚されていなかったらしい。

「──内緒ですよ？」

口元に添えられる人差し指と、ウィンク。

『可愛《かわい》いは正義』って言葉が転生前にはあったなぁ！　正義だったら仕方ないよなぁ！

ティシア王家の子供たち

〝カザリン王女〟の秘密を知ってしまった、その日の夜。

何故か俺は、王女の私室にいた。

ちなみに室内に二人きりという訳ではない。

壁際に控えている女官を別にして、あと二人。

王都アルティシアから久々にやって来られた第一王子ルシアン殿下と、長兄の訪れを聞き、クロエ平原から急きょ戻って来られた第三王子ウォルド殿下。

ティシア王族三人が、夕食後のお茶を楽しみながら歓談する場に同席しています。

いずれの方々も、面差しはよく似た美男美女揃《ぞろ》い。

美人の嫁を迎えることを繰り返す血統は、代を重ねるにつれて容姿が洗練されていくらしいが、これが貴族社会の頂点の本気というやつか……。

そんな家族団らんの場に同席している理由は、ウォルド王子が持って帰られた『携帯電話』の点検確認だ。

テストだと託したアイテムを、少年はクロエから戻る時に必ず持って帰ってきてくれる。

なのでいつも仕事を終えられた夕食後、双子のお茶の席に少しだけお邪魔して、感想を聞きつつその場で微調整。

自室に持ち帰り、作業終了後に充電池にあたる内部の光玉（形状は長方形だけど）に使用した分のMPを追加して、クロエに戻られる時にまた渡していた。

今日もその調整で同席中。

感想を聞かなくちゃいけないので同じテーブルについて作業をしているが、基本俺は壁際の女官と同じ空気に徹している。

ふだん離れて暮らしているのだから、家族だけで話したいこともあるだろう。こちらに話を振られない限り、口を挟むこともせず、調整が終われば早々に自室に戻る。

そのつもりだったのだが、本日の俺は空気ではなかった。

話題の中心人物になっている。それも超気まずい。

「僕が予定を前倒しにしてタキリンに戻ってきたのはどうしてかと？　ルシアン兄上が王都からいらっしゃっていると、水晶球で連絡を受けたからに決まっているじゃありませんか」

本当なら明後日《あさって》に戻るはずだったんですけどね。

転移ポータルを担当している魔法使いには、無理をさせてしまいました……と、紅茶を口に運びながら、しみじみとウォルド殿下が答えている。

隣に座る双子の姉と、とてもよく似た〝少年〟。

『実は二人は……』などと、掛けた魔法を彼らから解こうとしない限り、俺は何も言うつもりはない。

いつもなら穏やかで温かみのある存在感を身にまとっている少年だったが、本日は仁王像の威圧を放っていた。

笑顔でも仁王像。

多分、この転生世界には存在しないだろうけど記憶は覚えている……っ。

「タキリンの生産体制が落ち着いたから、カリヤを王都に招きたい？　――違いますよね？　カリヤを口説いて、ご自分の愛人の一人に加えられたいんですよね？」

アイテム職人として俺に王都へ来てほしいと切り出した長兄の申し出を、双子弟が鮮やかに否定した。

「――いけないか？」

「やめてください。カリヤは、ナダル・コートレイと相思相愛です」

「「はあっ!?」」

王女と俺の声がハモった。

――ちょっと待て。

まず、交わされていたやりとりを順番に確認していこうか。

王都からやってきたルシアン王子。

異母妹の様子や戦況を案じてとのことだったが、実は転生者の俺をスカウトに来たらしい。

で、その連絡を受けたウォルド王子は、本来の予定を早めてタキリンに戻ってきた。

何故かというと、引き抜きを阻止するためだ……と思ったら、兄が俺を口説くのを阻止するためだったらしい。

理由は、俺とナダルが恋人同士だから……？

違います、と首を横に振ってアピールする。

「……カリヤ、実はルシアン兄上ですが、公然と周囲に明かしている同性愛者です」

こめかみを指で押さえつつ、王女が説明してくれた。

「兄上には魔力がないので『天蓋』は使えず、従ってティシア王家の王位継承権はありません」

え、そうだったの？　庶子だからだと思ってた。

「ですから、たとえ兄上の血を引いた子が生まれても、魔力を有している可能性は低い。ならば、と兄上は生涯結婚されないことを選択されました。その、女性より男性の方が……好みだったらしいです、昔から……」

「近衛《このえ》の副隊長から、王家所属の魔法使い、小姓、出入りの商人と、既に複数人を囲っていらっしゃいましたよね？　困ります。カリヤは、表向きは転生者の女性として遇しているのです。愛人の一人に加えるなど、とんでもない！」

「――転生者の女性？　しかしナダルも愛人を持っていなかったか？　男の」

「噂《うわさ》ですが、既にそちらの関係は清算しているそうです。フリーです。結婚だって出来ます」

「……カ、カザリン殿下ぁ……」

救いを求める俺の声に、視線をあらぬ方向に飛ばして逃避しながらも、説明を続けてくれる王女。

「多夫多妻の許されたこちらと違い、転生者の前世は一夫一婦制です。なので、転生者の女性と結婚するなら正妻として遇すること、彼女以外の他の愛《あい》妾《しょう》を持つのは禁止と、属している冒険者ギルドが定めているのです。男性はこちらの慣習を受け入れて、妻や愛妾の数に関する制限はないのですが」

ハーレムか！

ゲームの世界だからといって、欲望のままに生きているな、男ども！

姉の言葉を頷きながら聞いていたウォルド王子が、長兄に向き直る。

「ですので、兄上がカリヤを自分のものとしたければ、今の関係をすべて清算しないと冒険者ギルドからクレームが入るのです。もし本気だというのでしたら、誠意を見せてください。冒険者ギルドにではなく、彼に対して！」

「……ふむ」

「――その前に兄上方。カリヤは私のジャンプ要員として側に控えてもらっています。お忘れですか?」

王女の指摘に、お二人が今思い出した、というような顔をした。

そう、俺はアイテム職人として雇用されているのではなく、もしもの時の脱出担当。

カザリン王女専属なんです。

ナダルにそう頼まれているんです。決して雇用契約に、第一王子のベッドの相手は含まれていない。

謹んで、王都への誘いを辞退する。

ルシアン王子はどこか残念そうな様子だったが、納得してくれた。

……しかし、この男前な王子が同性愛者か。改めてこの世界って、男同士で肉体関係を持つことに特に抵抗がないんだな。

「──本当に、ナダルとカリヤは想《おも》いあっていないんですか?」

こちらは納得していなかった。

ウォルド王子が、首を傾《かし》げながら俺を見つめる。

「カリヤは、僕がタキリンに戻るたびに、ナダルのことを尋ねてくるでしょう? ナダルもそうなんですよ。カリヤはどうしているか、元気にしているかと聞いてくるんです。そして相手の近況を話せば、うれしそうに耳を傾けて──ほら、今もうれしそうにしてる」

指摘に、思わず頰《ほお》を押さえてしまった。

頰が熱くなってる……うん、たしかに今、思いきりにやけてしまっていたぞ、俺。

そっか、しばらく会ってないけど、ナダルは俺のことを忘れてないんだ。

ちゃんと気にかけてくれてるんだ……。

「ナダルが好きなんでしょう?」

「──違います」

「意識しているのに?」

「意識はしています。でも、そうじゃなくて……」

彼のことを考えると、胸に満ちる切なさや温かさを、どうやって説明すればいいんだろう。

言葉にしようとするともどかしくなる、このあやふやな感情を……。

「……例えば、ウォルド殿下が魔法の暴発に巻き込まれて、この中央国家群から辺境の果てに飛ばされたとします。ティシアは遠くて、もう二度と帰ることは出来ません。帰国出来ないのだと覚悟して、異国の地を一人きりで長い年月過ごしてきました。誰《だれ》も故郷のことを知る者のない地で過ごし、ようやく彼に出会えたんです。もう二度と帰れない地を知る相手。懐かしい故郷について語り合える相手。大変だったなと労《いた》わってくれた。そして助けてくれた。だから」

「――ごめんなさい、カリヤ」

いつの間にか、席を立ったウォルド王子が俺の隣にいた。

そっと、差し出された手が優しく肩に触れる。

「カリヤにとってナダルは、失ったはずの家族みたいなものだったんだね……」

ウォルド王子の解釈は少し違う気もしたが、それでも少年が気を使ってくれたのだと分かった。

俺は多分、ナダルをかなり好きなんだが、でもその気持ちは恋愛感情じゃない。

それだけ分かってくれれば充分です。

うん、決してキスしたりとか、セックスをしたい訳ではないことを分かってもらえれば。

ヒゲは無理だ……うん、俺もヒゲ男だったが、ちょっと無理……。

うるわしの白亜の都

ウォルド王子が自分の席に戻られると、長兄が「まあ、私のことはともかく」と切り出す。

「カリヤはまだアルティシアを知らないのだろう？いつか見にくるといい。中央国家群の中でも、美しさに定評がある都だ。〝白の天蓋が守る、うるわしの白亜の都〟――今は天蓋は外されているが」

そうだな……と俺は前世の記憶をたどった。

〝うるわしの白亜の都〟。

中央国家群の、南方の宝石と称《たた》えられるティシア王国の王都アルティシア。

前世、ゲームをプレイしている時にお邪魔したことはある。物理系戦闘職がイベントで立ち寄る街だ。

生産職の俺にはイベント的に関係のない場所だったが、その造形の美しさに惹《ひ》かれて何度か遊びに行っていた。

データ容量の都合上デフォルメされていたゲームとは違い、転生後の世界では、フィールドや街の大きさが現実に即して劇的に変化している。

美しさはそのままに、王都も広く大きくなっているのだろう。

「……前世に、アルティシアに行ったことがありますが、美しい都でした。王宮も拝見しました。プレイヤーは王座のある謁見《えっけん》の間まで入ることが可能でしたから、王座の後ろに飾られた『白の天蓋』もこの目にしたことがあります。この世界でもゲームの設定通りなんでしょうか」

「転生者いわく、王宮の仕様はゲームとほとんど変わらないらしいが……ああ、王座の後ろ、国宝アイテムを安置した台座の『王国碑』だけはかなり違うらしい」

ルシアン王子の説明に、ゲームの記憶を掘り起こす。

中央国家群の各王宮には王座の背後、一段高い位置に国を象徴する国宝が飾られていた。

ラギオン帝国なら『緑雨の大弓』。

弓の形をしているが、砂漠地帯であるラギオンに雨を降らせる気象装置だ。

彼《か》の国が帝国と呼ばれるほど強大になったのは、この国宝のおかげだという設定だった。

ティシア王国には『白の天蓋』。

丸い鏡の形をした王都アルティシアを守る防御シ

ステムで、ティシア王都は敵の手に落ちたことがないとされている。

そういえば、ティシアが現在戦っている隣国クラシエルだが、ゲーム内ではそんな国は存在していなかった。ゲームだった《ゴールデン・ドーン》と、転生した異世界の違いなのだろうか。

脱線しかけた思考を元に戻す。

そう、『王国碑』は各国の国宝を飾る巨大な台座にはめ込まれた、大画面のパネルだった。

触れるとその国の歴史、王族の家系図、総人口や産業などの紹介を、切り替えながら確認することが出来ていた。

あまりにゲームシステム的だったあの碑は、今はどのような形で存在しているんだろうか。

「――王国碑には、建国から続く王家の家系図が記されている。その国が戴《いただ》く国宝に、主として血統を登録された一族の系譜だ。婚姻や出産をすれば、新たに王族に加わった者の名が光を放ちながら刻まれ、死ねばその光が消えて名のみが残る。その家系図の中、国宝を操る資格を有する者の名は、白ではなく金の光で刻まれる……」

私の名は白く刻まれ、カザリンとウォルドの名は金で刻まれている。

淡々と説明するルシアン王子の表情は穏やかだった。

既に自分に適性がないことは理解しているのだろう。

第一王子である彼だが、母親が妾妃であるのは関係なく、この世界では国宝を扱えない者に王位継承権はないと聞いた。

「――カリヤ。今、我が国の王国碑には、いくつの名が金に輝いていると思いますか？」

突然、カザリン王女が話しかけてきた。

隣に座る双子の弟が眉をひそめるのにかまわず、王女が続ける。

「七つです。現王、王妃、王太子、王太子妃、第一王女、第三王子、第四王子。うち、王位継承権を有しているのは四名」

「〝姉上〟」

「別に秘密にしている訳ではありません。知る者は知っています。父上や兄上は、現王家が絶えるのは先祖に申し訳ないと考えているようですが、おそらく我が王家が再興するのは難しいでしょう。我らが先祖も前王家から王女が降嫁されて王座を譲られました。ティシア国のことを考えれば、王位は禅譲してしまえばよいのです」

ただ、とカザリン王女がエメラルドの瞳の色を強くした。

「国宝である『白の天蓋』を使いこなす魔力を有し、徳もある他家を見定めて譲るのは構いません。ですが、登録された血統の有資格者がすべていなくなれば、新たな者が主《あるじ》として登録し直せるのです。王位継承権を持つ者が死に絶えて、侵略者が『白の天蓋』を手に入れる。それだけは何としても避けなくては。ですから、〝私〟はこの安全なタキリンにいるのです――」

「あれの――〝カザリン〟の主張には驚いただろう？」

タキリン城砦の階段を先導して降りていたら、後ろに続くルシアン王子に声を掛けられた。

王家の子供たちで行っていた茶会が終わり、夜のうちに王都に戻るという長兄を見送るのに立候補した俺です。

城砦内での生産が安定してきたので、ＭＰにかなり余裕がある。明日の朝には全回復しているのだから、余っている魔力は転移ポータルの起動に使ってしまえという貧乏性。

黒髪のハンサムな王子に振り返る。

カザリン王女の異母兄である王子は、どうコメントしていいか分からない俺に苦笑してみせた。

「ティシア王家の行く末だ。家族内では何度も話し合われてきたことだった。王と王太子は現状維持派。あれは禅譲派だが、王家の行く末を真摯《しんし》に憂えているのは理解しているから、二人とも家族の意見として受け入れている」

「……部外者の俺が聞いてしまって良かったんでしょうか？」

「カリヤの前で口に出したのには驚いたが。それだけおまえを信頼しているということなのだろう。思慮深いあれがここまで他者を信頼するとは、珍しいことだ……」

うーん。

王女の前で、戦争が終われば国を出ていくと公言しているせいもあるかもしれませんけどね。

いなくなる者相手なら、ある程度ぶちまけるかもしれない。

もちろんこちらは守秘義務を守ります。社会人としての基本です。


そういえば、と俺は先ほど話題に上っていなかった王族の名を上げた。

「エリナー王子殿下の名が出ていませんでしたが」

「……エリナーだけが生き残れば、ティシアという国は帝国に飲みこまれて終わるだろうな。そろそろ一般兵の姿が見えてくる。この話題はここまでだ、カリヤ」

「……はい」

そのままタキリン城砦の地下まで降りて、転移ポータルからルシアン王子は帰っていった。

道中、さりげなく口説かれ続けていた気がするが、きっと気のせいだと信じたい。

アルティシアに繋がる転移ポータルを起動させ、無事王子に帰ってもらった後は、ジャンプで一気に自室の前まで転移する。

つかれたのでもう寝たいんですよ。

でも自室に入る姿を見せておかないと、警備の兵士が部屋に戻ったのかと心配するだろうから挨拶《あいさつ》だけでも……と顔を上げたら、双子と視線があった。

薄く開いていた扉から、上下二つ並んで廊下を窺っていた顔が、突然出現した俺に驚いた表情を浮かべる。

ぴゅぴゅっと同時に部屋の中に消える金色の頭。

「……おやすみなさいませ、カリヤ様」

苦笑しつつ就寝の挨拶をしてきた扉の脇《わき》を守る女性兵士に、「おやすみなさい」と王女の部屋の中まで聞こえるように返事をして、俺は自室の中に入った。

帝国の少女

目の前にいちごのショートケーキがあった。

モンブランもあった。フルーツタルトもあった。

ザッハトルテもシュークリームもあった。

「どうぞお好きなケーキを選んでくださいね、カリヤお姉さま。冒険者ギルド総本部だけで売られている、日本の作り方そのままのケーキです！」

ラギオンから遊びに来たイルマちゃんが、ボンッと存在感を主張する胸を張る。

本日の彼女の服装は、いつものツインテールに前世のJK風ブレザー姿だった。

彼女は金属系生産職なので、その制服もどきもギルド内で売られているのだろう。

「生クリームもフルーツも使っているのか。すごいな」

「でしょう、でしょう。冷蔵庫もオーブンも存在するるんですよ、冒険者ギルドって。《ゴールデン・ドーン》の課金レシピ、『現代家電シリーズ』を覚えていたアイテム職人がいたんです、過去に。お姉さまも冒険者ギルドに加入すれば、前世風ケーキも食べ放題だし、エアコンやシャワーも完備した部屋に住めますよっ……残念ながらテレビの電波は入らないんですけど。という訳で、冒険者ギルドに加入しませんか、お姉さま！」

「考えておきます」

こうやって彼女が俺をスカウトするのも、サラリーマンだった前世で使っていた台詞《せりふ》を返すのも、お約束のやりとりと化していた。

なにせ彼女、週に二回はやってくるのだ。

もうすっかりティシアの皆さんと顔なじみになっている。

大きな箱の中から、礼を言いつついちごショートを選んだ。

自分の分のフルーツタルトを選んだ美少女が、そわそわと視線を泳がせながら呟く。

「た、たくさん持ってきちゃったから、かなり余っちゃったかな？　カリヤお姉さまにお好きなのを選んでほしかったから、仕方ないわよね。捨てるのももったいないし、余った分は誰《だれ》かが食べたらいいと思うの。捨てるのはもったいないから……」

……正統派ツンデレだなぁ。

「じゃあ、この部屋にいる女官の皆さんのおやつにいただいてしまってもいいかな？」

「もったいないからどうぞっ。お、王女さまも食べればいいと思うわ。お口に合えば、だけど！　毒なんて入ってないし！　気になるなら鑑定してもらってもいいし！」

「イルマちゃんを皆信じているから、大丈夫だよ。ありがとうね」

俺の言葉を皮切りに、さざ波のように口々にケーキの礼を述べる女官の皆さん。

アイテム作製も一段落し、カザリン王女の仕事もちょうどきりの良いところだったらしく、休憩を取ろうということになった。

真《ま》っ赤《か》になりながらも、どこか得意げな表情を浮かべたイルマちゃんが、用意された紅茶を口にする。

――ここまで来るには、そりゃあ紆《う》余《よ》曲《きょく》折《せつ》があったんだよ。

最初の頃《ころ》、彼女はティシア側をひどく警戒していた。

冒険者ギルドへ加入しない俺に、山奥暮らしだったから騙されているのではと主張し、ギルドのあるラギオン帝国へと誘い続けていた。

……俺は仕事だからと王女の執務室を離れなかったので、ティシア側はそのやりとりをすべて見ていた。

かなり無礼な態度をとっていても、何も反論せず許していたティシア。

少女の言葉だから大目に見ていたというより、その背後にある大国ラギオンと冒険者ギルドに遠慮があったのだろう。

あの厳格なリザ女官長さえ、国や王女への侮辱とも受け取れる発言に対して、何も言わなかったのだから。

そのうち、俺がアイテム作製中には話に耳を傾けないと気づいた彼女は、なんと作業を手伝い始めた。

その日のノルマをこなしてしまえば、用意されたお茶を飲みつつ部屋の隅で話を聞くようにしたので、生産職として協力すれば説得の時間が取れると考えたのかもしれない。

手伝えば、俺や周囲の女官が礼を言う。

戸惑いながらも毎回手伝うようになったイルマちゃん。そうやって空いた時間に、彼女といろいろな話が出来るようになった。

イルマちゃん、どうも女子中学生で転生を経験したらしい。そして現在、十六歳。

発達した肉体に比べ、精神はかなり幼い少女だった。

あ、俺もおそらく思考は若い。前世を足せばトータル五十を過ぎているんだが、恥ずかしながらほとんど老成していない。おそらくだが、前世の精神年齢を引きずっている気がする。

これも異世界転生の仕様かもしれない。

「――あのね、ここは居心地《いごこち》がいいんです」

両手で包み込むように紅茶のカップを持って、ツインテールの女子高生がぽつりと呟いた。

俺は微笑みを浮かべ、彼女が続けるのを黙って待つ。

「……カリヤお姉さまがいたがる気持ち、分かるかも。ティシアって怖い国だと思ってました、私。ラギオン帝国以外はプレイヤーにとって怖い国だって聞いているけれど、私、ラギオンもそんなに好きじゃない。だって、結婚してくれってうるさいんです。私、まだ十六歳なのに」

「プロポーズされるんだ？　イルマちゃんは可愛《かわい》いからね。この世界じゃ女の人は早くに結婚するし」

「違うと思う。子供が欲しいだけ。あ、知ってました？　お姉さま。プレイヤーってね、子供が出来にくいんです。男の人は誰と結婚しても子供は産まれたことがなくて、女の人は相手がＮＰＣなら大丈夫なんですが、数はものすごく少ないです。それで、産まれてくる子供ですが母親の血の方が濃いみたいで……たまにＡランクまで到達するんです」

「それは……」

いつの間にか豊かな胸を押し潰すように身を丸め、少女は俺にしか聞こえないほどの小声で続ける。

「ＮＰＣと結婚しても、です。孫の代になると血が薄れて無理みたいですけど、子供はＮＰＣの限界Ｂを突破します。だから過去にいろいろあったので、冒険者ギルドは女性プレイヤーを守っています。女性プレイヤーに何かあったら、お姉さまもご存じの通り、徹底的に報復するんです。私の場合、〝お兄ちゃん〟が更に守ってくれているから貞操の危機は心配してないですけど！」

……たまに、イルマちゃんの話は彼女の知る冒険者ギルドの知識が前提になるため、ギルドを知らない俺には意味が分からないものになる。

だが、彼女の〝お兄ちゃん〟については知っていた。

彼女自身が教えてくれていたからだ。

現在確認出来る、ＳＳＳランク戦闘系プレイヤー二人のうちの一人。

神槍《しんそう》『天沼矛《アメノヌボコ》』を操る〝神殺し〟。

前世、イルマちゃんと一緒に事故に遭って転生し、生まれ変わった彼女を必死に見つけ出してくれたらしい。その後、成長した彼女を守り続けてくれているのだとか。

『妹を泣かせようとする奴《やつ》は皆殺しにする』と宣言し、有言実行しているらしく、彼女を以前襲おうとした帝国貴族は一族郎党の男子のみ皆殺しにされている。

それも複数回。

「でも、恋愛結婚だったら大丈夫なんです。女性が自分の意思で相手を選んだら、冒険者ギルドは幸せになるように応援してくれます。だから私、ラギオンではいつもたくさんプロポーズされてるけど、嘘《うそ》だと分かるのが嫌。他にも男の人がいやらしい目で見てくるのが嫌なの」

自分で作った鎧を着ていたけれど、お兄ちゃんは似合うよって褒めてくれて、皆も褒めてくれたから着なきゃいけない気がして着てたの。

そうしたらやっぱりいやらしく見られて……。

「カリヤお姉さまが『着ない方がいい』って言ってくれてうれしかったな。後、このタキリン・ステーションにいるティシアの人は優しいいし、男の人も私をいやらしい目で見ないのがうれしいの……」

女官の皆さんはイルマちゃんと接しているうちに、彼女が幼い精神を持っていることに気づいている。

だから最初のうちは腫物のように扱っていたが、今では微笑《ほほえ》ましく感じているようだった。

そして、タキリンの兵士はあからさまにいやらしい目では見ないだろう。

彼女を不快な目に遭わせれば、国家間の問題に発展する。冒険者ギルドから、ラギオン帝国からやってきた〝特別なお客様〟なのだ、彼女は。

そうか、うれしかったのか彼女は。

おそらく兄の影響もなく、性的対象として見られずに受け入れてくれるここが、心の安らぐ場所になっているのだろう。

俺のスカウトと称して、週に何度も足を運んでしまうほどに。

まるで父親にでもなった気持ちで、温かく少女を見守ってしまう。

俺の向けた視線に気づき、うれしそうに笑うイルマちゃん。

そのまま真顔になった彼女が、再び胸を押し潰すように身を丸め、俺にも近くと手招いた。

「……あのね、あのね、カリヤお姉さま」

先ほどより更に声を抑えて、少女が近づけた耳元に囁きかけてくる。

「お姉さまは故郷のティシアが戦争に勝つかどうか心配で、ラギオンに来ないんですよね？　だからティシアの戦争に協力しているんですよね？」

「まあ、そんな感じ、かな？」

「なら戦争が早く終わるように——私、お兄ちゃんにティシアに協力してって個人的に頼んでみましょうか？　お兄ちゃんが参加すれば、その日のうちにNPC同士の戦争なんて終わると思うんです」

「——」

「そうしたら、カリヤお姉さまは何も心配することがなくなって、冒険者ギルドに加入出来ると思うんです。帰りたい時には、いつでもティシアに帰ってもいいんですし」

実は私も戦争中だからって、あまりティシアに行くなって言われてたんです。でも戦争が終われば、好きな時に遊びに来てもいいんですよね？

「どうでしょう……？」

何も知らない少女の言葉は、甘い毒だった。

多分、それは違うだろうと心の中だけで反論する。

少女に頼んでしまえば、そして少女の願いを受けてSSSランクプレイヤーが参戦すれば、おそらく言葉通りに戦争は瞬時に終わる。

それも圧倒的なティシアの勝利で。〝神殺し〟はそれだけの戦闘力を有している。

だがきっとそれだけでは終わらない。

〝少女の望みだったから〟では終わらない。

ＳＳＳの助力は、冒険者ギルドに対する大きすぎる借りになるだろう。有形か無形かは分からないが、ティシアに莫大《ばくだい》な負債を負わせることになるはずだ。

幼い少女が考えるほど世界は清廉ではなく、そして囁きを受けている俺も、国を背負える回答を返せる立場にはない。

思わず視線で王女の姿を探してしまう。

広い部屋の向こうの端、紅茶を口に運んでいた王女は、俺の向けた視線に気づいてくれた。

透き通った緑の瞳が静かに視線を受け止め、しっかりと見つめ返してくる。

「――イルマちゃん。まず、お兄さんにちゃんと話をしてみよう。ティシアの味方になって参戦してもらえるかどうかって。まだ話していないんだよね？」

「……うん」

「それでお兄さんがいいって言ったら、カザリン王女に聞いてみよう。お兄さんの助けがいるかどうか。俺たち二人で決めてしまえる話じゃないからね。それでいいかい？」

「……うん。私、ラギオンに帰ったらすぐにお兄ちゃんにお願いしてみます！」

「ありがとう……」

彼女に感謝の言葉を伝える。

たとえＳＳＳに断られても、これなら〝少女の個人的な望みだった〟で終わるはずだ。

だがもしＳＳＳが、妹の頼みを引き受けたのなら。

ティシアには、ラギオン帝国の援軍を待つ、春までねばって時間切れに持ち込む以外の、第三の選択肢が出来るかもしれない。

（後で誰《だれ》かに、こう提案があったと話を通しておかないと……）

春まで待つことなく、戦いは終わるかもしれない。

――この時の俺はそう考えていた。

赤の世界、動き出す

帝国へ帰るイルマちゃんを地下の転移ポータルまで見送った後、俺はタキリン城砦内の通信室に移動していた。

技術者に呼び止められたんだよ。水晶球の調子が悪いので見てもらえないかって。

この世界での通信手段は、従来からあった早馬や伝書バト以外にゲーム内のアイテム『水晶球』がある。

作製出来るのは転生者のみ。ランクSのアイテム職人が、レシピを覚えていたら作れます。

俺はもちろん覚えている。社会人プレイヤーはコレクター魂の赴くままに、課金レシピに至るまですべてのレシピを制覇しているんだよ(モンスターからのドロップレシピは、オークションで大金積んで競《せ》り落《お》としている)。

そんな水晶球レシピ。

Sランクじゃないと作製は出来ないけど、運用にランク制限はない。

NPCの皆さんにもお馴染《なじ》みになっている水晶球だが、故障した場合の修理は転生者じゃないと出来ないみたいだ。

なのでご指名入りました。

報酬は夕食のサンドイッチです。なかなかに美味《おい》しい。

「……んー、やっぱり特に壊れた個所《かしょ》はないみたいだけどなぁ」

水晶球をはめ込んだ台座の、外殻を外して内部の確認を終了。

今、俺の瞳は明るい光を放っているはずだ。

〝鑑定〟より高度な〝詳細鑑定〟のスキルを発動させたので、該当個所があれば赤く光って見えるはずなんだが、やはり異常は見当たらない。

ついでだから劣化した部分は新しいものに取り換

えておいたが。

ずっと点検されていなかったらしく、部品交換の方が時間がかかってしまった。

まばたきを繰り返して、瞳にともった光を消す。

「こっちに異常がないから、多分おかしいのはクロエ平原側の水晶球じゃないかな?」

「やはりそうですか」

一緒に確認していた、技術者である兵士がため息をつく。

「前から、時々繋がらない状態になることはあったんですよ。王都とは連絡が取れるので、クロエ側の水晶球に問題があるのではと思っていました。しばらく経《た》てば復旧するのですが、今日は夕方からずっと連絡が取れなくて」

「それは問題だね」

「はい。早馬を立てて、クロエ平原へ簡易型の小型水晶球を届けに向かっています。カリヤさんが修理出来るのでしたら、このままあちらの水晶球は回収してしまいますよ。お手数おかけしますが、戻ってきたらよろしくお願いします」

了解、と兵士に頷いて、外殻を装着しなおす。

早馬は半日で到着するだろうが、帰りの馬車は三日かかるだろう。据え置き型の水晶球は重いからな。

礼の言葉を聞きながら通信室を出ると、廊下にカイゼル髭のじいさんの姿があった。

「おお、カリヤか」

「オーリン将軍」

タキリン城砦の、軍事面で一番偉いじいさんが俺に気づいて笑いかけてくる。

俺が出歩く時には護衛してくれる騎士二人が敬礼するのを、いいからと手で制し、じいさんがにこにこと話しかけてきた。

「遅くまですまんの。カザリン殿下はもう五階に上がられているから、おぬしも今日は自室に戻ってくれていいぞ」

「あ」

そうだ、と俺は昼間のことを思い出した。

ティシアの偉い人に、イルマちゃんの提案を伝えておかねば。

「将軍、少しお時間をいただけるでしょうか？　ご相談したいことがあるのですが……」

「儂《わし》か？　ふむ、内々の話か……そこの部屋が空いているな。中で聞こう」

頷いたじいさんが、騎士二人を廊下に立たせて無人の部屋に入る。

ランプの前で手を一振りすると、魔法で火がともって、部屋の中が明るくなった。庶民はろうそくや油でともす火を明かりにするが、この城砦ではマジックアイテムの照明が使われている。

並ぶ机の上に乱雑に積まれた書類の山に、やれやれと肩をすくめた将軍が、手近の椅子を引いて腰を下ろした。

「さて、あまり面倒でない話だといいんじゃが……」

呟く老人に、申し訳ないと先に頭を下げておく。

勧められた椅子に俺も腰を下ろし、イルマちゃんの申し出を伝える。

あくまで、少女の好意からの提案であること。

まだ少女の兄であるSSランクプレイヤーの承諾はもらっていないこと。

承諾がもらえたとして、助力を受けるか否かの最終的な判断は、王女やティシア国側が決めてくれていいこと。

話をしていくにつれて、老人の表情がこわばっていく。

もしかして、俺はとんでもなく先走った行動を取ってしまったのだろうか。

愕然《がくぜん》とした表情を浮かべて自分を見つめるカイゼル髭の老人に、不安が胸に広がっていく。

「……カリヤ。もしかして、おぬしは知らんのか？六年前に起きたタリスでの出来事を――」

「六年前？」

六年前というキーワードに聞き覚えがあった。

クロエ平原へと向かう荷馬車を見送っていたある日、護衛の騎士が自ら打ち消していた言葉だったはず。

タリスという単語にも覚えがあった。

前世のゲームでの知識だ。今世はまだ行ったことがないが、ティシア東部の街の名前だったはず。

「すみません、ずっとゲイリアスの山奥で暮らしていたものですから。六年前にタリスで何かあったんですか?」

「ティシアの民なら知っているのが当然じゃと思っておったが……そうか、知らなんだか。知らなんだから……力を貸してくれておったのか……」

「……オーリン将軍?」

肩を落としてうなだれる老人に、そっと呼びかける。

六年前なら、俺はゲイリアスの山奥に引きこもっていた。

正確に言えば八年前からだ。婚約を解消して、生まれ育った村に居場所がなくなり、前世のゲームの記憶をはっきりと思い出した俺は滅多に山を降りなくなっていた。

たしか村に高札が設置されるようになったのは五年前。

その頃《ころ》からようやく集落に顔を出す気になり、たまに降りた時には読むようにしていたが、特に気を引く内容はなかった覚えがある。

ゲイリアスの奥地にこもっていた三年間。

その間に、何か大きな事件がこの国で、タリスの街で起こっていたのだろうか?

「……カリヤよ。おぬしが良かれと思って行動してくれたのは分かっておる。だがおそらく、そのSSSランク転生者は我が国には力を貸さんじゃろう。誰《だれ》も貸さんはずじゃ。六年前の悲劇以来、ティシアは転生者に見限られておる」

「見限る――?」

『――カリヤ、聞こえますか』

俺がいつも腰に下げている携帯電話から、リザ女官長の声が聞こえてきた。

とりあえずオーリン将軍との会話を中断し、アイテムを手に取ると耳元に近づける。

「はい、聞こえます。どうぞ」

『……地下の転移ステーションに、イルマ嬢が現れたそうです。どうも取り乱した様子で、その場から動こうとはせずにあなたを呼び続けています。子細は分かりませんがすぐに向かってもらえますか』

俺と将軍の視線があった。

「……すぐに向かった方がええじゃろう」

「いいのですか？」

「ＳＳＳの件については、儂が今から殿下と女官長に話をしておく。すまんがおぬしは帝国の娘をなだめて帰して、その後で殿下の執務室まで来てくれんか？　――娘からいろいろと話を聞くことになるかもしれんが、とりあえず来てくれ。その時にくわしく説明しよう」

「……はい」

女官長に承諾の言葉を返して、携帯電話の通話を切る。

将軍に一礼し、俺は地下の転移ステーションに向かってジャンプした。

赤の世界、六年前の真実

タキリン城砦の地下に存在する転移ステーションは、まず階段を下りると天井の高い巨大な広間が現れる。

そして広間の壁に沿って、中央に転移ポータルが置かれた部屋が並んでいる。扉は存在しない。更に各部屋の奥にも小さい部屋があって、ジャンプ先が細分化されていたりする。

帝国であるラギオンと繋がる転移ポータルは、階段から近い部屋に設置されている。

その帝国の転移ポータルの前に、ツインテールの赤毛の少女がいるのが見えた。

ジャンプで階段の下に出現した俺は、まず両脇に立つ警備の兵に尋ねる。

「状況を教えてほしい」

「つい先ほど、ラギオンから転移してきました。いつもでしたらすぐ城砦の上階へと移動するのですが、あの場から離れようとせず、こちらが確認のために近づこうとすると接近を拒絶されます。あなたを寄越すよう要求されたので、上階へと連絡をした次第です」

「ありがとう。話をしてくるよ。このまま階段下で待機していてくれ」

了解しましたと答える兵に頷き、イルマちゃんに向かって歩き出す。

操作盤の脇で彼女は今にも泣きそうな顔をして、近づく俺を見つめていた。

まるで祈りを捧《ささ》げるかのように、両手を胸元で組み合わせている。制服風のブレザー姿の彼女は、到着した俺にくしゃっと顔をしかめた。

ぼろぼろと頬《ほお》をこぼれ落ちる涙。

「……カリヤお姉さまぁ……お願いがありますぅ」

「何だい？」

「冒険者ギルドに、ラギオンに今すぐ来てくださいっ……来るのがいやだったら、少しでも早くタキリンから逃げてぇ」

「――理由を教えてくれるかな？」

泣き始めた少女に、出来る限り優しく聞こえるように静かに話しかける。

これまでも俺が時々感じていた、説明のつかない嫌な予感。それが胸の奥から猛烈な勢いで湧《わ》きだして、強くなっていた。

「……多分五日後には、タキリン・ステーションまでクラシエルが攻めてくるから――」

「い」

いつそれを知った!?

何故《なぜ》知っている!?　クラシエルが何故攻めてくると、タキリンまで、何故!?

ほとばしろうとする言葉を寸前でこらえた。

少女に対して怒鳴っても、何の意味もない。

それより俺の知らない、少女が知っているだろう情報をもっと多く集めた方がいいと自分に言い聞かせる。

「ごめんなさい、私、ずっと黙ってたんです。ラギオンはクロエ平原まで軍を進める気がなかったこと。冒険者ギルド総本部と、クラシエルは密約を交わしています。だから、どれだけ待っていてもラギオンは来ないんです」

「――冒険者ギルドがクラシエルと？　ラギオン帝国ではなく？」

「はい。あ、お姉さまはずっと冒険者ギルドに所属していなかったからご存じなかったんですね。ラギオンは冒険者ギルドの操り人形です。ＮＰＣには絶対に教えちゃいけないって秘密にしていますけど、ギルドはこの世界に転生したプレイヤーたちを守るため、中央国家群で一番強大なラギオン帝国を裏から支配しています」

『――冒険者ギルドは、ラギオン帝国の傀儡だ――』

ナダルが言っていた台詞《せりふ》を思い出した。

冒険者ギルドが、ラギオン帝国に操られていたのではなかった。

ラギオンが、冒険者ギルド――《ゴールデン・ドーン》のプレイヤーに操られていた。

「ラギオンの総本部に所属しているプレイヤーたちは、六年前のタリスの件でギルドは一応制裁を終えたという立場です。でもクラシエル支部には、どうしてもティシアを許せないってプレイヤーたちが多くて。あそこは元ティシアのプレイヤーと、過激なプレイヤーが集まっているから。今回の戦争でも、タリスの件だけではティシアを罰したことにならないと主張しているんです」

「待った。ちょっと待ってイルマちゃん。タリスって、ティシア東部の街の――?」

「お姉さま?」

不思議そうに首を傾《かし》げている少女。

オーリン将軍の嘆いていた姿と、転生者だと明かした当初の、どこか腫物のように扱われていた記憶がよみがえった。

胸の奥底が冷えていく。

「……イルマちゃん。ラギオンの本部に所属する君から見た、六年前の出来事を教えてくれないか。六年前に起こった〝タリス〟での〝悲劇〟を――」

戸惑いながらも、少女はこくりと頷いてくれた。

「えーと、私もまだ十歳だったので詳しくは教えられてないと思うんですが、六年前にティシアにいたプレイヤーの少女が自殺したんです。その、彼女には同じプレイヤーの婚約者がいたのに、婚約者が国を離れて不在の隙を狙《ねら》われて、ティシアの王弟に結婚を強要されて……。残された婚約者と冒険者ギルドは激怒して――タリスの街を支配していたその王弟の城を破壊しました」

でも悲劇って言っても、城の破壊だけで留めたんですよ。

民に責任はないですから。

少女の死にティシア王家自体の関与はなくて、ティシアの謝罪をギルドは受け入れて、制裁はそれだけで終わりました。

「だけど、冒険者ギルドのティシア支部に所属していたプレイヤーは、全員ティシアを離れました。彼らは隣国クラシエルに移動して、制裁の続きを企てたんです。プレイヤー仲間が殺されたのに、タリスだけでティシアを許していいのかって。帝国はティシアと同盟を結んでいますが、クラシエル側のプレイヤーたちの気持ちも分かります。だから密約が結ばれました。タキリン・ステーションまではクラシエルの支配とする。それまで帝国は戦争に介入しない、って」

そこで少女が言いよどんだ。

小さな声で、一気に吐き捨てる。

「……プレイヤーがいないティシアが、国内に二か所も転移ステーションを持っているのは生意気だって声もあったの。だから戦争を起こして奪ってしまいたいんだと思う」

「――――」

「お兄ちゃんに昼間の話をしたら怒られました。ティシアを勝たせようと考えるな、もう危険になるからタキリンには行くなって。タキリンを攻めるのは五日後って言ったけど、もっと早まるかもしれないからって。でもお姉さまのことを話したら、プレイヤーなら巻き込まれるから本部に誘えって。これまでティシアに協力してきたけど、私もしちゃってたし、その件に関しては自分の力で不問にするから大丈夫って。だから私、来たんです。カリヤお姉さま、私と一緒に帝都アルラギオンに来てください……」

「……カザリン王女や、女官のみんなや、俺の故郷の友達も全部残して？」

「っっ！」

少女の体が震える。

自分でも無茶な提案をしていると分かっているのだろう。再び涙をこぼし始めた赤毛の少女に、俺はゆっくりと彼女の頭を撫でた。

「……教えてくれてありがとう」

「っ、ごめんなさい、ごめんなさい、ごめんなさいっ。私、もっと早く教えなきゃいけなかった！　NPCだけど、優しくしてくれた王女さまたちが死んじゃうなんていやなの。あとちょっとだけ時間があるはずだから、皆でタキリンから逃げてください、お姉さま」

「――それなんだけど、イルマちゃん。何故はっきり五日後と、お兄さんは言ったんだろう？」

それは――と少女が涙に濡れた顔を上げた。

「今夜クロエ平原は、SSランクプレイヤー二名を含めたクラシエルからの総攻撃で陥落するからです」

赤の世界、蹂躙の始まり

「クラシエルが今夜、クロエ平原の我が軍に攻撃を仕掛けます！」

タキリン城砦四階に位置する、カザリン王女の執務室にジャンプで転移した直後に叫ぶ。

執務室の机には部屋着ではなく若草色のドレス姿の王女が座り、その両脇にリザ女官長とオーリン将軍が立っていた。

顔をこわばらせる三人の元に駆け寄り、イルマちゃんから改めて詳しく聞いた話を報告する。

「イルマ嬢が教えてくれました。帝国の冒険者ギルド総本部は、クラシエルの冒険者ギルドと裏で繋がっています。……ラギオン帝国は、冒険者ギルド総本部の意向を受け、この戦いに参戦する意思を持っていません。両ギルド間の密約により、このタキリン城砦までがクラシエルの領土になり、その後停戦の仲介をするという流れになっていたようです」

タキリン城砦まで彼女が頻繁に足を運んでいた理由。

それは密約をすべて知らないが故だった。

彼女を始めとするギルドの一般プレイヤーは、優しい嘘《うそ》を信じていた。

『帝国はすぐには参戦しない。時機を見て、ティシアとクラシエルの停戦を仲介する。その際、タキリン・ステーションはクラシエルの管轄となる』

そんな夢のように穏やかな結末を、ずっとイルマちゃんは信じていた。

タキリンを訪れ、必死になって消費アイテムを生産しているティシア側に手を貸している時も、どうしてアイテムが不足しているのか深く考えもしなかったと泣きながら謝っていた少女。

ＭＭＯＲＰＧ《ゴールデン・ドーン》という名のゲームで遊んでいた転生者たち。

いまだに〝プレイヤー〟と自称している彼らは理解しているのだろうか？

この世界はゲームではなく、ＮＰＣと呼ぶ転生者以外の住人にも自分たちと同じように自我があり、生きていることを。

戦争をするということは、時間が経《た》てば勝敗の情報が送られてくるのではなく、生身の人間同士が殺し、殺されあっていることを。

そのことに、ようやく彼女は気づいたのだろう。

タキリンまでクラシエル軍が侵攻するということは、通過地点であるクロエ平原に布陣するティシア軍がどうなるのかを。

「……春まで待っても、ラギオンからの援軍は到着しません。帝国が軍を展開しているという西方の戦場など存在しません。クラシエルの別働軍はおらず、彼の国はすべての戦力をクロエ平原に集中しています」

言葉もない三人の前で俺は続ける。

「今夜、クラシエル軍はクロエ平原のティシア軍に総力をもって攻撃すると帝国のギルド総本部に通告があったそうです。クラシエルの冒険者ギルドに所属する戦闘職の転生者が全員参戦します。うち、ＳＳランク転生者は二名。——おそらく、一晩のうちにクロエ平原に布陣している我が軍は崩壊します」

「カリヤ。その話が真実だという確証はあるのですか？」

リザさんの声が震えていた。

「……夕方から、クロエ平原と連絡がつかない状態になっています。水晶球での交信が出来ません。ですので、あちらの状況は何も分かりません」

「その、教えてくれたという帝国の娘は」

「将軍のご指示のとおり、帝国に帰しました。

——自分の立場が危うくなるのもかまわず、警告をしてくれた少女です。身柄だけは身内に無事帰さなくては」

彼女の兄がＳＳＳであることを知る将軍が、青い顔で同意する。

「カリヤはいいのですか?」

「殿下?」

「彼女と共に、帝国に――冒険者ギルド総本部に向かわなくていいのですか?」

カザリン王女が背すじを伸ばした姿勢で、机の前に立つ俺を見上げていた。

まっすぐ向けられる緑の瞳に、やはりこの人は綺麗だなと思う。

外見だけじゃない。

瞳の、その奥に見える魂の輝きの美しさに魅入ってしまう――俺より十歳ほど年下のはずなんだけどね、殿下は。

イルマちゃんと一緒に逃げてもいいのだろう、きっと。

ティシアに生まれ育っても転生者である俺は、この国にとって〝お客様〟なのかもしれない。

だからこの人は、その責任のある立場から逃げろと言葉に出来ずに、それでも教えてくれている。

「……ゲイリアスの山奥で世を捨てて暮らしていたつもりだったんですが、どうもやはり、俺もこの国の民であったみたいで」

肩をすくめながら苦笑し、執務机の上に青白く輝く小箱を置く。

イルマちゃんを送った後、帝国と繋がる転移ポータルから取り外してきた核《コア》だった。

「操作台から抜いてきました。これで、帝国とタキリンを繋げていた転移ポータルは動かなくなりました。つまりですね」

……ふと思ったんだが、水晶球をメンテナンス出来たり、転移ポータルの中身をいじれるアイテム職人がSランクだと、彼らは知っているのだろうか?

そう考え、ダメ押しの出来るアイテムをコアの横に並べてみる。

黄金色に輝く液体の小瓶。回復アイテムの最高峰、エリクサー。

「……これも自作出来たりします。実はAランク武器職人じゃなく、Sランクアイテム職人だったんですよ、俺」

　たとえ生産職でも、AランクではなくSランク転生者がいるということは、ティシアにとって慰めの一つになるかもしれない。

　生産職だから戦力外に変わりはないが。

　こんなことになるのなら前世、ランクをSSまで上げておけばよかったな。

　すみません、チート能力を持っていなくて。

「コアを外してしまったので、もう一度設置し直さない限り、帝国とは行き来出来ません。イルマ嬢もですが、クラシエルと繋がっているギルド総本部の関係者も来れなくなりました。これで一応、タキリンから敵に内情が漏れることはなくなったと思います。――ティシア王家と結んだ契約は、〝この戦争が終わるまで〟ですからね。もうしばらくお付き合いさせてもらいますよ、殿下」

　その時だった。

　足元が揺れる。

　最初は本当に微弱な揺れだった。だが、揺れは長く続く。

　窓にはまったガラスがきしんだ音を立てる。天井から吊《つ》るしたシャンデリアが揺れ、ぶら下がるカットガラスが触れあって小さな音を立て続ける。

　揺れが唐突に消えた。

「――陛下に向かいます！」

　立ち上がった王女の鋭い言葉に、俺と将軍、リザさんが頷いた。

　夜だからと落とされていた廊下の照明が、次々に光量を強くしていく。

　まるで昼間のように明るくなったタキリン城砦内が、あわただしい雰囲気に包まれ始めていた。

「先ほどの揺れは、地震ではありませんね？」

　隣に並んだリザさんの問いに、廊下を進みつつ俺は頷いた。

「おそらくクロエ平原への、大規模魔法攻撃の余波です」

「余波がタキリンまで――」

「女官長」

声をひそめたまま、俺は彼女に尋ねた。

「本当に、ティシアに転生者は一人もいないんですか？　国王陛下や王太子殿下の側《そば》にも？」

「――いません。六年前の事件からティシア国の、ティシア王家の評判は地に落ちました。王自らが率先して戦場に立たなくてはならないほどに。そして魔法の使い手も不足しています。直系王族が戦場で手ずから『白の天蓋』を設置しなくてはならないほどに」

「……〝ジャンプ〟の使い手もいないのですね」

「ええ」

厳しい表情で答える女官長の横顔。

「六年前、ティシアに所属していた転生者たちは皆、国を離れていきました。タリスの悲劇に立ち会った者なら誰《だれ》もが知っています。今この国にいる転生者はあなた一人です」

「――――」

「私がこのまま軍本部に行っても、何も出来ることはないでしょう。自らの務めを果たしてきます。カザリン殿下のことを頼みましたよ、カリヤ」

王女に対して一礼し、長いスカートの裾を持ち上げた女官長が小走りで離れていった。

また足元が揺れる。

先ほどより強い揺れに、タキリン城砦の廊下を走り回っていた兵士たちが、どよめいて足を止める。

混乱している兵士の間を、若草色のドレスの裾を引きながら王女が進む。

ずっと姿を見せることのなかった美貌の王女の出現に、揺れる建物よりも意識を奪われる兵士たち。

黄金色の髪を背に流した後ろ姿を見送った後で、はっと我を取り戻した彼らが、あわてて自分の任務へと戻っていく。

先ほどまで俺がこもっていた通信室の隣にある軍本部に、将軍を伴った王女が足を踏み入れた。

「状況は？」

将軍の問いに、駆け寄ってきた副官らしい騎士が首を振る。

「クロエ平原との連絡は、夕刻より途絶えています。街道に何か所か設置している中継地点からの連絡を待つしか」

「今、一報が入りました！」

俺とサンドイッチを一緒に食べた技術者の声だった。

本部と繋がっていた通信室の、開け放した扉の向こう側から小型の水晶球を抱えて運んでくる。

「クロエとの通信が繋がらなかったので水晶球の故障を疑い、この簡易水晶球の対を早馬で運ばせていました。その早馬の騎手からの通信です。街道を進み、タキリンの森をちょうど抜けた地点での報告！前線であるクロエ平原は、現在敵から大規模な魔法攻撃での夜襲を受けているとのこと！　簡易水晶球にスピーカー機能はありません。報告を復唱していきます！」

水晶球が机の上に置かれた。

台座のつまみを片手で調整しつつ、繋いだヘッドホンを耳に押し当てて技術者が目を閉じる。

「……爆発音が響いていて、聞き取りにくく……我が軍、クラシエルと交戦中。魔法はクラシエル側からのみ放たれています。空中に防御魔法陣が出現していません。攻撃はこれまで見たことがない、おそらくAランク以上の魔法……属性はほとんどが炎。前方の戦場の各所から、炎の柱が上がっているのが見えます……！」

「――殿下、すぐにも騎馬隊での救援を出すことを進言いたします。タキリン城砦の守りが薄くなりますが……」

「周囲は森です。タキリンに騎兵は必要ないですし、歩兵が間に合うとも思えない。すぐに向かわせなさい、オーリン」

上座の席に着きながら答えたカザリン王女に、将軍が一礼する。

「では、後続の編成もありますので、儂はこのまま中庭にて直接指揮を執ってまいります。なにかあれば携帯電話でお呼びください」

「そうだ、携帯電話……！」

二人のやりとりを聞いていた俺は、自分がテストをしているアイテムの存在を思い出した。

俺の改造している携帯電話。旧来のアイテムとは違い、スペック的にはクロエ平原とタキリン間の通話が可能だった。ただ小型にして携帯することにこだわっているので、内蔵する光玉の容量が足りていない。だからこれまでのテストでは、繋がってもすぐにMP切れを起こしていた。

でも、外部からMPを供給すれば通話が可能になるはず。

片割れは、ウォルド王子に託している。通話が繋がれば、現在のクロエ平原の状況が分かる――。

王女に断って、開け放したままの扉から通信室へと移動する。

巨大な水晶球が台座にはめ込まれて、部屋の中央に置かれていた。

ペットボトル型の旧来品と一緒に、腰に下げていた携帯電話。

先ほど塞《ふさ》いだばかりの外殻を再び外し、台座の中から取り出した配線を自身の電話に繋げていく。

昨夜、急きょ来られていたウォルド王子に、今朝《けさ》充電を終えた携帯電話を渡している。

込めておいたMPはまだ使われていない。

最初に送信する方がMPを喰うので、受信は障害なく可能なはず。

……ああ、昨夜はルシアン殿下も来られていた。

王家の三兄弟のやりとりを聞いていたのを思い出

す。あれからまだ、丸一日しか経《た》っていない。

「ウォルド殿下、聞こえますか？　こちらはタキリン城砦です。

聞こえますか、ウォルド殿下――」

配線の短さに、その場に膝をついて話す俺の側にカザリン王女が来た。

携帯電話にはスピーカー機能をつけていたので、王女にも聞こえるようにオンにする。

「ウォルド殿下、聞こえますか？」

『――カリヤ!?』

ブチッと音がして通話が繋がり、王子の声が聞こえた。

そして――赤の世界

「ご無事でしたか、殿下！　そちらの状況を教えていただけますか!?」

スピーカー越しに、激しい爆発音が聞こえてくる。

攻撃魔法が飛んできては炸裂《さくれつ》している音は、前世に戦争映画で聞いた砲撃音を思い起こさせた。

『――僕より、彼の方が上手《うま》く説明出来ます。ナダル、タキリンのカリヤと繋がっています！』

『カリヤか!?』

電話を持つ相手が交代したようだった。

はずむ息使いと同時に聞こえてくる、懐かしい声。

「ナダル！　そちらはどのような状況ですか!?」

『クラシエルが夜襲を仕掛けてきた。三日前から敵の攻勢が弱まっていたんだ。良いチャンスだと考え、ティシアは一気に『白の天蓋』を設置するために動き出していた。だがそれが罠だったようだ。戦闘が休止する夜になってから、警戒の緩んでいたところを一気に攻め込まれた。あちらには転生者がいる。撃ち込まれる魔法ランクがS、たまにSSも混じ――殿下、こちらへ！』

魔法の飛来音、そして爆発音がナダルの台詞《せりふ》を掻き消した。

　あちこちから悲鳴と怒号が聞こえる。混乱している戦場の様子が、電話機越しに伝わってくる。

『——おそらく、敵の初撃で『天蓋』の置かれた司令部付近がやられた。補助の魔法使いと近衛《このえ》と——陛下たちがおられたはずだ。ウォルド殿下だけは、先に休むようにとの陛下の計らいで俺と共にその場を離れていたからご無事だが。我が軍の魔法防御が完全に破られている！　飛来する魔法が撃ち落とせないし、戦場のあちこちに行動を妨害する半透明な魔法壁が出現している。これのせいで身動きが取れん！』

「解除は？」

『出来る魔法使いがいない——そちらは無理だ！　通れない！』

　金属鎧のこすれあう音が聞こえた。

　爆音の合間、電話機を耳元から遠ざけたナダルの声が小さく続く。

『西へまわれ！　前線が崩れたら終わりだ、なんとしてでも死守しろ！』

『……はっ！　西へ向かうぞ！』

『ナダル、ここも壁でふさがれています』

『——来たルートを戻ります』

「転移ポータルは利用できませんか？」

　やり取りを横で聞いていた王女が、俺の持つ携帯電話に向かって身を乗り出した。

　俺と王女を囲むようにして、通信室に人の輪が出来ている。

　オーリン将軍も輪の中にいた。側に彼の副官がいないので、中庭での救援準備は任せたのかもしれない。

「ナダル。転移ポータルは、司令部から離れた場所に設置されていたはずです。あれを使って弟とあなたが脱出することは？」

『はっ。先ほど確認しています。ポータルの設置された天幕は無事ですが、昨夜使用したために稼働出来るだけのＭＰがまだ充填《じゅうてん》されていません。隣接する、ＭＰを補充出来るポーションや光玉を置いていた施設と、担当魔法使いがやられました。稼働したくても出来ない状況です』

「携帯電話の光玉を使ってください！」

王女とナダルのやりとりに、俺は口を挟んでいた。

「昨夜ＭＰを補充したばかりです。電話機から取り外して、ポータルの操作台に差し込んでください。一度なら、稼働出来る量があると思います！」

『そうか。ウォルド殿下、転移ポータルに戻ります！』

通信室の中が一斉にざわめいた。

「地下のステーションに連絡！　クロエ平原の転移ポータルのＭＰを確認させろ！」

「まだ足りないはずです。俺が向かってＭＰを補充してきます！」

兵の指示が聞こえたので声を掛ける。

俺がジャンプで地下に向かった方が早く取り掛かれる。

「ナダル、こちら側の準備は大丈夫です。そろそろ携帯電話を切ってください。ＭＰが惜しい」

『分かった。切る前にカザリン殿下、なにかご指示はあるでしょうか？』

「今、そちらに救援を向かわせています。連絡のための簡易水晶球も、中継陣地まで到着しています。陛下に代わり、私の名においてクロエからの撤退を許します。死守する必要はありません。周囲の兵にも伝達を！」

『──ご英断、感謝します』

「あなたもいったんタキリンに戻ってきなさい、ナダル」

『状況が許すならば！　……カリヤ』

ナダルが俺の名を呼んだ。

『……ありがとう、おまえがいてくれてよかった』

切ります、と宣言した通りに通話が切れる。

「地下のポータルに向かいます！」

水晶球と繋がった携帯電話をそのままにして、立ち上がった俺の腕をカザリン王女が掴んだ。

「私も行きます。オーリン、弟を迎えに行ってきます。しばらくここを任せます！」

頷く将軍を確かめ、俺はしがみついてきたカザリン王女の背に軽く手を当て、そのまま地下の転移ステーションへと〝ジャンプ〟した。

出現したのは地下の広間。

転移ステーションもポータルも、ジャンプで向かう場合はその施設の入り口に出現することになる。魔法陣のすぐ近くに跳べないのはゲームの名残《なごり》だろう。

ジャンプ地点だと示すために囲っていた床部分に足がついたのと同時に、王都アルティシアと繋がる転移ポータルに向かって王女が走り出した。

クロエ平原と繋がる簡易ポータルは、王都の部屋の隣に設置している。

俺もひるがえる若草色のドレスを追って走る。

小部屋に入ってすぐに簡易ポータルの操作台を確かめると、やはりまだMPは充填されていなかった。

操作台に手のひらを押し当て、MPを注ぎ込む。

満タンまで注ぎ込むと、ポータルが低い唸り声を上げ始めた。

「こちらの準備は完了しました」

きつくドレスを掴んでいた王女が頷く。

ポータルの発する音が変化した。

下から半球状に魔法陣を覆っていく、光を放つ膜。膜が一瞬光を強くして消え、小さな魔法陣の中に座り込む人影が現れる。

王女が叫んだ。

「――〝姉上〟！」

「ウォルド……ッ」

ああ、魔法が切れたのか。

ふと俺はそんなことを考えた。

十二時の鐘が鳴ったシンデレラのように。

カザリン王女が――ウォルド王子が、双子の姉の元に駆け寄る。

男装の王女が涙に濡れた顔を上げる。

ポータルにいたのは一人だけだった。

彼女が、縋《すが》りつくように腕に抱え込んでいる物の名を俺は知っていた。

『花散里《ハナチルサト》』。

〝剣聖〟ナダル・コートレイの持つ剣。

「……ナダルは？」

「ご、めんなさい、カリヤ……ッ、携帯電話の光玉を使っても、やはりMPが足りなかったのです。だからナダルは、外から自分のMPを……」

弟の抱きしめる腕の中で、カザリン王女が涙をこぼしながら顔を上げる。

「わ、私を見送ったら、父上と兄上を探しに戻ると言っていました。露払いが、旅路には必要だろうと……っ。でも花散里は息子に伝えるものだから、持ち帰ってほしいと言われて、それでカリヤに、後のことは頼むと――」


――MMORPG《ゴールデン・ドーン》で、ティシア国を舞台に起こるイベントがある。

年若いコートレイ家の当主と、プレイヤーが起こす物理系戦闘職向けイベント。

父を亡くした当主はいまだ『花散里』を振るう資格を得ておらず、プレイヤーの助けを得て力に目覚める。そしてプレイヤーもランクBの壁を突破してランクAに至り、戦闘職としての道を歩き始める。

『またな、カリヤ』


タキリン城砦の尖塔に、俺はジャンプで移動していた。

バルコニーからクロエ平原の方角を見つめる。

漆黒の森の彼方、地平線が赤く燃えていた。

薄墨色の夜空が地を焼く炎を映して、ほの赤く染まる。

あそこにナダルがいる。

あの炎の中に、あの赤く染まった世界に、あの

たどりつけない赤の世界の下に。

たとえ何が起ころうが、夜は明けるという現実

バルコニーに膝をついて、柵《さく》のすきま越しにクロエ平原の方角を眺める。

どれくらいの時間そうしていたのだろうか。

吹きつけていた風の強さがすこしだけ和らいだ。

横に現れていた人の気配に、顔を向ける。

そこには凛と背すじを伸ばしたカザリン王女が

――ウォルド王子が立っていた。

もう女装はしていなかった。腰に流していた金髪を、十センチくらいの長さの金属の環《わ》を使って、首の後ろで一つにまとめている。

燃えているクロエ平原を見つめながら、少年が呟いた。

「――私はこの光景を忘れない」

涙が彼の白い頬《ほお》を伝っていた。

夜空の星か、平原の炎か。遠い光を映して輝く筋をぬぐうこともせず、彼は前を見つめたまま誓いの言葉を続ける。

「あの炎の色を忘れない。あの赤く染まった空の下で、なにが行われたのか決して忘れない。かならず――」

凍《い》てつく冷たさの風が吹き、王子の金色の髪とまとうマントを巻き上げる。

強風にかき消された呟きは聞こえなかった。

だけど俺には分かった。

彼が、復讐《ふくしゅう》を誓ったのが。

「……カリヤ。あなたと王家が交わした契約内容を変えたい」

はるか彼方の戦場から視線を外し、少年が膝をつ

いたままの俺を見下ろす。

差し出される、しっかりとした固さを持った手のひら。

「私の身に危険が迫るようなら、〝ジャンプ〟で安全地帯まで避難するというのが元々の内容だったな」

アイテム作製や指導はあくまであなたの好意に過ぎなかった。

それを変更したい。

「私に力を貸してほしい。Sランク転生者としての、あなたの持つすべての能力を。期間は――この戦争が終わるまで」

タキリン城砦の会議室には、大勢の将兵が集まっていた。もう夜明けが近かったが、誰《だれ》も休むことなく今後の方針について議論している。

既にクロエ平原での戦いは決着がついたも同然だった。

クラシエル軍の圧倒的な攻勢による大敗北。

〝第三王子〟のみはナダル・コートレイの尽力でタキリン城砦まで落ち延びることが出来たが、王と王太子の生死は不明。

多くの死傷者を出したティシア軍は崩壊し、クロエ平原からちりぢりに敗走を始めている。

俺に与えられた席は、会議室の上座中央に座るウォルド殿下の斜め後ろだった。

手を伸ばせば少年に手が届く距離。いざという時には、すぐに〝ジャンプ〟で転移することが出来る。

……戦場にいる王と王太子の元にも、転生者がいるのだと思っていた。

まさかこの国に俺以外の転生者がいないだなんて、考えもしていなかった。

いや、深く考えれば気づいたはずだ。違和感は時おり感じていたのだから。

おかしいと思いながらも、俺は確認しなかった。

以前、タキリンを訪れていたナダルが口にしかけ

た言葉を、もっと気にするべきだった。

他に転生者がいないと分かっていたのなら、事前に取れる対策もあったはずなのに……。

「――王都アルティシアより水晶球の一報です！」

扉が乱暴に開かれ、通信室から駆けてきた技術者が通信を書き記した紙を持つ手を上げる。

付近にいた将校が報告の紙を受け取る。

書かれた内容を一瞥し、彼はウォルド王子とその隣に座るオーリン将軍に視線をやった。

姿勢を正し、手に持つ紙を読み上げる。

「――『王国碑の、国王陛下と王太子殿下の名前の光が失われていることを確認』！」

会議室の中が静まり返った。

泣きそうな顔で将校が続ける。

「『国王陛下と、王太子殿下のご崩御を確認』！」

すすり泣きのようなどよめきが生まれ、部屋に広がろうとした時、彼が声を張り上げる。

「ティシア王国碑の血統筆頭には、第三王子ウォルド殿下が上がられました。――新国王、ウォルド陛下万歳――ッ！」

「――ウォルド陛下万歳！」

座っていた者は音を立てて椅子から立ち上がっていた。

皆がこちらを、ウォルド王子を見ていた。

姿勢をただし、左胸にこぶしを当てて、部屋にいる臣下が新国王に敬礼する。

「「新国王陛下、万歳！」」

「――――」

十五歳の少年は、右手を軽く上げて無言で敬礼に応《こた》えた。

そのまま、手の動きだけで彼らの着席を促す。

すぅと、彼が息を吸う音が聞こえた。

「……ありがとう。諸君らのティシア王家に向ける忠誠心を誇りに思う。いずれ私が正式に王位に就くのだろうが、今はまだその時ではない」

通信室からの報告書が、オーリン将軍経由で彼に渡される。

その一枚の紙切れに目を通し、少年が落ち着いた声で語り始める。

「父と兄の死が『王国碑』で確認出来た今、クロエ平原にこだわる理由は消えた」

「……よろしいので?」

「中継陣地からの報告では、クロエは焼き尽くされている。二人を探すのは容易ではあるまい。せっかく助かった兵の命を、これ以上あそこで失いたくはない。決死の覚悟で迎えにいかずとも、いずれ亡骸《なきがら》はクラシエルが莫大な身代金と引き換えに渡してくれるだろう。……見つかれば、だがな」

小さな声で呟いた台詞《せりふ》の最後は、俺と将軍くらいしか聞こえなかったはずだった。

ぴくりと将軍のカイゼル髭の端が揺れたが、彼は何も言わなかった。

「確認したい。クラシエル軍は、何日後にこのタキリン城砦まで到達すると思う?」

参謀の一人が立ち上がった。

「我々が一切の妨害を行わないと仮定するなら、歩兵なら十日後、騎兵隊のみでしたら四日後には早ければ到達すると推測されます。……ただ、クラシエルの抱える転生者でしたら明日、いえ、今日の昼には到達するでしょう」

「ジャンプ、か」

「——オーリン将軍。発言してもよろしいでしょうか」

俺は王子の後方の席から、そっと身を乗り出した。

将軍と王子が振り返って俺を見る。

「ジャンプを封じることが出来る方法を知っています。いやがらせ程度ですが、数日は稼げるかと」

「どうやるのじゃ?」

「タキリン城砦が森の中にあるから出来ることなのですが、街道沿いの木々を伐採して、その枝が道をふさぐように転がすだけです。それだけで、奴らはクッションに自ら飛び込むことになる」

「はっ」

笑い声を上げかけたウォルド王子が、すっと口を閉じた。

以前、ジャンプの練習時に見せた事故の様子を思い出し、想像したのだろう。転移した転生者が、罠にはまってもがく様を。

一瞬だけ、少年には似つかわしくない嘲《あざけ》りの表情が浮かんでいた。だけどそれを非難する気は起きない。

たぶん俺も、同じ表情を浮かべているだろうから。

ジャンプで延々と空中移動を行うことは出来ない。タキリン城砦を囲む森は深く、どこかで下に降りることになる。

唯一、眼下から目視で安全を確認できる街道に下りることになるが、その街道がふさがれていたらジャンプ自体を諦めるはずだ。

「――同じ転生者の意見じゃ。実行する価値はあるだろう。騎兵の足も止めることが出来るじゃろうしな。ただ、多くの自国の兵も街道を使ってタキリンに向かっておる。傷つき、歩みの遅い者もいるじゃろう。その兵たちを見捨てる訳にはいかぬが」

「クロエ平原から逃げ延びてきた兵がどれほどの人数になるのか、中継陣地から連絡が来ていたな」

王子の問いに、ゆっくりと担当らしき男が立ち上がった。手元に重ねられた紙に視線を落としたまま答える。

「……現在集計出来ている限りでは――五百に足りません。夜が明ければ更に多く集まるはずですが、それでも二千を超えることはないかと」

「クロエには一万の兵が布陣していたはずだぞ!?」

「たった一晩で――」

心の奥がまた冷えていくのを感じた。

アロワと俺の部下だったゲイリアスの兵士たちは無事だろうか。

モンスターよけの匂い袋を渡していた。それを使って、黒森の奥へと逃げ込むことは出来たのだろうか――。

　説明にウォルド王子が頷く。

「負傷者の移動については、すぐにもタキリンから迎えの荷馬車を出そう。各所に設けている中継陣地の物も使え。置いていた物資については、武器防具だけ焼いて食糧は捨て置け。それらを回収する時間、クラシエルの足も止まる」

　今からすぐ、街道脇の木の伐採を始めて道を覆い隠せ。

「転生者は、夜間のジャンプが出来ないはずだ。昼間は、自力で歩けるものは街道脇の森の中を進め。夜は街道上の障害物を取り除いて馬車を走らせよ。救える兵はすべてタキリン城砦へ撤退させる覚悟で臨んでほしい」

「では、タキリンでクラシエル軍を迎えうつので？」

「いや――」

　少年が首を振った。

「タキリン城砦は放棄する」

立つ鳥は全力で跡を濁す

――タキリン城砦、放棄。

　ウォルド王子の下した決断に従い、城砦のすべての人員による撤退作業が始まった。

　元々タキリンは、クロエ平原への利便の良さから戦場後方の物資集積地となったが、建物自体は本当の意味での〝城砦〟とは違った。

　周囲の森に棲むモンスターへの警戒から高い壁を周囲に張り巡らせているが、対人を想定した軍事施設ではない。

　収容人数も千名には満たず、一般の徴集兵や商人たちは城壁を取り囲むようにして駐留している。

　だが軍事施設でないタキリンを、死守しなくてはいけない理由がティシアにはあった。

　タキリンは〝転移ステーション〟だ。国内外の転移ポータルとつながり、人員や物資の輸送の要《かなめ》となる。ティシアはMPポーションの不足から活用しきれている訳ではなかったが、それでも転移ポータルを使って多くの物資がタキリンへと集まり、前線へと運ばれていた。

もしこの地をクラシエルに奪われれば。

これまで国外のポータルにかけていた封印は解かれ、今度はクラシエルから人員と物資が送り込まれる。

春から秋の間は沼地と化して抜けられないクロエ平原。両国の緩衝地帯だったそこを飛び越して、クラシエルは直接ティシアに侵攻が可能となる——はずだった。

だがティシアには今、Sランクアイテムマスターの俺がいる。

スキルを使って操作台からコアを取り外してしまえば、転移ポータルは動かせなくなる。ついでに他の主要部品も取り外してしまいましょう。

中央国家群内で転移ポータルを破壊する行為は禁止されているそうだが、『メンテナンス中に敵が攻めてきたのでそのまま逃げた』は許されると思う。壊した訳じゃなく外しただけだし。

そうやって俺が使用不能状態にしたタキリン・ステーションをクラシエルに奪わせ、その上で王子や将軍たちは帝国に停戦の仲介をさせるつもりらしかった。

——タキリン・ステーションまではクラシエルの支配とする。それまで帝国は戦争に介入しない。

それが、冒険者ギルド総本部とクラシエルが交わした密約。

もうティシアに戦いを継続する力は残っていない。

ならば、密約をこちらが承知していることを帝国にちらつかせて介入させ、停戦に持ち込む。

実はラギオン帝国とティシア王国が、単独で同盟を結んでいる訳ではない。

中央国家群の西の雄とも呼ばれるラギオン帝国は、ティシア王国を含めた南部諸国連合と同盟を結んでいる。

対してクラシエルは、北部諸国連合の所属。

密約が明らかになれば、ラギオン帝国は南部諸国連合全体の信を失う。

停戦を仲介せざるを得ないだろう。

……という方針らしいです。

一介の農民出身である俺は、そんなパワーゲーム的政治バランスなど知りもしませんでした。

前世にプレイしていた《ゴールデン・ドーン》では、南部諸国連合の設定なんてなかったんだが。

アイテムの効果などはそのままだが、貨幣の価値などかなりゲームの世界と転生後の現実は変わっている気がする。

——そう、これは現実だ。

バグがあるから、ゲームバランスがおかしいからと運営会社から修正が入ることもない、ゲームではない現実《リアル》——。

「……お願い、ウォルド。アルティシアへ、私と一緒に帰りましょう……？」

王都と繋がった転移ポータルの上で、カザリン王女がリザさんに抱きかかえられたまますすり泣いていた。

父と兄を同時に亡くし、炎の燃え盛る戦場から一人逃れてきた王女。

自力で立つことも出来ないほど弱り切った少女は、震える腕を伸ばして双子の弟にとりすがる。

「皆、死んでしまったわ……父上も、兄上も、ナダルも。もうあなたまで失いたくないの。おねがい……」

「——姉上」

転移ポータルの魔法陣の外に立った少年は、伸ばされた姉の手を優しく握り返した。

「父上と兄上が戦場へ立たれていたことを、無駄には出来ません。我が王家は、六年前の罪を贖《あがな》い続けてきました。タキリンを目指して我が国の兵士が撤退しています。今ここで先に私が逃げてしまったら、六年間が、二人の死がすべて無駄になるのです」

「……ウォルド」

魔法陣の上に王女たちと一緒に立つ、女官たちも静かにすすり泣いている。

カザリン王女の見送りに来ていた俺は、そっと周囲に視線を巡らせた。

タキリン城砦にいた非戦闘員の、転移ポータルを使った各地への避難が行われている。

王都アルティシアと繋がったこの部屋は静かだが、その他の地方に繋がった部屋はあわただしい。

人員だけでなく、残していくには惜しい物資も同時に移送されている。

前線に運ぶつもりだった、MPを込めた光玉が余っているので、操作台に魔法使いが張りついての二十四時間休みない転移作業が始まっていた。

光玉はどれだけ使っても、ポーションを服用した時のように酔わないのがいいよな。

瓶詰めの液体であるポーションと違い、光玉は中身が気化するようにあっという間になくなって、長期間備蓄出来ないのが欠点だけど(ついでに作製費がかなりかかるのと)。

もう国外と繋がった転移ポータルのコアは取り外した。

それらは今、カザリン王女と同じ魔法陣に積み上げられた箱の中に入っている。

順次、撤退作業の終わった他のポータルのコアも取り外す。

王都アルティシアと繋がったこの転移ポータルでの作業は、一番最後になるだろう。

最後に俺だけが残り、ウォルド王子を見送った後にコアを取り外す。

そのまま俺は〝ジャンプ〟ではなく〝リターンホーム〟で撤収です。

ホームの設定をしているのがゲイリアス奥地にある秘密基地だから、すぐに王都まで足を運ぶことが出来ないのが難点だ。

ゲイリアスから王都に向かい、到着した頃にはクラシエルとの停戦交渉も進展しているかもしれない——。

「リザ、姉上を頼む」

「かしこまりました。心苦しくはありますが、お先に失礼させていただきます」

王子に向かってリザ女官長が一礼する。

彼女の胸に頬《ほお》を押し当てたまま、カザリン王女がいやいやをするように首を振っている。

「カリヤ様」

最後まで残っていた女官が、横で待機している俺に向かって一歩進み出た。

「手順の確認をさせていただいてよろしいでしょうか？　ポータルを使っての転移は三十分ごとに行われるので、三十分以内に魔法陣上に置かれた物資の撤去を行う。すべての転移が終了したら、ポータルを封印め頂いた札を操作台に張りつけて、ポータルを封印状態にするのですね」

「そうです。タキリンはポータル自体を使用不能にするつもりですが、他の転生者が修理しないとも限りません。ティシア国内のすべてのポータルも、念のために一度封印状態にしてください」

「はい。魔法使いの数が足りませんので、MP保有量の多くなった私どもがアルティシアのポータルから各地に跳び、操作に協力してまいります。私も父の領地へ向かい、ポータル封印を担当する予定です」

気丈に女官さんが答えた。

マジックアイテムである転移ポータルは、稼働に呪文《じゅもん》を唱える訳じゃない。MP量さえあれば誰《だれ》でも操作出来る。

手順の方法は教えたので、あとは彼女たちが何とかがんばってくれるだろう。

「カリヤ様にご指導いただきましたこと、心から感謝しております。ありがとうございました。どうぞウォルド殿下をよろしくお願いいたします——」

「……お気をつけて」

いつまでも泣きやまないカザリン王女の手をそっ

と放し、ウォルド王子が後方へと退《しりぞ》いた。

少年の合図で、転移ポータルが稼働を開始する。

低いうなり声が響き、金色の膜が下から上へと半球状に魔法陣を包み込む。

「ウォルド……！」

「ご安心ください、私はかならず姉上の元に戻りますから！」

金色の半球が消え、現れた魔法陣の上には何も残っていなかった。

うつむき、一息ついた王子がすっと顔を上げる。

「三十分後から、アルティシアに向けた転送を順次開始せよ」

「はっ！」

そのまま城砦の上階へ戻っていくと思っていた王子が、俺の方に向かって歩いてきた。

転移ステーションでの作業は俺しか出来ないので、現在俺と王子は別行動中だ。

何かあれば、携帯電話で連絡を取り合い、ジャンプで駆けつけることにはなっている。

――開発途中だった新型は、片方をカザリン王女が手放さなかったので預けたままだ。代わりに旧式の携帯電話を腰にぶら下げている。

「――カリヤ」

「はい」

俺の前に立つ王子を見下ろす。

ドレスを着ていた時も美しかったけれど、男の格好に戻り、薄化粧をしていない今も彼は絶世の美貌を誇っている。

顔の造作だけではなく、その生き様や覚悟が美しいのだろう。

たった十五歳で、これほどまで責任ある立場に相応《ふさわ》しい存在を俺は知らない。

頼む、と彼は言って去り、頼まれた俺はゆっくりと笑みを浮かべる。

ささやかな抵抗だ。

このタキリン城砦に金目のものは一つとして置い

ていくものか。転移ステーションとしての機能もぶち壊す。

食糧には水を撒いて、井戸には物を投げ込み、ポータルを破壊してはいけないのなら、中身のない状態にして奴《やつ》らにくれてやる。

クラシエル軍が来るまであと四日。

さあ、ささやかな、ささやかないやがらせを始めよう――。

或《あ》る悲劇の始まり

俺は、誰もいないタキリン城砦の中を歩いていた。

廊下に飾ってあった巨大な絵画はもうない。取り外して王都へ運んでしまった。

すべてを根こそぎ持っていこうと最初は考えていたんだが、転移ポータルを動かし続けている魔法使いの負担も馬鹿にならない。

それにクロエ平原からタキリンまで兵士が戻り始めている。

負傷した兵士を優先的に故郷に転移させるので、価値の低い家具などを運ぶ余裕はなくなった。

応急処置だけをして、荷馬車に乗って運ばれてくる傷ついた兵士たち。

ポーションは増産していたつもりだったが、やはり足りなくなっているようだ。

治癒魔法が使える者も数は多くない。

タキリン城砦の内外や、建物の低層階は人でごった返しているようだが、高層階にまでやってくる者はいなかった。

人気のない静かな建物の中を、俺は彼を探して歩いている。

(……いないなぁ)

おかしい。いるはずなんだが。

声を出して名前を呼べばいいとは思うんだが、これだけ静かだとちょっとためらいが出てくる。

まるで俺の方が迷子《まいご》になっているような気がしてきた。

探しているのは俺だ。

いないのは彼の方なのに。

誰もいない廊下で立ち止まり、彼の名を声に出して呼んでみた。

『おーい、ナダルー』

かえってくるはずの返事がない。

どこかにいるはずなんだが……と、俺は扉を開け放したままの部屋の、中をひとつひとつ覗いていく。

ナダルがいない。どこかにいるはずなのに。

首を傾《かし》げながら覗いた部屋で、俺はそれを見つける。

無人の部屋の中央、テーブルの上に置かれた、見覚えのある一振りの剣を。

――ああ、そうだった。

ナダルはもういないんだ。


「――」


与えられた小さな仮眠室で、俺は目を覚ました。

タキリン城砦の、上層階は昨日《きのう》閉鎖された。

女官たちも既に去り、ウォルド王子も居室を階下に移されたので、もうあそこには誰もいない。

酒とグラスを片手に訪れようとしても、立ち入れなくなっている。

知らないうちに流していた涙が、両目の眼尻《めじり》から伝い落ちて耳まで濡らしていた。

被《かぶ》っていた毛布の中に潜り込んで、顔を拭《ぬぐ》ってから上体を起こす。

クロエ平原が炎の中に沈んでから、四回目の朝だ。

もうそろそろタキリンから離れた方がいいのだろうが、クロエ平原から逃げ戻ってくる兵が途切れない。

今も部屋の高いところにある明かり取りの窓から、外の喧騒《けんそう》が遠く聞こえてくる。

緩めていた服を整え、脱いで毛布の上に広げていた上着を羽織りなおす。

ブーツを履いたまま寝ていたせいか、足がむくんでいるのが分かったので、起き抜けにポーションを一本飲んでおいた。

ポーションでは腹はふくれない。

髪を結んでいたリボンをほどき、適当に手ぐしで梳《す》いてから結び直す。自分の手に持つ白いフリルのリボンに、少しだけ動きが止まりかけたが、朝の身支度はすぐに終えることが出来た。

簡単に朝食を済ませておくかと、仮眠室を出た俺に声を掛ける人がいた。

「おお、カリヤ。おはよう。今から朝めしのようじゃな。なら一緒に食べんかね？」

「……おはようございます、オーリン将軍。よろこんでご一緒させていただきます」

カイゼル髭のじいさんは、俺の挨拶に疲れの残る顔で少し笑ってみせた。

「……そういえば、おぬしにちゃんとタリスのことを教えておかねばいかんと思うての」

朝食は司令部の近くの空き部屋まで運んでもらった。

二人きりで食事を終え、最後に運ばれてきた湯気の立つ紅茶を飲みながら、将軍が自分に言い聞かせるような口調で呟く。

「……帝国の少女から、もう何があったかは聞いたかね？」

「彼女の立場からなら。この国側からの話も、聞けるなら聞いておきたいです」

「秘密にしている訳ではない。ただ、身内の恥じゃ。蒸し返したくはないから、誰《だれ》も口にはせんだけで。どちらの言い分が正しいかは、カリヤ自身が判断するといい……」

髭を湯気で湿らせ、老人が遠い目を彼方へと向けた。

「……六年前じゃ。当時六歳だった第四王子エリナー殿下が、ラギオン帝国に〝留学〟されることになった。ティシアの周辺ではしばらく国家間の紛争もなく、情勢は安定しておった。冒険者ギルドのティシア支部とも、長く王家の友であった老師こそ数年前に亡くなられていたが、関係は悪くはなかったんじゃ……ナダルと、陛下の剣の師だった方だな」

転移ポータルを使っての移動。

何か問題が起これば、すぐに国に戻ることが出来る。そう考えられた陛下は、顔繋《かおつな》ぎも兼ねてまだ年若い王太子殿下やナダル、当時の冒険者ギルドの主だった転生者も連れて、帝国に半年ほど出向かれることにした――。

昔を懐かしむ眼差《まなざ》しで、淡々と老人は続ける。

彼はティシアに残った。

なので、一連の騒動の始まりから終わりまでを、王家の立場から見ることになったらしい。

当時のティシア王家には王弟がいた。

国王とは年が離れていたが、王家をよく支えていたという。若くして妻を亡くし、息子は一人。その息子はカザリン王女と内々の婚約を交わしていた。

そして王弟は出会う。

一人の、転生者の少女に――。

「……儂からは、仲睦《なかむつ》まじい様子に見えた。王弟殿下は、当時も細り始めていた王室の血を復興させたいと願っていてな、だからか熱心に少女を口説いておった。その様子は微笑《ほほえ》ましく映っていたし、少女の方もまんざらではないという感じでの」

領地のタリスに連れ帰り、ある日、王弟殿下は喜びに興奮した様子でアルティシアに単身来られた。

少女が身ごもったと。

そして、帝国に滞在する陛下に水晶球で報告し、王国碑に妻として彼女の名を刻んだ。

「その日の夜じゃ。……少女は自ら死を選んだ。そして、彼女には既に同じ転生者の婚約相手がいたことを儂らは知った」

「彼女が婚約していたことを、誰も知らなかったんですか？」

「ああ。……冒険者ギルドは信じなかったがの。ティシア王家は混乱した。転生者の女性が関わった場合、ギルドによるペナルティが計り知れんことは広まっておった。自死もそれに該当するのか、どう対応するかと王弟殿下の居城に他の王族も集まり、話し合っていた時にタリスは報復を受けた」

転生者の攻撃により、タリス城に星の雨が降った——と目を閉じながら将軍が呟いた。

「——アルティシアからタリスに向かう道の途中で、儂はその光景を見た。王弟殿下、その息子、駆けつけていた他の王族、彼らが連れてきた護衛兵、城で働いていた使用人、すべて。ことごとく殺された。その数、二百四十五名。二百四十五名もの人間が、報復と称して一瞬で——」

『……でも悲劇って言っても、城の破壊だけで留めたんですよ。民に責任はないですから』

明るい口調で教えてくれたイルマちゃんの様子を思い出す。

ゲームの世界では、NPCは生きている訳ではなかった。ただのAIだった。

だけどこの世界では違う。

知っていてなお、〝制裁〟を行ったのだろうか、冒険者ギルドは。

元プレイヤーたちは。

「こちらの関係者はその報復で死んだ。もはや真実は分からぬ。転生者の少女の命が失われたのは確かであったから、ティシアは全面的に非を認めて謝罪した。償いもした。少女の婚約者であったSSランク転生者が、老師に代わってティシアのギルドを束ねていたことも大きいのだろう。タリス城の悲劇のみでギルド本部は引いたが、それを不服としたティシアにいた転生者はすべて国を出ていった。そして今、クラシエルについた彼らはティシアに〝制裁〟の続きを行おうとしておる。『ティシア王家を滅ぼさないと、死んだ少女の魂は浮かばれない』のだぞうじゃ」

　オーリン将軍が背を丸める。

　そこには年齢以上に疲れ果てた老人の姿があった。

「……なぁ、カリヤ。我らはそれほどの罪を犯したのじゃろうか？　転生者たちの前世では、人ひとりの命はこの大地よりも重いと聞く。あの後、ティシアは国際的な信用を失った。国内でもそうじゃ。王弟殿下が愚かであったから、少女を我が物にと企《たくら》んで天罰を受けたと言われた。タリスで巻き込まれて死んだ民には補償をし、陛下と王太子殿下も、王家の罪を贖おうと必死になっておられた。それでも六年経《た》っても許されないほどの罪を、本当に我らは犯したのか――？」

　タキリン城砦の門の前で、俺はクロエ平原から逃れてきた兵士たちの列を見続ける。

　……ナダルが死んだとは限らない。

　もしかしたら、どこかで助かっているかもしれない。

　怪我《けが》をして、それで歩みが遅いのかもしれない。

　荷馬車に乗せられて運ばれてくるかもしれない。

　すぐにも地下の転移ステーションに向かって、自分の仕事に取り掛からないといけないのに。

　朝方に見た夢の中では、俺は彼が死んだのだと納得していた。していたはずだった。

　でも、もしかしたら――。

「――カリヤさん！」

「……ボンドン？」

　破れた幌馬車の荷台から、煤《すす》で黒く汚れた少年が俺に向かって手を振っていた。

　見覚えのある魔法使いたちが数人、馬車から顔を出す。

「よく無事で……！」

「カリヤさんにいただいた餞別のおかげです。あれで数分間、敵の妨害魔法を無効化出来たんです。壁が消えて、戦場の後方にいた者たちはなんとか逃げ出すことが出来ました！」

　ボンドン少年がくしゃっと泣いたような笑みを浮かべる。

「それから、怪我を負った兵士を助けつつ、僕たちは中継陣地の皆さんと一緒に殿《しんがり》を務めながら帰ってきました。僕らが最後の撤退兵だと思ってくださって結構です。もう後ろに続く味方はいません。……すみません、カリヤさん。時間が惜しくてタキリン城砦近辺は道の上の妨害物を排除しながら来ています。それに気づいたら敵の転生者がやってくるかも」

「いや、よく戻ってきたね、ボンドン――」

「……カ、リヤ……？」

　幌馬車の奥から、しわがれた声が聞こえた。

　薄暗がりに、何人もの兵士が折り重なるように横たわって乗せられているのが見えた。

　煤と、肉の焼けた匂《にお》いと血の匂い。

　もうポーションは底を突いていたのか、うめき声を上げ続けている兵士たちの中から、俺に向かって手を伸ばす者がいた。

「知っている方ですか、カリヤさん。なんとか連れ帰ってきた人たちです。すぐに手当てをしないと……」

「――」

　アイテムボックスの中から、上級ポーションを取り出して馬車の荷台に乗る。

　震える手で瓶の栓を抜き、俺に手を伸ばしていた男に向かって振りかける。

　……怪我を負ってから時間が経ち、中途半端な回復を受けていたせいで男の怪我は変に癒着して固まっていた。

　これはもう、ポーションではなく治癒魔法でないと元に戻らない。いや、元に戻るかさえあやしかった。

　顔を半分焼かれ、片目が潰れた男が俺の名を口にする。

「……カリヤ、さん。ナダルさまは……タキリンに、いま……すか？　戦場で、殿下と共に行動していて……見失ったんです、あのかたを。………あのかたは、ぶじに……」

ナダルの乳兄弟だった男は、俺の顔を見上げて言葉を切った。

——声で分かっていた。

彼はナダルではないのだと。

俺に向かって伸ばされていた腕が下に落ちる。

彼の一つしか残っていない瞳から涙が伝い落ちた。

——クロエ平原の敗北から四日目の朝。

タキリン城砦は、自軍の兵はすべて撤退してきたと判断した。

忠誠を誓う者、誓われる者

ロープに、細かく裂いたカーテンやシーツの切れ端を間を空けて結びつけ、天井付近に縦横に張りめぐらす。

まるで海藻《かいそう》のそよぐ海の中にいるみたいだ。

垂れ下がった布地をかき分けて移動するには多少邪魔に感じるが、〝ジャンプ〟を行えばその細い布はあっという間に蜘蛛《くも》の巣《す》の罠と化す。

仕組みは単純なジャンプ封じだが、ティシア軍内では誰《だれ》もそのような対処方法があるのだと知らなかった。これまで、転生者が味方の立場で存在していたからだろうか。

だが、と俺は思う。

今回の戦いでは彼らは明確な〝敵〟だ。

容赦なく攻撃をしてくるのなら、容赦なくやり返そう。やつらにとっては羽虫のはばたき程度にしかならない小細工かもしれないが、やらないよりはマシなはず。

急ごしらえの罠は、建物の入り口のホールから、地下へと降りる階段、階段を降りてすぐの天井に仕掛けている。時間がなくて、その範囲までしか仕掛けを用意出来なかった。

天井から吊《つ》り下《さ》げられた布切れを横目で見つつ、俺は地下の広間を先行してウォルド王子を案内する。

向かう先は、コートレイ地方に繋がる転移ポータル。

ナダル・コートレイの領地だ。

《ゴールデン・ドーン》では、領地の名が家名になる設定だった。

一度はコアも外し終えていた転移ポータルだが、今は修理を済ませ、魔法陣の上で一人の男が待っていた。

グウィンという名の、ナダルの乳兄弟だった男。

顔の半分には白い包帯が巻かれている。手当ては受けたはずだが、傷のすべてを癒《いや》すことは出来なかったのだろう。

俺と共に近づいてきたウォルド王子に気づき、彼が魔法陣の上に片膝をつく。

「……ナダルには、〝私〟の命を救われた」

「ナダルはおそれ多くも殿下の武術の師範であり、忠実な臣下でした。師が弟子を守るのは当然のことであり、また臣下が主を守るのも当然のことでございます」

「王都に戻ってからすぐにも、彼の献身と忠誠に報いたいと考えている。だがその前に、――これを先に家族の元へ」

王子の差し出した『花散里《ハナチルサト》』に、グウィンが残された目を見開いた。

「……やはりもう、あのかたは――」

震える手で剣を受け取り、きつく胸に抱く。

慟哭《どうこく》するのを歯を食いしばって耐えた男の、片目からこぼれ落ちる涙が魔法陣の上を濡らしていく。

「お、それながら、殿下っ……！」

グウィンが顔を上げた。

王子に訴えかけながら、彼の視線はまっすぐに俺を見ていた。

「王都に戻りましたら、彼を、カリヤをコートレイ家に寄越していただけますでしょうか⁉」

「――新当主の試練については承知している」

〝ナダル・コートレイ〟のイベントを知っているらしい王子が頷く。

「新当主に、ティシア王家としても出来る限りの協力をしよう。カリヤ、コートレイ家が落ち着けば向かってくれるか？」

「もちろんです」

「……ありがとうございます」

頭を下げ、剣を抱きしめたまま動かなくなった男に、俺は転移ポータルの操作台に近づいた。

ウォルド王子の頷きに、「転移を開始します」と声を掛けて操作台を稼働させる。

半球状の光の膜に覆われていく魔法陣に向かって、ウォルド王子が声を張り上げた。

「――ナダルに、我が師に心からの感謝を！　不《ふ》甲斐《がい》ない弟子ですまなかった――」

光の膜が消えた。


無人となった魔法陣の前でこぶしをきつく握りしめる王子に、部屋の外で待機していたオーリン将軍と騎士たちが近寄る。

「ウォルド殿下、そろそろ王都へ出立のご準備を。残された時間はあまり多くありませんでの」

「……ティシアの最後の一兵が、無事に撤退するまで残りたい」

「今日、この時まで殿下が留まってくださっただけで充分です」

小さな声での呟きと、それに優しく答える老将軍の言葉を聞きながら、俺は操作台のコアを取り外す作業にかかる。

本当なら、もっと早くに王子にタキリンを離れてもらわなくてはいけなかったと思う。だが、順番に転移ポータルの稼働を停止していくと、結果的に残ったポータルへの負担が大きくなった。

休むことなく動かし続けるのは、もう余力のない魔法使い。

無事だった将兵は徒歩でタキリン城砦から避難させている。

ポータルでは重傷を負っている者のみ移送したのだが、負傷者の数が多すぎてうまく王子の帰還のタイミングを計れなかった。

そういえば俺は戦争の初めの頃《ころ》、何かあればさっさと一人で逃げようと思っていたっけ……。

自分の部下に王子の護衛を託した将軍が、作業している俺の元へとやってくる。

「……カリヤ。撤退が遅れているようじゃな」

「です、ねっ。あ、すみません。終わりました。これで王都以外の転移ポータルはほぼ封鎖完了です」

操作台に足を掛けて、力ずくで部品を剥がした俺は、恐縮しつつ手に持つそれを自分のアイテムボックスに放り込んだ。

これで、正常に稼働するポータルは処置を終えた。故障して使えなくなっているポータルとかは無視だ。さわっている暇がない。

促されるままに、将軍と並んで王都アルティシアのポータルが設置された大部屋に向かう。

「――はい、そのとおりです。やはり魔法使いが足りなくて。光玉は使い果たしましたし、MPポーションも残り少ないです。MPを溜めていたはずのアルティシアへの転移ポータルも、中身はほぼ尽きました。次に稼働可能となるのは、おそらく二十分から三十分後。その次は六時間以上間を置くことになります」

「……実質、次回で殿下にお戻りいただかないといけない訳じゃな。儂と儂の部下たちは最後でかまわん。タキリン城砦を守るのが任務だったしのう」

「後は、クラシエルの転生者たちが来るかどうかですね」

将軍と話しながら、俺はこれからの手順を頭の中で再度確認する。

残っている人数を考えると、アルティシアと繋がるポータルを二回は稼働させないといけない。

今も、クロエ平原から戻ってきたばかりのボンドン少年たちが、残っていたなけなしのMPを充填してくれているはずだ。

皆が撤退したのを見計らって、ポータルのコアを外した俺は〝リターンホーム〟でゲイリアスに戻る。

MPを喰う〝ジャンプ〟とは違い、全ランクが習得している〝リターンホーム〟は残りMPがゼロでなければ実行出来る。

問題は、もうクロエ平原の敗戦から四日が過ぎていることか。

そろそろクラシエルの転生者か、騎兵が来てもおかしくな――。

「……あ」

この転生した世界に、メッセージウィンドウみたいな物は存在しない。

俺の脳裏には、本人しか聞こえない謎の声が響くだけだ。

脱出の手順を確認していたら、その声が響いた。

リターンホームの使用は不可能だと。

「……オーリン将軍！　おそらくタキリン城砦がクラシエル軍に包囲されました。リターンホームが使えなくなっています」

小声で伝えた俺に、「本当か？」と老人も声をひそめる。

「たしかその呪文《じゅもん》は、敵地の中では使用不可能じゃったな？　完全に周囲は制圧されているということか」

「はい。ですがジャンプは使えますので、俺に関しては包囲を突破してから改めて唱えれば脱出は可能です。ただ」

「――じきにここまでクラシエルが攻めてくるか」

「タキリン城砦の城門を破られた時点で、警報が鳴るようにアイテムを設置しています」

「時間を稼ごう」

王都と繋がる転移ポータルの上には、身支度を整えたウォルド王子が既に立っていた。

新たな主君の帰還だ。臣下に見せるため、それなりの格好をしなくてはいけないのだろう。

軍服に似た深緑色の正装にマントを羽織り、腰には長剣を差している。そして人前では外すことのない、王族の血統アイテムである宝冠。

見惚《みと》れる暇もないのを思い出し、俺は操作台に駆け寄ってMP補充に参加する。

ウォルド王子の元に向かったオーリン将軍が、現在の状況を説明しているようだった。

少年の整った美貌がこわばる。

彼がエメラルドの瞳を閉じた。数瞬の間をおいて呟かれた一言がこちらまで聞こえる。

「――頼む」

「我らが剣にかけまして」

オーリン将軍と、彼の部下たちがウォルド王子の前で一列に並んだ。

腰に差した剣を抜き放ち、柄《つか》を握った手で自分の胸元を叩く。

「ウォルド陛下と我が祖国のために！」

「「ティシア万歳！　ウォルド陛下万歳！」」

背を向けて、鎧を鳴らしながら騎士たちが駆け出す。

ポータルのある部屋を出て、階段付近まで走り出た時、その音が響き始めた。

タキリン城砦の門に俺が仕掛けておいたアイテムの放つ、ブザーに似た警報音。

「敵の一兵たりとも地下に近づけるな！」

将軍の号令と共に、垂れ下がる布の中を通り、騎士たちが階段を駆け上っていく。

隣にいたボンドン少年が、引きつった顔で俺を見た。

「こ、この作業が終わったら、僕たちも向かった方がいいでしょうか？」

ボンドンや他の魔法使いたちの顔色が悪いのは、敵が攻め入ってきた緊張だけではなく、先ほどから服用し続けているMPポーションの酔いのせいだろう。

もう彼らも限界に近い。

ろくに休みもせず、クロエ平原から撤退してきたのだから。

「――いや、もう転移ポータルの中に移動してくれ」

「カリヤさん、でも」

「君たち魔法使い部隊はこれまで、充分すぎるほどに働いてくれた。だけどまだ王都側のポータルの封印もしてもらわなくちゃいけないから、余力を残していてほしい」

「……すみません」

うつむくボンドン少年の、頭の一つも撫でてやりたかった。

だが手は操作台から離せなかったので、俺は出来る限り優しい声音で少年に語り掛ける。

「かならず後から行くから、先に王都で待っていてくれ。さあ、早く！」

転移ステーションへと降りる階段から、戦闘音らしき響きが聞こえてくる。

鳴り響いていた警報はもう消えていた。うるさいので、仕掛けが破壊されたのかもしれない。

魔法使いたちが転移ポータルの魔法陣の上に乗ったのを確かめて、操作台を確認する。

あと二十分ほどMPを充填すれば、ポータルを稼働出来るはずだった。

ボンドンたちのがんばりで時間は短縮出来た。だがまだMPが足りない。

転移させる重量を減らせば……でも、もうポータルの上には、荷物は載せず人しかいない――。

手首に嵌めた腕輪の光玉を作動させ、込められていたMPを自身に補充する。

もしもの時のために残していた、これが最後の光玉だ。

あともう少し、もう少しだけオーリン将軍たちが時間を稼いでくれれば。

突然、爆風が階段周囲に垂れ下がっていた布地を吹き飛ばした。

お手本のように綺麗な〝ジャンプ〟だった。

出現予定の地点を魔法で掃除して、その後に跳ぶ。

まるで王都アルティシアと繋がる転移ポータルの場所を知っていたかのように、迷いのない足取りで男が歩き出した。

身に着けている鎧は『迅雷の鎧』だった。防具ランクはSS。

背に背負っている大剣もSSランクの迅雷シリーズ。

兜《かぶと》は被《かぶ》っていなかったので、男の短い髪が灰色だと分かった。

「――六年振りか。大きくなられましたな、ウォルド王子」

「サキタ」

六年前、ティシアを捨てた男は灰青色の瞳を細めてみせた。

星、落ちる

サキタという名の男は、身に着けた装備が示すようにSSランクの物理系戦闘職の転生者なのだろう。

敵国クラシエルの、二人いるというSSのうちの一人。ならクロエからの報告を考えると、もう一人のSSは魔法系戦闘職か。

体格は大きいが、かなり地味な顔立ちだ。美男美女揃いのこの世界で、その平凡な顔立ちはいっそ珍しい。

どうやら年齢は俺よりすこし上、おそらく三十歳前くらいか。

ゆっくりと近づいた男が、転移ポータルの前で足を止める。

その瞬間、
ぶわっと、空気が質量を持って襲い掛かってきた。

戦闘系プレイヤーの技スキルである『威圧』。

自分より低ランクの相手の行動を阻害し、複数の状態異常を発生させる。それを無詠唱で浴びせられた。

生産職で、精神値を上げていた俺は抵抗出来た。だがまともにスキル技をくらった者たちが、ポータル内で次々と崩れ落ちる。

その場に立っているのは俺と、干渉阻害アイテムである宝冠を被ったウォルド王子だけとなった。

一瞬だけサキタと呼ばれた転生者が俺の方を向き、そのまま王子に視線を戻す。

――多分、あの一瞥で『鑑定』された。

身に着けていた鑑定阻害アイテムはレベル差で効かなかった。鑑定したうえで、〝排除するほどではないステータス〟だと見破られた。

威圧はなんとか抵抗したが、影響がなかった訳じゃない。

ガチガチと、奥歯が鳴っている。膝が今にも崩れ落ちそうになり、操作台に縋りつくようにして立つ。

これがSSだ。

俺のランクはSだが、生産系なので戦闘力はB止まり。

ゲイリアスの山中で、同ランクのモンスターを搦《から》め手で狩っていた程度の腕しかない俺が、戦闘力で太刀《たち》打《う》ち出来る相手じゃない――。

震える手を操作台に押し付けて、MPを注ぎ続ける。

あいつはこちらに注意を払っていない。もうあとわずかでポータルは稼働出来る。

俺を無視したまま、サキタが王子に語り掛けた。

「……王子。あなたにもプレイヤーの教師がついていたはずだ。歴史の授業で学んだだろう？　プレイヤーの、特に女に危害が及んだら、冒険者ギルドは全力でその敵を叩き潰すと」

昔、中央国家群の中央にあったユリアナ帝国は、ギルドの敵となったので滅亡した。

サキタの語る言葉に、俺は目を見開いた。

たしかに《ゴールデン・ドーン》には、ユリアナ

という名の帝国があった。

クロエ平原の北、ちょうどクラシエル国がある場所もユリアナ帝国の版図だったはずだ。

あの巨大だった帝国の、版図全部がクラシエルではないだろう。過去にあった国が滅亡し、分割されていたのか——。

「あの国は転生したプレイヤーを道具として扱っていた。プレイヤーといっても、すべてが高ランクではない。NPCと変わらない、力のない者ばかりが狙《ねら》われた。男は隷属の首輪を嵌められて奴隷《どれい》に落とされ、子を産める女は更に悲惨な扱いを受けた。最初は話し合いで解決しようとしたが、どれだけ約束を交わしてもすべて破られた。この世界のNPCは屑《くず》ばかりだからな。だからギルドは、五十年の歳月をかけてユリアナを滅ぼした。根こそぎ浄化した。今、ユリアナの旧帝都は亡霊のさまよう呪《のろ》われた地だ。その歴史を、王族として学んだはずだな!?」

「——ええ」

反論することなく肯定した王子に、サキタは息を大きくついた。

激高しかけた自分を落ち着かせ、彼は続ける。

「……〝彼女〟はEランクだった。たまたまMMORPGでもしてみるかと登録だけ済ませ、そのまま忘れてしまっていたという、前世は高校在学時に死んだ娘だった。ティシアに転生出来たことを喜んで居《い》た。老師のいたこの国は、プレイヤーにとって居心地《ごこち》の良い国の一つだったからな。だが老師が死に、この国は本性を明らかにした。俺と一緒にラギオンに行きたいと言っていた彼女を、止めたのはおまえたちだったな?」

「……」

「Eランクを人員に加えることは出来ないと言ったおまえたちに従い、俺は婚約者をティシアに残してラギオンに向かった。その結果はどうだ? 彼女は死んだ。望まなかった腹の子と共に」

サキタの放つ『威圧』が大きくなる。

すべてに抵抗出来ている訳ではないのだろう。青ざめた顔色で、それでも王子は毅然《きぜん》とその場に立っていた。

「プレイヤーの女が悲惨な扱いを受けて死んだ。ギルドはすぐさま報復を行ったとも。黙っていたらまたユリアナのような暴挙が行われる。だがタリスのみだ。おまえたちが、ティシア王家自体が関わっていないという弁明を総本部は受け入れた。……反省をしているという言葉を、俺も一度は信じようと思った。亡き老師の愛した過去のティシアに免じて」

ナダルと国王の剣の師であったというSSランク転生者。

同じ転生者からもNPCからも、彼は慕われていたのだろう。だからサキタたちは、ティシアを捨てても一度は許すという選択肢を取ったということか。

だが、とサキタは続ける。

「王国碑から、王弟の家名を削ったそうだな。昨年あった王太子の結婚式に呼ばれて、ティシアに訪れたというプレイヤーから聞いたぞ。国の恥だからと、刻まれたままだった彼女の名と共に、初めからなかったことにしたそうだな」

「……罪人として、刻まれた家族の名を見続けるのがつらかったと、父上が判断された。二年前に逝去された祖母の願いでもあった」

「罪人として、彼女の名を更に辱めるか！　おまえたちは結局、反省などしていない！　なかったことにするだけだ！　ならば王弟だけじゃない。すべての名をティシアの王国碑から削ってやろう――」

「……おーい、サキタの旦那《だんな》。熱くなってますよー。復讐はもっと冷静に、です」

遠くから、誰かが声を張り上げた。

カラン、と金属音が響く。

カランカランと、だんだん音が近づいてくる。

不規則なその音は、何かの金属を床で蹴っているのだろう。

サキタと王子は、その音の主が近づくのを待つようだった。

横目で見つつ、俺は転移ポータルの操作台にＭＰを込め続ける。

もうすぐだ、ようやく稼働出来る――――よし！

アルティシアの転移ポータルの部屋に、〝それ〟をつま先で転がしながら若い男が姿を現した。

腰まで伸びた長いオレンジの髪を、まとめずにそのまま流している。

金属鎧は身に着けず、しゃれた布地の平服のままで、その服に、長い髪に、白い肌に赤い点が散っていた。

血まみれの曲刀を肩に担ぎ、返り血を浴びた二十歳前後の男は明るく笑う。

「あはは。コレ、被って遊ぼうかと思ってたんスけどね、登録した者以外はやっぱり無理でしたねー」

「き、さま……」

「この王冠、国王か王太子のどっちの物か、そこの王子サマ分かります？　やりすぎたせいで骨も残ってなかったんで、誰《だれ》のものか分からなくってェ――」

「貴様ァ――――！」

踏みつけられて動きを止めた宝冠に、ウォルド王子が絶叫した。

腰に佩《は》いていた剣を抜き放ち、男に向かって駆け出す。

魔法陣から少年が飛び出した瞬間、重量が軽くなってすぐさま稼働可能になったポータルが、金色の膜に包まれる。

「――殿下！」

にたり、とオレンジの髪の男が笑う。

曲刀を振り上げる気配に、俺はジャンプで男と少年の間に身を割り込ませた。

男に背を向け、ウォルド王子の突進を受け止めるように抱きしめて、庇う。

背中に斬撃を受けた瞬間、俺は〝死んだ〟。

「――……ヤ、カリヤ！」

「……っぱり蘇生アイテムを身に着けてるかァ。タダでアイテムが作れるんだものなぁ。そりゃあ使うだろ。クソうらやましいねエ、まったく。だが――」

失われたはずの意識が浮上していく。

吹き飛ばされた体は、部屋の壁にぶつかって止まったようだった。まだかすんだ視界の向こうに、無人になった転移ポータルが見える。

俺の腕の中にウォルド王子がいる。

服の下に仕込んでいた蘇生の腕輪が効果を発揮した。アイテムが作動し終わる一拍の間をおき、復活を果たした意識が覚醒《かくせい》しようとして、

「――もういっぺん死んどけ」

蹴り転がされ、真正面から心臓に剣を突き立てられて、もう一度俺は〝死んだ〟。

「……ら、また生き返っただろ。俺たちプレイヤーは、蘇生アイテムさえあれば一度の戦闘で二度は生き返れるんだ。アイテムは二つ重ねてつけておく」

じょーしきだよ王子サマ、と、どこか小馬鹿にした声がゆっくりと聞こえてきた。

「だけどさ、装備アイテムでの蘇生は三度目はないんだよ。『三度目の正直』ってことわざがあったからかなァ。ゲームと違ってこっちの世界は甘くないからさ、せっかくこうやって蘇生しても、腹から剣が生えたままで放置してれば今度こそ〝死ぬ〟」

カフ、と自分の口から血が吐き出される。

殺された直後、蘇生中は感じなかった痛みが一瞬のうちに全身を焼いた。

俺の頭を抱いて、ウォルド王子が床に座り込んでいる。

灼熱《しやくねつ》の痛みを感じる腹部に視線を向けると、曲刀が突《つ》き立っていた。

ああ……と痛みに朦朧《もうろう》とする頭で俺は考える。

根性の悪い男だ。弱い相手をいたぶるのが好きらしい。

心臓に剣を突き立てたままでいれば、多分俺は蘇

生した直後にそのまま死んでいたはずなのに、わざと腹に突き立て直して時間をかけている。

自作の蘇生アイテムの効果は、一人で試すには怖くてこれまで確かめていなかったんだが、ちゃんと発揮されたらしい。

ジャンプのクッションと同じで、ゲーム内では〝何か〟と体が重なっていても〝事故〟は起こらなかったんだが、こちらでは生き返った直後に重なっていたら取り込んでしまうのか……。

「――っ」

逃避しかけていた思考を、無理やり元に戻す。

死にかけている俺を間に挟んだまま、周囲の会話は進んでいる。

このまま放置していれば、出血多量で俺は死ぬ。

アイテムボックスから回復ポーションを取り出すか。

駄目だ、瓶のふたを閉めたままだ。すぐには使えない。

ふたを開けている間に気づかれるだろう。剣も腹から抜かないと。

「サキタの名は覚えているのに、俺の名は忘れているのかよ！　王子サマはたかがSランク程度じゃ記憶にも残さないってか！　いいご身分だなァ！」

「……イデ。六年前の王子は九歳だ。登城しなくては会えない相手だった。おまえはまだその資格を持っていなかったはずだ」

「チッ」

回復は出来ない。

それなら――先にウォルド王子を逃がすことを考える。

既にタキリン城砦の周囲は敵に包囲されている。

リターンホームでは逃げられない。

俺はこの傷だ。王子と一緒に連続ジャンプで逃げようとしてもすぐに追いつかれるだろう。

逃げきれないと知っているからこそ、こいつらは最後に王子を嬲っている。

「……」

震える手で、俺を抱く王子の腕に触れる。

座り込んで二人の転生者を見上げていた少年が、腕の中の俺へ視線を落とした。エメラルドの瞳の中に、血まみれで微笑《ほほえ》む男の姿が映っている。

「つ、か、まっ、て」

「――――!」

少年がしがみつき、そのまま俺はジャンプで転移した。

アルティシアの転移ポータルの、隣室への短い距離を跳ぶ。あの二人からは死角だ。すぐには分からない。

ジャンプの反動で、腹に突き刺さったままの剣が傷を広げた。

口から血を吐きながら、俺はクロエ平原に繋がっていたポータルを内部から操作する。

対のクロエ平原側のポータルは破壊されていたから、この簡易ポータルのコアは抜いていなかった。


カザリン王女の転移に使われただけで、充填されたMPはほぼ残っている。

頭の中で謎の声が響く。

転移先のポータルは失われている。このままではランダムで転移先を決定するが、構わないか、と。

>はい
いいえ

――柔らかな白い光が室内を満たしていた。

ここはどこになるのだろう?

はやくポーションをつかわないと。

いや、そのまえに、はらの……けんをぬかな……けれ……ば……。


白い光に溶け込むように、俺の意識は消えていった。

幕間

タキリン・ステーションの地下の小部屋で、サキタは血で汚れた簡易ポータルを見下ろしていた。

冒険者ギルドの総本部にいる同志からの情報で、ずっとギルドに登録していなかったというプレイヤーがティシア陣営に現れたことを聞いた。

非金属系生産職の男で、ランクはAだという。

ならばたいした脅威にはならないだろうと判断していた。

だが、すぐにも落とせると踏んでいたクロエ平原は、予想外に続いた抵抗に苦戦することになった。

交易に圧力をかけ、物資不足にしたはずのティシア軍の状況が改善していた。

タキリン・ステーションで生産され、前線に運ばれていたという消費アイテム。

おそらくその男が〝師弟システム〟を使い、多くのNPCに技術指導を行って生産体制を強化したのだろう。

そして、品質よりも量を優先した。

クロエ平原からタキリン・ステーションに向かっている途中で拾った物資。

開けたら壊れる仕掛けが施された箱以外は、低品質の光玉ばかりだった。

光玉ならMPを注入すればポーションの代用になる。大量に使用しても酔わないので、使い勝手もいい。ただ、MPを注入する〝器〟の原材料が高価で、作製に技術もいる。ランクAでないと作れないので、実質NPCに作製は不可能だ。

そして高密度でMPを注入しても、時間の経過とともに中身が消えていく。

普通は、高ランクプレイヤーが短期決戦時に用意するような一品だ。オーダーメイドで作る、性能も良いが値段も高価な芸術品のようなアイテム。

それをわざと劣化させた。

これまでのやり方に囚《とら》われない、現実的な判断だ。

元からMP保有量の少ないNPCなら、あっという間に中身が消えてしまうような低品質で充分だ。消える前に使い切ってしまえばいい。

採算は度外視し、男自身が器を作るのなら、ポーションではなく光玉の方がティシアには都合が良かったはずだ。

アルティシアのポータルの、操作台の脇《わき》に立っていた男がそうだったのだろう。

オリーブ色の肌に、長い黒髪の男の姿を思い出す。

平凡な容姿で生まれてしまった自分とは違い、独特な雰囲気を持つ美しい青年だった――。

「あ、サキタの旦那、ここにいたんですか」

「イデ」

返り血を落とし、ラフな衣服に着替えた〝仲間〟が小部屋に顔を出す。

ティシアを共に捨てたプレイヤーの一人。

六年前、ラギオン帝国へ同行せずティシアに残っていた彼は当時十六歳で、サキタは二十二歳だった。

あの頃《ころ》のサキタと同じ歳《とし》になったオレンジ色の髪の青年は、血だまりの残る魔法陣を見下ろして鼻を鳴らす。

「見事に逃げられましたよねェ……あいつらの転移した先は分かりました?」

「いや。このポータルの対はクロエ平原と繋がっている。あそこは破壊しているから、行先はランダムに変更されたはずだ」

「狙《ねら》ったんですかね？」

「多分な。土壇場で仕様を逆手に取ったんだろう。頭の回る男だ」

サキタの言葉に、イデは肩を竦めた。

「敵ながらあっぱれとでも言いたいんスか？　まあ、やりたい放題やってくれてますからねェ」

タキリン・ステーションのポータルはすべて使い物にならなくなっているし、街道やステーション内の工作でジャンプも封じられたし。

「あの障害物のせいで、仲間が四人引っかかったんですけど、もう使い物にならないかも。怖がってジャンプ自体を使えなくなってるんスよね。特に、まともに重なった奴《やつ》。あれはショックで〝壊れ〟ちゃいましたねー。ま、装備でかさ上げしたBランクだったし、仕方ないか」

「……」

「ねぇ、サキタの旦那。冒険者ギルドって、ジャンプの妨害行為は禁止していたはずでしたよね？」

「……あの男はギルドに加入していた訳ではない。知らなかったのだろう」

「でもギルドの秘匿事項ですよね。あーあ、NPCに方法を教えたんなら、NPCごと口封じしなきゃ。ギルドやプレイヤーナカマのために。ま、知ってるだろうティシアのNPCはもうほとんど殺しちゃったみたいですけどねェ」

思い出し、くすくすとイデが笑う。

楽しそうなオレンジの髪の青年に、サキタは冷めた目を向けた。

S《エス》ランクのイデは〝過激派〟と呼ばれる集団の、リーダー格として祭り上げられている男だ。

この世界はMMORPG《ゴールデン・ドーン》そのものと呼んでもいいほどあの世界と似通っているのだから、ゲームをプレイしていた時のように楽しみたいと公言し、実行している。

――ゲームの世界だというのなら、中央国家群ではなく辺境に向かえばいい。

この転生した世界をゲームの続きだと捉えているプレイヤーは他にもいる。彼らは今も未開の地である辺境へと向かい、強敵と戦い続けている。

イデ本人は狩りよりもゲーム中にあった戦争イベントに興味があるのだとうそぶいていたが、サキタから見ればリスクから逃げた小物にしか思えなかった。

狭い中央国家群の中で、ギルドが目こぼしをしてくれるだろう範囲で、自分たちの欲望のままに楽しもうとしているガキ共。

元は穏健だったティシアから隣国クラシエルへ移り、イデとその取り巻きたちは暴走を始めようとしている。

クラシエルのギルド支部には、過激派と呼ばれる彼らを止める者はいない。止めるべき立場のサキタが、彼らを煽《あお》っているのだから。

（どんな手段を使っても、〝彼女〟を死なせたティシアを滅ぼす）

サキタにとって、婚約者は女神だった。

他人に愛されることのないまま、前世は死んだ。友達も恋人もいなくて、ゲームのキャラクターのレベルばかりを上げていた——残念なことにSSS《トリプルエス》に到達する前に死んでしまったが。

今世でも、他の元プレイヤーのように容姿に恵まれることはなかった。

だが彼女は彼を選んだ。

彼にとって、前世も含めて初めて出来た恋人だった。

「で、サキタの旦那。多分あの生産職は死んだと思うんですけど、王子サマは無傷ですよね？　逃げちゃいましたが、どうします？」

「ティシアと所縁《ゆかり》のある場所に転移したのなら、自国に戻るだろう。その時は、王都まで攻め込めばいい。だが転移したのがそれ以外なら……王族なら、死ねば王国碑で分かる」

「あ、なら俺が探してもいいスよね？」

にたり、とイデが笑った。

他のプレイヤーと同様に彼も美しい容貌をしているはずだったが、その浮かべた笑みは醜悪だった。

「タキリン・ステーションを獲《と》れたんだから、これからNPCの兵士が地味ーにティシア国土を侵攻していくんですよね？　そういう面倒なのはサキタの旦那に任せますよ。俺、逃げちゃったあの王子サマを狩る方が楽しいかなー？」

「……タキリンのポータルは潰されている。今の状態で大軍の移動や維持は難しい。もう冬も終わって、じきにクロエ平原が水に沈む。本格的な侵攻は、次の冬を待ってからになるだろう。――それまでは好きにしろ」

「ありがとうっ、旦那。首を土産《みやげ》に持って帰りますんで、楽しみにしててくださいねー」

「出来るならな」

弾むような足取りで小部屋を出ていくイデに振り返りもせず、サキタはポータルに残る血だまりを見つめ続ける。

この戦争に大義はあるか？

そう彼は自分に問いかけ、薄く笑った。

大義はあるはずだ。ティシアは過ちを犯したと、冒険者ギルドが認定した。

プレイヤーにとって、冒険者ギルドは正しい。プレイヤーの敵はギルドの敵だ。

だが、どうしても自分が正しいことをしているとは思えない。

私怨《しえん》でクロエ平原を焼いた。

多くの命を刈り取って、自分の心からも血が流れている気がする。でも――後悔はしない。

「……彼女の復讐が出来るのなら、魂も悪魔に売ってやる」


初めて見た時、深い緑の中に複雑に絡まり合う多彩な色合いの瞳が印象深かったのを覚えている。

ゲイリアスの山中からほとんど出たことがないのだと笑いながら語った青年は、だが粗野でもなければ卑屈でもなかった。

前世から引き継いだらしい品位と礼節を備え、そして王族であるウォルドにおもねることもなく気安く接してきた。まるで遠縁の年長者か、他国から招《しょう》聘《へい》された賢者のように。

向けられる温かい眼差《まなざ》しや、さりげない心遣いに、肉親を戦地に送り出した心の痛みをどれだけ慰められてきただろう。

もしもの時は彼のジャンプで共に逃げることになっていた。

だからだろうか。いつしか彼は、ウォルドの心の中で命を預けられる存在になった。

美しい容姿をしていて、懐広くおおらかな性格で。女官や兵士からの頼み事も、嫌な顔をすることもなく引き受けていた。年上でしっかり者なのに、時々とても可愛らしく思える時もあった。

特別に親しくしていた訳ではない。

ウォルドも青年も、己の立場は心得ていた。

彼が側《そば》を通り過ぎると、不快にはならない草の香りがして。

顔を上げて視線があえば、彼は少しだけ緑の瞳を細めて、かすかに微笑《ほほえ》んで応《こた》えてくれた。

ずっと自分の背後に付き従ってくれていた青年。

その、緑の瞳が閉ざされていた。

草木ではなく血の匂《にお》いがする。彼の体から流れ出した、真《ま》っ赤《か》な血のむせかえるような匂い。

しがみついたウォルドが瞬《まばた》きをした時、そこはもうタキリン城砦の中ではなかった。

白く均一な光で満たされた小部屋。

光源のない照明は転生者の技術が使われた建築物の特徴で、その部屋の大きさから中央国家群に数多くある小規模な転移ポータルの一つだと判断する。

簡易ポータル経由で転移したのは、小さな建物の中央に設置された、小さな魔法陣。

ゆっくりと円形のポータルを侵食するように広がっていく赤い液体に、ウォルドは動かなくなった青年の体を抱き寄せる。

「カリヤ、目を開けて……」

白いリボンで結わえていたはずの長い髪は乱れて、血に濡れて頬《ほお》に張りついている。

彼の背に回していた手を上げると、自分の手のひらも、指の間を通る黒髪もすべてが赤く染まっていた。

青年の腹部を貫く曲刀を引き抜く。

更にあふれ出した血に、身に着けたマントの端を掴んで傷口に押し当てる。

「目を開けて、頼む、カリヤ――」

必死に呼びかけても閉じた緑の瞳は開かれず、やがてかすかに続いていた呼吸がゆっくりと途切れた。

少年の悲痛な叫びを、聞く者は誰《だれ》もいなかった。

再会

俺はゲームをプレイしていた。

もう三年も遊んでいるMMORPG《ゴールデン・ドーン》。

最近は辺境にホームを設定してプレイしていたんだが、たまには中央国家群に戻ってくるのもいいかもなと、重厚な雰囲気の建物の中を歩きながら思う。

だが、選んだサーバーが過疎っているのか、たまたまプレイしている時間帯が遅すぎるのか。

タキリン・ステーションの高層階を進む俺の周囲に、他プレイヤーは存在していなかった。

というか、NPCも存在していなかった。

人っ子一人いない廊下で、立ち止まった俺は腕を組む。

「……迷った？」

なんと、現在位置が分からない。

そうだよな。タキリン・ステーションの内部は、一階ホールと地下のステーションしか開放されていないはずなんだ。

城砦の上部なんて、攻略サイトにも情報は載っていない。

まあ、マップを広げないで歩いていた自分が悪いんだけどね。

反省しながら俺は左手を肩の位置まで上げる。

ウィンドウを広げたつもりだったのに、空間にパネルは出現しなかった。

「あれ、え？」

ぶんぶんと左手を振ってみる。だが半透明のパネルが出現する気配はない。

「――なにをやってるんだ、カリヤ」

聞き覚えのある声に不思議そうに尋ねられ、俺は背後を振り返る。

「ナダル！」

誰もいなかった廊下に、軍服をゆるく着崩した無精ヒゲのおっさんが立っていた。

眠そうな紫色の瞳が、あきれた風に細められる。

「……おまえ、道に迷ってただろ。迎えに来てやったぞ」

「それはスミマセン……」

「まあ、似たような廊下が続いているから、仕方ないかもな。こっちだ」

先導してくれる男の背中を追いかけながら、俺はにまりと笑った。

(――ナダルが探しに来てくれたんだ)

どうしよう、ものすごくうれしい。

誰もいなかったから、ちょっとだけ心細かったんだよ。彼も何かと忙しいはずなのに、わざわざ俺を探しに来てくれたんだ。

いつの間にか、白い肌だったはずのプレイヤーのアバターが、オリーブ色の肌に変化していた。

黒い髪を束ねている彼からもらった白いリボンが、はずむ足取りに揺れているのが分かる。

廊下はどこまでも続いていた。

でも不安は感じなかった。

だってナダルが迎えに来てくれたんだ。彼なら、俺を出口まで連れて行ってくれるはず。

「……なぁ、カリヤ」

横に並ぶと、おっさんが小さく笑ってみせた。

「俺はさ、老師や他の先人に導かれて歩いてきた。そして先人たちがしてきたように、おまえを導いている。……いや、導いたというか、一緒に歩いていてる感じだな。おまえには世話になりっぱなしだからな――……」

いえいえ！　俺の方がナダルに世話になってる気がしていますし！　ただの農民が、出世して士官扱いですし！

何故か言葉には出来なくて。

心の中でこぶしを握り締めつつ、めいっぱい叫ぶ。

あくまで心の中で。

俺の心の声が聞こえているのか、くすぐったそうにナダルが笑った。

「ありがとうな。――だから、今度はカリヤが後続の手を引いてやってくれ。導いてやってくれ。そうやって、世界は回っている」

どこまでも続く廊下は消えていた。

そこは白い世界だった。ただ、俺と彼の前に扉が一つだけ存在していた。

俺に微笑みかけたまま、ゆっくりとナダルが扉を開く。扉のすきまから、金と白の粒子が混じった明るい光が差し込んでくる。

明るい光の中で、無精ヒゲのおっさんが人懐こい笑みを向ける。

『――またな、カリヤ』

掛けられた言葉に、俺は頷いた。

……うん。

また会おう、ナダル。

俺がいつか、すべての務めを果たし終えた後に、また笑いながら再会しよう――。

ゆっくりと目を見開く。

俺は見慣れない小屋の中に横たわっていた。

時刻は昼を少し過ぎた頃《ころ》だろうか。板張りの壁の、板と板のすきまから陽《ひ》の光が小屋の中へと差し込んでいて、宙を舞う埃《ほこり》がきらきらと輝いている。

……なんだかすきまがかなり大きい気がする。窓は閉じているのに、小屋の中の明るさが半端ない。

物置として使っているのか、夏場しか使っていない小屋なのか。日常から人の使っている気配がしないな……。

ふと目じりを伝って落ちていく涙に気づき、俺は小さく微笑《わら》った。

――ナダルの夢を見た。

笑っていた。彼の笑みを見ることが出来て、とてもうれしい。

多分、あれは俺が勝手に見た夢だったのだろう。それでも笑ってくれたことがうれしかった。もう二度と会えないと思っていたのに、また会えたのがうれしかった。

……臨死体験というやつだったのかもしれない。何故そう思ってしまうのかというと、

今、俺の口の中が、血の味でやばいことになっている――。

むくりと上体を起こしてみる。

体はどこも痛むことなく、スムーズに動いた。

小屋の板張りの床に俺は寝かされていたようだ。体に掛けられていた布に見覚えがあった。

ウォルド王子が身に着けていたマントだ。

深緑色だったはずのマントは薄汚れ、おそらく俺の血で赤黒く染まって大変なことになっている。

俺の着ている服も大変なことになっていた。

前方に穴が二か所。左胸と腹部。おそらく背中も袈裟《けさ》がけに破れている。

そして見事な赤茶色。

蘇生の腕輪の場合、肉体は時が巻き戻された状態で復活する。

たとえ足を切り落とされても、怪我を負う前の状態で生き返る。

前世のゲームでは描写はそこまでだったんだが、多分この世界じゃ切られた足はそのまま残るホラー状態。おそらく頭部でもその状態。

血も、どれだけ流しても復活時に貧血にはなっていないが、一度流れた分はそのままなので周囲は血だらけだ。

ゲイリアスのカリヤ氏、致死に至る大出血を三回体験した模様。

「――ん？」

三回分？

蘇生の腕輪は二回分しか効果をセット出来ないはず……。

いやそれより、と俺はマントを床に残して立ち上がった。

口の中をゆすぎたい。

体も拭《ふ》きたい。髪も洗いたい。服も着替えたい。というか、マントの持ち主の王子どこだ!?　近くにいるよな!?

小屋を出ると、周囲は静寂に包まれていた。

そこは柑橘《かんきつ》系の果物の林だった。

オレンジっぽいしなびかけた実が幾つか、木々の枝の高い部分に残っている。

見渡すと地面のあちこちに、古びた土台が放置されていた。

その大きさに、なるほどここは蜂の蜜《みつ》を取るための林なのかと納得した。

季節はまだ冬。

春になってオレンジの木に花が咲けば、養蜂を生《なり》業《わい》とする者がやってきて、巣箱を土台に設置していくのだろう。

あの小屋は、彼らがシーズン期間中だけ寝泊まりする場所だから、しばらく使った形跡がなかったのか。

屋外で、両手の中に魔法で水を生み出し、口に含んだ。口の中をゆすいでは、汚れた水を地面に向かって吐き出して、それを何回か続ける。

ついでに顔も洗う。

……ヒゲが伸びていた。長さから推測すると、俺は五日以上眠っていたんじゃないかと思う。

髪の毛をまとめていたはずのリボンがなかった。

おそらく背を切られた時に失《な》くしたんだろう。

くくっていない髪は、血で固まってひどい状態だ。

戦争に参加した後は小綺麗《こぎれい》になっていたはずなんだが、蛮族再びの気配がする。

よし、風呂《ふろ》だ。

いやその前にウォルド王子だ。一緒にポータルで転移したはず……。

「……カリヤ?」

名前を呼ばれ、俺は声のした方に顔を向けた。

しなびたオレンジをいくつか腕の中に抱えた少年が、そこに立っていた。

金色の髪が陽の光に輝いている。

久しぶりに見る気がする王子は、薄汚れてはいたが記憶の中と同じく美少年だった。

というか、彼の服の汚れもやばい。深緑色の礼服が、誰《だれ》かの血のせいで見事にまだら模様になっている。

少年の抱えていたオレンジが、地に落ちて転がった。

「カリヤ!」

腕の中に飛び込んできた王子を、俺はもう一度しっかりと抱きとめた。


一家に一台猫型ロボット……ならぬ、転生者
少しの時間が過ぎ、ウォルド王子がしがみついていた俺から離れた。

目元が少し赤くなっている。

再会してすぐに俺の胸元に顔をうずめ、だが彼の泣き声は聞こえなかった。

ただ、体が小さく震え続けていた。

多分、王族の一員である彼は、激しい感情を表に出さないようにと学んできたのだと思う。

父と兄の二人を同時に亡くしたはずなのに、少年が大声を上げて嘆いている姿は見ていない。

クロエ平原の炎を見据えながら泣いていた。けれど、流した涙は静かに白い頬《ほお》を伝うだけだった。

例外は、イデとかいう名の転生者が、宝冠を蹴っていた姿を認めた時だけか……いやぁ、普通に誰でも切れる案件だわ、アレは。

前世とは違い、十五歳という年齢はこちらの世界

では成人と見なされている。

だが実年齢以上に彼は大人びているんだろう。王族としては正しいのかもしれないけど、転生者の俺から見ればまだ子供なんだから、もっと感情を出してもいいのにと勝手に思ってしまう。

「――カリヤが、無事に意識を取り戻してよかった」

少年の言葉に、ずっと眠っていただろう俺を心配していたのだと分かった。

そういえば、と俺は不思議に思っていたことを尋ねた。

「それなんですが、おそらく俺、三回死んだはずでは……何かされましたか、殿下」

「腹に突き刺さっていた剣を抜いて、これを飲ませたな」

自分のズボンのポケットから、少年は空になった小瓶を取り出した。

「カリヤから預かっていたエリクサーだ。勝手に使ってしまったことはすまないと思っている。後で代金は支払おう」

おお、たしかにSランクアピール時に渡していた。

蘇生さえ可能とする万能薬。

バタバタしていてすっかり忘れていたんだが、王子が持っていたのか。

「いや、俺のだというのでしたら、自分で使ったことになるんでお気になさらず。助かりました。蘇生ありがとうございます。だけど、意識を取り戻すのにかなり時間がかかったみたいですね……ひ、品質が低かったんですかね？」

「知らないのか？　カリヤ」

いぶかしげな表情を浮かべた美少年だったが、すぐに納得した様子で説明してくれる。

「エリクサーは転生者が使った場合、効果が遅れて出てしまうらしい。前世のゲームの仕様だった、〝発動時間《キャストタイム》〟の影響ではないかと言われている。私たちこの世界の者には瞬時に効果が現れるんだがな。転生者の場合は数日寝込む。他にもゲームとは違う設定とやらがあるらしいが……冒険者ギルドに所属した時に教えられるはずだ」

「あ、じゃあ俺は知らないですね」

うわぁ、怖い。

転生後の世界は、ゲームと同一ではないと分かっていたはずだけど。

他にも不都合があるかもしれないが、教えてくれると言っても今さらあのギルドには所属したくないなぁ。

ちなみに後で知ったが、普通のエリクサーではなく上級エリクサーなら転生者もキャストタイムなく蘇生出来るそうだ。

……SS《ダブルエス》ランクアイテムなので、自作は無理だ。

「そうだな。カリヤが眠りにつくのは分かっていたから、エリクサーを飲ませて転移ポータルを出た。いつ追手が来るのか分からなかったが、魔法陣からは離れておいた方がいいだろうと判断して。それから無人のこの小屋を発見して、誰にも見つからないよう潜伏していた」

「しばらく使っていなかった感じなので、周囲に人は住んでいないようですね……そういえば殿下。ポータルのあった建物の、扉上部に刻まれた番号は確認されましたか？」

「――――203」

少年が低く告げた数字に、一瞬言葉をなくした。

そうか、203か……正確には『02：03』か。

《ゴールデン・ドーン》の世界では、転移ポータルを収容している建物に番号が割り振られている。

ステーションはシングルかダブルナンバーの通し番号だ。タキリン・ステーションは『18』だった。

だが、世界各地に点在する、基本的に一か所としか転移が繋がらない小規模なポータルは、座標を表す数字を建物に刻んでいる。

中央国家群内の転移ポータルの場合は、『縦軸』と『横軸』の数字。

縦軸は、01から10まである内の『02』。

横軸は、01から15まである内の『03』。

「……辺境を示すアルファベットが含まれていなくて良かったですね」

「そう、だな」

「――よし！　いろいろと今後のことを考えなくちゃいけませんが、まず殿下！　食事をして、服とか風呂とか何とかしましょう！」

「あ、ああ」

頷いた王子が、地面に転がったオレンジを拾うために屈《かが》む。

「さっき集めてきたんだ。カリヤの食べる分も必要だな……」

枝の高い部分に残されて冬を越した、しなびた皮の、ところどころ黒く変色している時季外れの果物。

小屋を出た時に、むいた皮がまとめて捨てられているのに気づいていた。

一応人の手が入っているオレンジの林に他の食べ物はないだろうし、王子様が携帯食を持っている訳もない。

おそらく俺が眠っている間、少年は一人で残ったオレンジを集め、空腹を満たしていたのだろう。

「――ウォルド殿下。どうぞこの籠《かご》の中にオレンジを入れてください」

「え、籠？　持っていた？」

「アイテムボックスに入れていたやつです。転生者の本気、今からお見せしますよ――」

これまで、NPCの前では自重していたんだが、二人きりなんだしもうしなくてもいいだろ。

木で作ったテーブルをその場に出現させて、置いた籠にオレンジを盛る。テーブルと揃いの椅子も出して、驚いているウォルド王子を座らせた。

「ではまず、念のために状態異常回復のポーションを飲んでおきましょうか。ささ、どうぞ」

少年の目の前に、出現させたポーションの瓶を置いた。

しかし、ポーションで腹はふくれない。

果物しか食べてなかったのなら、急に固形物は止《や》めておいた方がいいかな。雑穀を煮た粥《かゆ》もアイテムボックスに突っ込んでいたっけ。

俺がゲイリアス時代に作ったものだから、王子の口に合えばいいんだが……。

ドン、とテーブルの上に小さな鍋を出現させる。

時間の止まるアイテムボックス万歳。鍋のふたを取ると、中の粥はまだ湯気を立てている。

木の椀《わん》を取り出し、粥を盛ると王子の前に置いた。匙《さじ》も渡しておく。食器類は、俺の使い回しですみません。ちなみにそれらも自作です。

「ゆーっくり、胃がビックリしないように少しずつ食べてくださいね。あ、お茶も出しておきます」

木製のマグカップに乾燥させた茶葉を入れ、水魔法で作り出したお湯を注ぐ。

一気にたくさん飲めるように、湯は心持ちぬるめに。水魔法Bランクは、温度調節可能な人間ポットです。

ポーションを飲み、むぐむぐと一生懸命に粥を食べ始めた王子が可愛《かわい》い。

っていうか、涙を浮かべながら食べている。

温かいご飯は美味《おい》しいよね。仕方ないね。

なんとか王子様が食べられる味だったみたいでよかったよ、本当に。

「お代わりはご自由に。無理をしない範囲で。食べている間に、行水の用意をしておきますから」

王子を残し、少し移動する。

「カ、カリヤ!?」

背中に掛けられたあせった声に、心細くさせてしまうかと移動を断念。

俺はその場で、巨大なたらいを出現させた。

「お湯を張っておくので、食べ終わったらこちらに来てください」

野外なので衝立《ついたて》も出す。林には俺たち二人以外に誰《だれ》もいないから、覗きはないだろうけど。

体を拭く布を掛けておいて、小さな桶の中にせっけんとシャンプーも用意。精油を混ぜた良い物にしておこう。

　着替えにはタキリン城砦でもらっていた絹の服一式。おそらくサイズは少し大きい。

　これもアイテムボックスから取り出した台の上に並べていると、背後に人の気配がした。

　振り返ると、呆然とした様子で王子がお風呂セットを眺めている。

　どうやら食事は済んだらしい。

「……これらはすべてカリヤの？」

「前世で課金をした甲斐がありました。最大容量のアイテムボックスです！　一人で山の中を放浪とかしていましたからね。どこでも不自由なく生活出来るだけの道具類を揃えていますよ」

　自分で言うのも何だが、某未来の猫型ロボット並みだよ。

　アイテムボックスの中から何でも出てきちゃうよ。ある意味チートだわ、コレ。物量チート。

戦闘面ではまったくチートじゃないけどな。

　ついこの前、ほぼハメ殺しの状態に三回ほど遭ったし。

「お風呂の介助は必要ですか？」

「……いや、大丈夫だ」

「じゃあ、ゆっくり浸《つ》かってください。これは給湯器なんですが、このつまみをひねると追加の湯がここから出てきますから。では、俺も食事をしてきます」

　どうぞどうぞと衝立の陰に王子を案内する。

　俺もポーションを飲みながら移動し、先ほどまで王子が食事していた椅子に座る。

　鍋の中に粥が残っているのを確認し、新しい食器を用意しながら思った。

　どうしよう、椅子が一脚しかない……追加でもう一脚作った方がいいな。

現状を把握しよう

風呂から上がったと告げる王子の声に、衝立の中に入る。

ほかほかの美少年がいたので、まだ濡れている髪を温風で乾かした。風魔法Bランクは、人間ドライヤーです。

汚れたブーツを履こうとしていたから、あわてて毛皮の内張をした靴を用意する。

そして風呂から上がったら、フルーツ牛乳だろ、やっぱ。

——あるよ、それも。

「カリヤは……なんでも持っているんだな」

「変なところで凝り性なんだと思います。はい、風邪を引いちゃいけないので、この毛皮でも被《かぶ》っていてください。俺も一風呂《ひとふろ》浴びさせてもらいます」

まだ何の加工もしていない、ふくふくの毛皮を取り出して王子の肩から被せる。

温かいだろう。遠慮なく包まれるといい。

ゲイリアスに棲む雪狼《ゆきおおかみ》（Cランク）の毛皮だ。後でコートに仕立ててあげようと思った俺は、非金属系生産職です。

たらいの横に、王子様の脱いだ服が置かれていたが、やはりというか温度調節機能の付いた業物だった。

俺に掛けられていたマントもそうだった。

おかげであんなすきまだらけの小屋でも、お互い夜の寒さをしのげたのだろう。

たらいの中で体を洗い始めると、衝立の向こうに椅子を持ってきたらしい王子が座ったのが分かった。

「……ウォルド殿下、お伺いしたいことが」

「なんだ？」

「宝冠を被っていないようですが、どうしました？」

ああ、と少年が息をついた。

「今は二の腕に嵌めている。頭に被っていたら目立つだろうと思って。装備アイテムだから、大きさが変化するんだ。寝る時などは、邪魔になるから腕に嵌めている」

「なるほど」

被っていないのが気になっていたんだよ。

失くしていなくて良かった。

「――カリヤ」

髪と体を洗い終わって着替えていると、さっきから無言でいた王子の声がした。

「私は……ティシアに帰れるだろうか？」

「帰しますよ」

乾かした髪を革紐《かわひも》でくくり、山を歩く普段着姿に戻った俺は、風呂道具一式を手早く乾かすとアイテムボックスの中に戻した。

衝立の向こうに出て、待っていた王子に笑いかける。

「俺が、必ず帰します。少し時間はかかるでしょうが、あなたは故郷に戻れます。だから安心して、大船にでも乗った気でいてください」

毛皮にくるまり、椅子の上で体を丸めていた少年は、現れた俺を見上げてこくりと頷く。

少し風が吹き始めていたが、野外はまだ明るく、衝立が風よけにもなっていた。

なので、俺はその場でアイテムボックスの中から手書きの地図を取り出す。

前世のゲームの記憶を書き写した、中央国家群の地図だ。

縦軸は01から10、横軸は01から15に区切られている。

「あ、テーブルの上で広げましょうか」

「あちらに移動するか？」

「いや、もう一つ別のテーブルを出します。ついでに椅子……は予備がないんで、箱を」

「……転生者は本当に万能だな」

いやいや、と首を振りつつ、アイテムボックスの中から取り出した、先ほどより丈の低いテーブルと木箱。

便利なアイテムボックスですがね、万能ではないんですよ。

仕込んでいない物は出てきませんから。今、俺の披露しているアイテムの数々は、事前に用意して仕舞っていたものばかりですから。

七年かけて、集めに集めまくったアイテムなんですから。

さて、と俺と王子は広げた地図を見た。

「今、我々がいるのはここです」

駒《こま》は持っていなかったので、生産に使う金属の粒を代用した。

『02：03』と、王子が確認をしていた転移ポータルの数字が示す位置に粒を置く。

上から『2』、左から『3』。

中央国家群の、ほぼ左端に近い現在地。

「ティシアがあるのは、『07：04』です」

違う粒を、地図の中央付近に描かれたゲイリアス山岳地帯の南西に置いた。

上から『7』、左から『4』。

少しだけ東に寄りつつ、南下するのが一番近い。

が、

「……敵国クラシエルがあるのは『05：04』。なので、直線で向かうことは不可能でしょう」

一直線に向かおうと思ったら、間に敵国があった。

さすがに突破は無理だ。またあの二人に会えば、戦闘ランクBの俺は今度も瞬殺される。

「もうお気づきかと思いますが、この現在地付近はクラシエルが所属する北部諸国連合内です。敵対地域になるので、俺のリターンホームは使えません。転移ポータルも、すべて冒険者ギルドが管理しています。使えばすぐにクラシエルに見つかるでしょう」

「……北部諸国連合の外に出さえすれば、リターンホームが使えるんだな？」

「ええ。ゲイリアス山中にある俺のホームに転移し、そこからジャンプでアルティシアへ戻れます」

ウォルド王子が息をついた。

毛皮の間から伸びてきた白い指先が、現在地の北を示す。

「『北方山脈』方面には行けない。ドワーフの治める北の地は、人族に対して閉ざされている。入国することさえ不可能だろう」

「西に向かいますか？『02：02』の神国を抜ければ、同盟国のラギオン帝国です」

「……神国は、異教徒の往来を認めていない。ティシア王族として、改宗は出来ない。してしまえば、ティシアは神国のものになる。西は駄目だ」

『神国』は、多神教の《ゴールデン・ドーン》内では珍しいガチガチの宗教国家だった。

住民すべてが信徒の国を、潜伏しつつ通り抜けるのは無理ゲーだ。

なので、西もダメ。

北、西、南の方角は封じられた。

なので向かえるのは、東の方角一択。

「……ここは、北部諸国連合の西の端にあたりますね。東へ――横軸の『08』まで移動すれば、リターンホームが使用可能になるでしょう」

俺の言ったとおりに地図の上に指先を滑らせ、王子が呟いた。

「……遠いな」

「ですが、行けない距離ではありません。

移動は徒歩になります。乗合馬車も使えるなら使いましょう。残念ですけれど、ジャンプは他者に見られる可能性のある場所では使いません。誰《だれ》かに見られて、それが冒険者ギルドに知られた場合、間違いなく転生者が追ってくる。そして彼らに、俺では勝てない」

「……」

「他の住人の中に紛れてなら、何年かかろうが俺は必ずあなたを連れてティシアに戻ります」

「……何年、かかると思う？」

「――移動に際し、転生者としての俺の能力を使わない状態で、……二年から三年見てください」

ウォルド王子が重い息をついた。

「……いや、過去には数十年さまよった流浪の王もいる。数年で戻れるというのなら、良い話だ。私の生死自体は、王国碑で確認することが出来る。死んでいないと姉上やルシアン兄上が分かってくださるのなら、その間は二人が国を守ってくれるだろう」

そうだった、と俺は王国碑の存在を思い出した。刻まれた王族の名は、死ねばその光を失う。ウォルド王子の名が光り輝いている限り、彼らは家族の無事だけは分かるのだ。

こうして、当面の目標は決定した。

東へ。

北部諸国連合地域を横断する形で抜け、リターンホームでゲイリアスに移動し、王都アルティシアへと帰る。

ゲームの移動手段は使えない、長い旅になりそうだった。


王子様の貞操を守るだけの簡単なお仕事です

太陽が西に傾き始め、風が一気に冷たさを増した。

これ以上野外で過ごすのは無理だろうと判断して、小屋の中に入ることにする。

その前に、まず小屋のすべての窓を開き、風魔法で換気&掃除を強行した。

本当に魔法って便利。

ただし、便利だが自分の家をこの方法で掃除をすることはない。小物や家具とかも全部飛んでいくんだよな……何も置いていない家屋だから出来る手段だ。

俺の体に掛かっていたマントや先ほど脱いだ服などの王子の装備一式は、この際だからアイテムボックスで預かることにした。

タキリン城砦で自分の剣を手放してしまったらしく、空の鞘《さや》とベルトも預かっておく。

腹に突き刺したまま持ってきてしまった、敵の転生者の曲刀も小屋の中に置いてあった。

これもアイテムボックスへ。

別に呪《のろ》われた武器って訳でもないし、なによりSランクですよ、奥さん。

『花散里《ハナチルサト》』のように銘がついている名剣ではないが、失くしてしまって敵は悔しかろう。

ほとぼりが冷めたら売り飛ばそう。俺には使いこなせないし。

小屋の四隅にアイテムを置いて守護結界を張っておけば、モンスターの襲撃も防げるし、すきま風もしのげる。

おそらくだが、果樹園全体に結界めいた魔法が張られているようなので、こちらは風よけがメインだ。

綺麗にした小屋の板張りの床に、アイテムボックスから出した毛皮を重ねて敷いた。

その上に羽毛布団を取り出す。

愛用の布団です。ちょっとくたっとしているが、温かさはお墨付きだ。ああ、布団ももう一組作らないといけないな。

板張りの床より、作業用スペースであるらしい土間の方が大きかったので、テーブルはそこに置くことにした。

調理に火を使って、立ちのぼる煙で居場所を気づかれるのは避けたかったから、夕食もアイテムボックスから取り出す。

野菜が溶けるほどに煮込まれたシチューに、タキリン城砦の厨房《ちゅうぼう》で分けてもらっていた白パン。

それと、ワインをお湯で薄めたやつを。

この世界の十五歳は成人だから、お酒も飲めます。体を温めてほしいっていうのが理由だけどな。

ランプを取り出して小屋の梁《はり》に吊るし、食事を始める頃には日はすっかり暮れていた。

今日は夕食を摂り終えたら、そのまま寝ることになるだろう。

——と思っていたら、何やら王子から俺に話があるようだった。

「カリヤに、今後について話しておきたいことと、頼みがある」

「何でしょう？」

椅子に座ったまま居住まいを正す少年に、首を傾《かし》げる。

「……まず、この世界の住人のみが使える『血統アイテム』と、『血統』について説明しておこう。ティシア王家に伝わる『白の天蓋』、各王家の宝冠、コートレイ家の『花散里』。これらはすべて血統アイテムと呼ばれている。持ち主と認識され、登録された一族にしか扱えないレアアイテムだ。カリヤたち転生者は持ち主にはなれない。――実は、正しくはそうではない。転生者も条件さえ満たせば扱える」

真顔になった俺に、ウォルド王子はかすかに笑ってみせた。

「〝『血統アイテム』は、その主と定めた血統に属する者のみが扱える〟。この場合の血統は、男系のみとされる。何故か？　王族の女が他国に嫁いだ場合、彼女は嫁ぎ先の血統アイテムを扱えるようになるが、出身国の血統アイテムを扱う資格をなくす。これは彼女の、体内に有している血統に関する情報が、上書きされてしまうからだ」

……うん？

難しく少年は話しているようだったが、なんとなく俺はその理由が分かった気がした。

前世、伊達にインドア派としてゲームやライトノベルにはまっていた訳ではない。多分、コレはライトノベル万歳のお約束だ。

「……女性が嫁ぎ先でエッチをした結果、相手の――旦那さんの血統に組み込まれるんですね？」

「そうだ」

「最後までエッチをしないと駄目なんですね？」

「ああ。初夜の床上げの儀などで、婚姻完了を確認するのはそのためになる」

「王族同士の場合のみですか？」

「いや。血統に属する〝男〟のみが鍵となる。愛妾も行きずりの娼婦も、性交を行えば資格を有した状態になるが、実際に血統アイテムを行使出来るのは、その者が一族の一員として登録された場合のみだ。登録は、王家の場合は『王国碑』に名を刻む行為になる」

ここで王子は口調を変えた。

「転生者の〝男〟の場合、王家の血統アイテムに認められても、子供が作れない。子供が作れないと血統の継続性がないから、王族として迎え入れられても、王にはなれない。転生者の〝女〟の場合は、王族の男と性交を行えば資格を得て妻として登録出来る。だが他の男と関係を持った場合、行使する資格をなくす」

転生者の男は、エッチしても不妊なので、永続性のある国の国王として認められないそうです。

女はエッチして奥さんになったら、その王家の一員になります。だけど浮気をしたら駄目なのか。

なるほど、〝上書き〟と言っていたが、その通りなんだろうな。

……バレる前に旦那とこっそり寝直したら大丈夫じゃないだろうか……あ、いや、資格をなくすんだから、もう一度王国碑などに登録しなおさないと駄目なのかもしれない。

つまり、浮気は（王国碑をチェックしたら）百パーセントバレる。

「だいたい仕組みは理解出来ただろうか？　――王族の女が婿を取る場合、そのまま性交を行えば、女は相手の男に上書きされて血統の資格をなくす。だから……どうすると思う？」

王子が尋ねてきた。

普通なら養子縁組だよな。いや、それだけじゃ無理なのか？

〝籍を入れる〟のではなく、〝エッチで上書きする〟ことによって資格の有無は変化する。つまり――。

「ああ。婿になる男は、妻の親族の男を先に一度受け入れる。親族の男に抱かれて資格を得てから、妻となる女を抱く」

あ、

アッ――――！

……しまった。思考が完璧《かんぺき》に前世に戻っていた。

恐怖の仕組みを知ってしまった俺に、美少年は更に追い打ちをかけてきた。

「カリヤ。私は美しいと思わないか？　驕っている訳ではなく、客観的に見て、だ。私にとっては見慣れてしまったものだが、この美貌は男女問わず欲望の対象になると思う」

「……いえ、俺はまったく」

「カリヤはな。あなたは性欲が薄い方だろう？　タキリン城砦でも、男女ともに誰《だれ》の誘いも受け入れていなかったし、誰も誘っていなかった」

はい、多分薄いと思います。

下手《へた》すると枯れているかも。前世とトータルで年齢を考えたら、もうそれなりの歳《とし》だし……精神年齢は残念ながら老成していないがな。

「これまで、私には王子という身分があった。その身分は、意に沿わない性交を拒否出来たし、それ以前に対象とされなかったと思う。それに王族の、女もだが男も無理やり犯された場合、加害者本人だけではなく、その一族すべてが死罪となる。犯された王族が、血統の資格をなくしてしまうからだ」

「――男も？」

「ああ。女だけではなく、男も〝上書き〟される。受け入れる側で性交を行えば、有していた血統の資格がなくなる」

当人の前で非常に申し訳なく思ったが、俺は思わず頭を抱えた。

この、美少女と見間違える絶世の美貌を誇る美少年が、レイプされないという保証はないというか、多分放置していれば間違いなくレイプされる。

山賊でも、ごろつきでも、不良貴族でも。悪い相手が見たらその場で押し倒すだろう。

性別なんて問題じゃない。穴があるなら突っ込むだけだ。

山の蛮族として辺境にいた俺は無縁だったが、力のない者が力のある者に蹂躙されるのは、悲しいことにこの世界ではよくある現実だった。

以前、山賊に攫われていたのを助けた女性たちのように。

「……だから、申し訳ないが、カリヤには私をそういった意味でも守ってもらいたい。今頃《いまごろ》アルティシアでは、王国碑を誰にも確認出来ないよう、その周囲を封鎖しているはずだ。私が死ねば、刻まれた名前は光をなくす。そして犯された場合は、金色に輝いていた名前がただの白い光に変化する。血統の資格を失ったことが明らかになってしまう」

「……王位継承権を失ってしまうのですか?」

「そのままではな。もう一度〝上書き〟をすれば、資格は復活するはずだ。私を抱いた相手の嫁扱いになるかもしれないが、まあその辺はうやむやに出来るだろう。これまでどの血統の一族でもうやむやにしてきたことだし……私自身は、これ以上現王家を続けていくつもりはないのだが」

小さな呟きを、俺は聞かなかったことにした。

ティシアに戻ってからのことはまだ考えなくていい。今は、いかにして無事に戻れるかを考えた方がいい。

もちろん、俺は責任をもって王子を国に帰すつもりだ。だが、なんだか一気に難易度が高くなった気がするのは否定しない。

分かりました、と俺は王子に頷いた。

レイプ、絶対ダメ。

美少年の貞操は、がんばって守ってみせましょう。

「……そういえば、ティシア王族は直系以外ほとんどいらっしゃらないと聞きましたが……その、万が一の場合はお相手の血が薄くても大丈夫なんでしょうか?」

「ルシアン兄上がいらっしゃる。兄上自身に魔力はないから白の天蓋は使えないが、血統は保っておられるからな。同性愛者でもあるし、抱いていただくにはちょうど良い相手だと思う」

「き、兄弟では!?」

「同母ではなく、異母だからな。同母の子同士はタブーにあたるが、異母なら兄妹《きょうだい》間でも婚姻が出来るぞ」

……異世界すげーぜ。

二十五年生きてきて、間違いなくトップクラスのカルチャーショックだったわ……。

ヒゲふたたび

サクサクと、地面に落ちた枯葉を踏みしめながら歩く。

オレンジは常緑樹だ。枯葉は林の外から飛ばされてきている。

太陽が上ってから、眠っているウォルド王子を小屋に置いて周辺の探索に出た。

果樹園やその周辺に人の住む気配はないけれど、荷馬車が通れる横幅の道が消えることなく残っている。

この場所へやってくる者は、春にオレンジの花の蜜を、秋に生《な》った果実を集めているらしい。それらしきゴミを捨てた穴があったから、果実はこの地で加工しているのか。

きっと、生のまま運べる場所に消費地がないので、ジャムを現地生産している。

ということは、近くに大きな街は存在していない。現在地は北方山脈に近い、北よりのかなりの僻地だと推測出来る。

そんなオレンジの林を、風化しかけた石碑の結界が囲むように守っていた。

おそらくそれを設置した過去の領主だか誰かの屋敷であろう、朽ちた廃墟《はいきょ》も残っていた。

オレンジの林を抜けた先、森の中に『203』の数字が扉の上に刻まれた建物も確かめる。

《ゴールデン・ドーン》によくあった、一か所とだけ繋がっている小さな転移ポータルだ。

ゲイリアスでの狩猟で鍛えた狩人《かりうど》としての観察眼が、周囲の地面に残る足跡を見つける。

建物の中から出てきた、複数の足跡。

さっき見つけた廃墟まで向かった足跡は、内部を確認してポータルへと戻っていた。

廃墟ではなく、更に奥まで進んで隠れた王子に感謝したい。

あそこを潜伏先に選んでいたら、追手に見つかっていただろう。

「……末端のポータルじゃなく、中継するステーションを押さえてるんだろうな。さすがに、すべての末端には人は張りつけられないか」

ポータルにも、人がいる気配はなかった。

だがうかつに建物へは近づかない。

何かが仕掛けられているかもしれないし……本当は、中の操作台を調べたいんだけどねぇ。

『02：03』の地域に、末端ポータルはこの一か所だけが存在する訳じゃない。

いっぱいあるんだよなー、中央国家群のすべての区画に、いちいち名称をつけられないほどに。

有名処《どころ》は小さくても愛称があったりしたけどな。

おかげで大雑把にしか現在地が分からないが、これまでの推測を重ねたら、まあなんとかなるだろ。

「――よし、戻るか」

戻るのは一瞬だ。

オレンジの林の小屋は、前が開けて広場になっていたので、〝ジャンプ〟で一気に転移した。

「カリヤ！」

小屋の入り口で、起きたらしい王子が雪狼の毛皮で身をくるんで立っていた。

テーブルの上に出かけると書き置きを残してきたが、俺の帰りをそこで待っていたんだろう。

ほっと安堵《あんど》している様子に反省する。

昨夜、少年はうなされていた。

ずっと寝ていたせいか眠気を感じなかったので、先に彼を布団の中に入れた。

だが、温かな羽毛布団に潜り込むようにして眠りながら、それでも彼は時々目を覚ましていた。寝言で肉親の名や、俺の名を呼んでいる時もあった。

飛び起きて周囲を見回して、ランプの灯《あか》りの下に俺の姿を認めるとほぉっと長い息をついていた。

エリクサーの副作用で俺が眠りについている間、ずっと独りきりにしていたことが心苦しい。張りつめたような緊張がまだ彼には残っている。

少しでも彼の気分をほぐそうと、俺は明るい声でその名を呼ぶ。

「ウォルド殿下、おはようございます！　歯はもう磨かれました？　顔を洗う一式と一緒に、小屋の中に残していたんですけど。では、天気もいいし外で朝食を食べましょうか。もう春が近いから、それほど寒くなくなりましたねー」

オレンジの林の周囲に人はいなかった。

なので、これからは大っぴらに火を扱ってもかまわないだろう。

「これからの旅路は、俺たちだけならアイテムボックスの料理を取り出せますけど、街道脇の休憩所などで誰《だれ》かが側にいたら、一から食事の支度をすることになります。そういう時は、殿下は周りから火にくべる小枝の類を拾ってきてください。調理は俺がやりますから。こんな感じで作っていくことになります──」

地面が焼けて変色している部分に、アイテムボックスから取り出した煉瓦《れんが》で簡易のかまどを組み立てる。

休憩所ならもうかまどが設置されてるんだけどね、ここにはないから、こんな手順だと見せるため一からね。

薪《まき》をかまどにくべて（これもアイテムボックスか

ら出した）火をおこし、フライパンを（これも以下同文）火にかける。油を多めに注いで、取り出したジャガイモを（以下）ナイフで皮がついたまま薄く削《そ》ぎつつ投入していく。

ソーセージはお湯で茹《ゆ》でる派ではなく、油で焼く派だ。皮がはじけて脂がこぼれるが、揚げたじゃがいもに味が絡むのがいい。緑色の小ぶりなトマトも投入して、軽く火を通す。

すべてに火が通ったのを確認したら、フライ返しですくい上げて皿に移し、塩を振る。

空になったフライパンの油を手早く拭き、パンを割り入れて表面に焼き色をつけた。

これも先ほどのソーセージを盛った木皿に。屋内なら料理ごとに皿を分けるが、野外は洗い物を少なくしないと。

パンの上には、塊のチーズを火であぶって溶けた部分を、こそぐように落とす。

伸びーるチーズは、タキリン城砦でのお上品な食卓には上がらなかったものだ。

あちらのご飯は本当に美味《おい》しかった。だけど火傷《やけど》しそうなほど熱い、出来立ての食事は出てこなかったんだよな。

「――ま、こんな感じで作って、食べることになります。新鮮な野菜がもっと欲しいですが、旅の途中で持ち歩く者は少ないので、他人がいない時に適当に摂っていきましょう」

「……手際がいいな」

「作り慣れていますから。お茶も、そのままマグカップに茶葉を入れて飲みましょうか。ちなみに、今日の朝食はご馳走《ちそう》です。長旅の途中で食べる食事は、乾燥させた肉や野菜でスープを作り、麦を入れてお粥にしたものを一杯などになりますから」

作った朝食を、少年は美味しそうに食べてくれた。

食べ終わった皿は、彼も使える水魔法で汚れをすすぎ、拭いて綺麗にするところまで教えてみた。

おそらく初めてだろう片づけを、彼は真剣な表情で行う。

綺麗にした皿を持ってくる少年に、礼を言って受け取り、アイテムボックスの中に片づけた。

そのまま、もう一度椅子に座るように促すと、何かを感じ取ったらしい彼は無言で腰を下ろした。

「ウォルド殿下。明日にも、この小屋を出ようと考えています」

「……分かった。一日でも早くティシアに戻りたいからな。今から出ても私は構わないのだが」

「さすがに準備をしないと。──殿下の髪を、別の色に染めたいのですがよろしいでしょうか？」

提案に少年が頷いた。

「何色に染める？」

「俺と同じ色はいかがですか？　山の民が、兄弟で旅をしているという設定を考えています。年齢差は少しありますけれど、それほど不自然でもないかと。お互いの偽名も考えましょう。ありふれた名が良いと思いますが、とっさに反応出来るような身近な響きで」

「ウォル、と家族から呼ばれることがあったから、それなら間違いなく反応出来るが……『オル』でもいいか？」

〝ウォルド〟と〝オル〟。

名前の雰囲気ががらっと変わるから、それでいいかと俺は頷く。

「では、殿下のことはこれからオルとお呼びします」

「……ウォルでもいいぞ？　他人の前で改めて発音する時だけ、オルと呼べばいい。それから、口調も弟に対するものでかまわない。敬語はいいから、崩して話しかけてくれ」

「分かりまし──分かった」

いや、分かってねーけどな。

慣れねーよ、すぐには。王子様相手に敬語以外の言葉遣いって、そう簡単に切り替えることが出来るほど器用じゃないよ、俺も。

まあ、兄弟設定で兄が弟に敬語を使うことはないだろうからがんばるけど。

　これからは絶対に正体がバレちゃいけないんだし。

「えーっと、じゃあ……オルの兄としての、俺の偽名も考えようか」

　偽名か。

　とっさに反応出来るのって、前世の名前だろうか？

　いやでも、あれは日本人らしすぎて、聞いただけで転生者には一発でバレるだろう。

　……弟がオルだから、兄はカルとか？

「カリヤは、その時々で偽名を変えてはどうだろうか。そう自分から名乗ることもないだろう？　私は弟だから、兄に呼ばれるために名前が必要だが、弟は兄を名前で呼ばなくてもいいと思う。カリヤのことは、これから兄上と呼ぶ。それなら他の者が聞いたとしても、兄弟の会話として通じるんじゃないか？」

「……いや、兄上ではなく、兄さんか兄貴でお願いします」

　……殿下、さすがにそれはやんごとないご身分だと、一発でバレると思いますよ？

「兄さん、か。兄さん、兄さん……私には兄が二人いたが、なんだか不思議な感じだ」

　くすりと王子が笑う。

　ようやく浮かべてくれた笑みに、ちょっとだけほっとした。

「私は髪を染めるが、兄さんは変装するのか？」

「肌の色は、俺の方は日焼けで押し通しましょ——押し通そう。それと、せっかく生えてきているんだから、このままヒゲを伸ばして顔を隠そうかと……」

「え!?」

　愕然とした顔で、王子が俺を見た。

　美少年にまじまじと見つめられたら、照れるじゃないか……というか、反応悪い？

　え？　ヒゲを生やすのは駄目？

　むさくるしい蛮族になれるんだけど。

「……いや、必要なことだ。うん、仕方がない。カリヤは顔を隠さないと……隠さないと……」

そこにはものすごく苦しそうに、自分を納得させようとしている少年がいた。

不必要になったら剃るということを明言したら、王子様はあからさまにほっとしていた。

蛮族がお嫌いなのか、ヒゲの良さが分からないのか。

ヒゲはいいぞ。

冬場には凍結から唇を守ってくれるんだ……今から季節は暖かくなるんだけどな。

東へ

一日準備をして、旅の支度が整った。

椅子から服から、生産プレイヤーの端くれとして本気で作りました。

服装の基本は革の上下に、羽織ってからベルトで留めた毛皮の上着。

モンスターの毛皮は保温と、刃《やいば》や牙《きば》の攻撃を防ぐ効果も兼ね備えている。獣の頭部をちょこんと肩に乗せるお洒落もあるそうだが、蛮族一直線なので俺はやらない。

ベルトの内側にはナイフを挟み込み、小さなケースも装着する。

頑丈なケースにはポーション各種が入っているのだが、保険としてエリクサーも一本入れておいた。

革服の下には布の下着を着て、手首には腕輪をつけている。

蘇生二回、魔法耐性と状態異常耐性も上げる防具だ。王子の場合は宝冠の効果もプラスされる。その腕輪と袖の上から、幅の広い革紐を肘《ひじ》の位置まで巻き付けて固定する。

足元には底を厚くした革のブーツ。これも膝の下からブーツがずれたりしないように革紐でぐるぐる巻きにして固定する。

基本、旅の最中はこの紐を解《ほど》かない。顔を洗う時も手に巻いた革紐はそのままだし、野外で寝る時もブーツは履いたままだ。

着替えは……しないよ……パンツもはいたっきりだよ……。

人の住む集落の外は、いつモンスターに襲われるか分からないから、自衛のために旅人は武装したまま行動する。

宿屋に泊まった時など、安全地帯で洗たくをすることになる。だからかさばる着替えを持たない者の場合、洗った服を干すから全裸で寝るのだとか。

俺は元日本人なので、そこまでひどい衛生環境は耐えられない。だから虫やモンスターよけの香も使うし、着替えもマメにするのだがまあそれはさておき。

毛皮の上着の上から、防水加工を施したフード付きのマントを身に着けた。

背に荷物を詰めて毛布をくくりつけたリュックを背負う。これで仕度終了だ。

俺の目前に、同じ格好をした黒髪の美少年がいる。長い髪は三つ編みにさせてもらった。細い革紐を髪と一緒に編み込んだ、さりげなくお揃いの髪型だ。

「……とまあ、これが山の民と呼ばれる狩人《かりうど》が出歩く格好になる。しばらくはこの服装で北方山脈沿いに東に進む」

砕けた口調で話す俺の言葉に、こくりとウォルド王子が頷いた。

「おそらく、東に向かっているとそのうち大きな川があるはずだ。そこでいったん、川沿いに南に進んで街を探そう。足りないものを買い足したいし」

「――手紙も出したい。兄上と姉上に、私の無事を詳しく知らせておかねば」

生死だけは王国碑で確認出来るのだが、ウォルド王子は自分が置かれた現状を詳しく伝えたいらしかった。

リスクはあるが、次期王のいなくなったティシアが現在置かれているだろう混乱を考えると、むげには出来ない。

王家には秘密裏に通信する手段というのがあるらしく、それを利用して手紙を送ることになった。

手紙は、前世のゲームなら冒険者ギルドを通して簡単にやりとり出来たんだけどねぇ……今それが出来るとしても、ギルド経由は駄目だ。

「さて、それじゃあ出発しようか。あ、荷物はもう一度降ろしてくれ。どんな重さになるか、試しに背負わせてみただけだから」

「兄さん、私も自分の分は受け持つが」

「道ではない場所を歩くのは、最初のうちは大変だぞ？　人の目がない限り、俺も荷物はアイテムボックスに放り込む。水筒だけ、リュックからベルトに移しておこうか。おそらく、しばらく野宿が続く。街に着くまでに、野外での過ごし方に慣れておこう」

街から数泊程度で着く場所なら、誰かがオレンジの林に住んでいただろう。

蜂蜜《はちみつ》を取るための巡回コースに組み込まれているだけなら、人里はかなり遠い。

「林を抜けて平地に出たら、ジャンプも使って移動する」

頷く王子に笑いかけ、方位磁石で東の方角を確かめると歩き始めた。

土に埋もれかけた古い石碑を越えて、オレンジの林の外に出る。

森はすぐに途切れ、目の前にはまだ新芽の芽吹く気配がない荒野が現れた。

頭上には、青い空が三百六十度広がっている。

地に広がるのは、大小の岩が転がる緩やかな起伏の丘陵地帯。

低い部分は水はけが悪いようだ。低木が生えているが、地面がぬかるんでいるのが見て取れる。底なし沼があるかもしれないから、高さのある部分を選んで進んでいくのがいいだろう。

荒野の向こう、北の方角にあたる左手には延々と続く巨大な山脈が横たわっているのが遠くに見えた。北方山脈だ。

山頂に厚く積もった雪が、陽《ひ》の光を反射してぎらぎらと白く輝いている。

あの山腹の、地下部分にドワーフの国が存在している。

木々の間を通る道に沿って歩いてきたが、森を出た時点で曲がって北へと続いていた。なので道から外れ、目前の荒野へと足を踏み入れる。

「……北部諸国連合の境にたどりつく前に、ウォルには〝ジャンプ〟をマスターしてもらいたい」

枯れた草を踏みしめて歩きながら、俺は隣の少年に語り掛ける。

そういや名前は、二人きりの時には王子の希望でウォルと呼ぶことになった。昔からの愛称の方が慣れているからだそうだ。

「数か月ほどは、クラシエルの追っ手を気にしなくていいと思う。タキリン城砦から、ポータルのランダム機能を使って俺たちは転移した。ウォルの行方《ゆくえ》は、ここでいったん分からなくなった」

視線を足元に落としたまま、王子が無言で頷く。

枯れた草の下に石が転がっているからな。慣れない者は歩きづらいだろうと思う。

「――いずれ、ウォルが北部諸国連合の中にいることはクラシエルにバレる。友好国内のポータルに跳んでいたら、すぐティシアに戻っているはずだからな。辺境のポータルに転移していた場合は、死んだ時に王国碑の名が消えたと公表されるだろうが、それもない」

そう、辺境はヤバい。

中央国家群を取り囲むように存在するそのエリアは、強さの基準が違う。前世のゲーム内でもサーバー自体が違っていた。

辺境開放は、Aランク取得が条件だ。

現在Cランクの王子が、そのまま辺境へ放り込まれたら――。

　ＭＰが少ないから辺境仕様の転移ポータルは稼働出来ず、ポータルの建物から外に出ても、Ｓランクモンスターに即座に殺されるだけだろう。

「――クラシエルが様子をうかがうのが、おそらく数か月。そしてウォルが自勢力下にいると判断したら、彼らは連合諸国の国境を封鎖したり待ち伏せたりして、第三国への脱出を阻止しようと動く」

「……西にも、北にも南にも抜けられない。東に向かうしかないからな」

「そう。大っぴらに指名手配もされるかもしれない。だから正体を隠してぎりぎりまで東の国境に近づき、連続ジャンプで一気に突破して、敵地を脱出する」

　俺がウォルを連れて跳び続けるのは、負担が大きすぎる。

　彼にも自力で跳んでもらわないと。

「魔法ランクＢを極めたら、住人もランクアップアイテムを使用してジャンプが行使出来るようになる。ランクアップアイテムは用意する。限界を突破して、ジャンプをマスターしよう」

　少しの間をおいて、頷いた少年が低く呟いた。

「――分かった。私も魔法ランクを上げたい。……奴らも……いつか同じ目に遭わあっ!?」

「足元すべるぞー」

　よろめいた少年を、手を伸ばして支え、そのまま抱き寄せる。

「地面が乾いている場所まで跳ぼうか。三、二、一」

　俺は目の前に見えていた丘の上までジャンプした。

　少し高いところから見回しても、荒れ地はどこまでも広がっている。

　しがみついていた王子が顔を上げ、周囲の雄大な光景を見回して感嘆の息をもらした。

「ま、最初のうちはそんなに警戒することもない。気楽にいこう。先は長い」

「……ああ……」

　――ダークサイドに落ちかかっていただろう、

少年。

暗い目をして呟いていた王子の背中を、隣に並んで気軽に叩きながら目を伏せる。

タキリン城砦での最後の数日間。俺もどこかおかしくなっていた自覚があるから分かる。

でもナダルは、俺にとって肉親という訳ではなかった。

それに夢を見た。

あの優しい笑みを見ることが出来たから、俺は踏みとどまって戻って来れた。

肉親の死の痛みがすぐに消えるとは思わない。その痛みはゆっくりと、時間をかけて昇華させるしかない。

クロエ平原の敗戦で感じた絶望も、忘れられるとは思わない。

祖国ではまだ戦いが続いている。

あれだけ負けて、はるか遠い地に逃げて、すべてをなくして。

……苦しくて、苦しくてたまらないだろう。

だけど君は一人きりじゃない。

俺がいる。

ゲームによく似たこの異世界で、ゲームの能力を使うことが出来る俺が、君の力になろう――。

帰ってきたブートキャンプ

オレンジの林を出て、東を目指して移動を始めた出発初日。昼を過ぎた辺りでウォルド王子は歩けなくなった。

ま、当然でしょ。

この荒野、コンディションが悪いなんてものじゃないからな。

どこまでも続くアップダウンに、地面のぬかるみ。あちこちに転がる大小の岩に、足を取られる枯草。

そのうえ思い出したようにモンスターも襲ってく

る。ランクDの雑魚《ざこ》だったので、俺だけで問題なく対処していたが。

その日は早めに野宿の支度にとりかかった。

ふらふらになりながらも、王子は俺が指示する前に、教えていた通りに小枝や枯草を拾い集めていた。

歩いている時も、一度注意をすれば同じ失敗を二度繰り返すことはなかった。カザリン王女時の仕事ぶりを知っているので、賢い上に真面目《まじめ》なんだろうなと改めて思ってしまう。

「なんだかこう、がんばって少しでも役に立とうとしているのが健気《けなげ》だよな……」

奉仕を当たり前に思われて、ふんぞり返られるより何倍もいい。

夕食を食べて、倒れるように眠ってしまった少年を毛布でくるんだ。

泥で汚れたブーツをそっと脱がせ、焚火《たきび》の前であぐらをかいて履き心地を調整する。

ブーツは防具扱いだからサイズは自動で合うんだけど、靴底の溝はもうちょっと深く刻んでおくか。

次の日の朝、荒れ地を歩きやすくするための杖を渡したら、ちょっとショックを受けた顔をしていた。

持っているなら何故《なぜ》初日から渡さなかったんだと思われたかもしれない。

うん、わざと渡していなかった。

何故転んだのか。どうして転んだのか。

実際に転んでみないと、その理由が分からないだろう。

そう説明する俺の言葉を、少年はどこか遠い目で彼方を見つめながら聞いていた。多分、俺の意図に気づいたんだろう。

うん、やっぱり転ぶんだ。杖を使いながら歩いても。

体で覚えろ。痛みで理解しろ。

新人向け基礎訓練《ブートキャンプ》再びだ。楽はさせない。限界ギリギリまで体を酷使して、用意した飯を食らったら明日に備えて眠れ。

ともかく、深窓の令息である王子は体を作らなきゃ駄目だ。

ジャンプはMPを消費するだけじゃなく、使いこなすには肉体にも負担をかける。

次の日に疲れを持ち越さないように、夕食には回復ポーションをぶち込んでいるぞ。

お代わりも豊富にあるというか、アイテムボックス内の食料は優に二年分くらいため込んでいるから、遠慮なく好きなだけ食え。

そして王子が寝てしまえば、俺の夜更かしタイムの始まりです。

互いのベルトに、ジャンプ時につかまるための持ち手を追加した。腰にかかる負荷を軽減するため、伸ばしたベルトを肩から十字に交差させて、上半身で固定する。

ポーチも膨らみが邪魔になりそうだったので、ベルトの革の合わせ部分にポーションを仕込めるように改造した。


——疲れきって気絶するように眠りについたはずなのに、王子は夢を見てはうなされている。

なので彼の近くに座り、兆候が現れたら気にかけるようにした。

頭を撫でれば、そのまま眠りを深くすることもある。

飛び起きた時に、俺がそばにいると安心するようだった……今の彼の、たった一人の味方だからな、俺は。

手を求められて、差し出す時もある。

差し出した手を握りしめ、「温かい」と呟いていたので、次の日から彼の毛布を少し厚めのものに変更した。

夜更かしをしている俺だが、ちゃんと寝ています。

野営地の周囲に設置する守護結界なんだが、一回の効果が六時間しか持たないんだよ。朝まで持たせようと思ったら、真夜中になってから発動させないといけないので、その後でぐっすりと眠っている。

朝になって目を覚ました時に、王子が寄り添うように体の一部をくっつけて寝ていることが多くなった。

安心するんだろうなぁ……誰かがそばにいたら。

転んで、転んで、作りたての新品だった王子の服が、いい感じに小汚くなってきた。

あ、パンツはそこそこはき替えてます。風呂にも入ってます。あいかわらず野外での、開放感あふれる行水だけどな。

実はゲイリアスのカリヤ氏、戦争前は遠出してもリターンホームやジャンプで毎日家に戻っていたので、テントを持っていなかったりした。

いやー、雨の日に野外で野宿は体に堪《こた》えるわ。

街にたどりついたら、テントの材料を手に入れよう。レシピは持っている。

――歩くのに慣れたら、王子の背に荷物を背負わせるようになった。

会話を交わせるだけの余裕も出てきたようだ。

必死に足元だけを見ていた王子が、大空を南から北に向かっている翼竜《ワイバーン》の群れを、目を輝かせながら見上げている。

空の高い場所を、大きく翼を広げて飛んでいる、大小数十匹の大群だ。

「カリヤ、あの群れは北方山脈に向かっているんだろう?」

「そうだよ。中央国家群のちょうど中心、ティシア国から見るとゲイリアス山岳地帯の向こうに、《ゴールデン・ドーン》最大の湖、『中海』がある。その畔《ほとり》で冬を越して、春になったから北へ戻っているんだ」

ティシアは南の国だから、これまで翼竜を見たことがなかったのだろう。

少年の浮かべる表情は、年相応の無邪気なものだ。

翼竜は大移動の途中はエサを食べない。だからこうやって呑気《のんき》に、飛んでいる姿を眺められる。

「あれを捕まえて、飼いならすことが出来ればいいのに。そうすれば背に乗って、ティシアまですぐに帰ることが出来そうだ」

「成竜まで育ってしまえば、もう人に慣れないかな。卵から孵《かえ》して育てれば、乗れるようになるけれど」

「〝ドラゴンライダー〟か。昔話にはよく出てくるが、今はすたれてしまったと聞く。卵を入手するのが大変なんだろうか――」

夢見がちな少年になっている彼にふふっと笑いかける。

顔を赤くした王子が、取り繕うように咳払いした。

「いや、出来ればいいなと思っただけだから……」

「卵を巣から奪うのも大変だけど、それよりもっと大きな問題で飼うのを諦めているんだと思うよ、翼竜を」

「そうなのか？」

首を傾《かし》げる王子に教える。

「単純にエサ代がかかる。奴らは一匹当たり、一日に牛を二頭喰うから」

「――」

ロマンあふれる理由でなくてすまんな。

前世のゲーム内にもいたよ、ドラゴンライダー。

あちらではエサは、ボタンをポチっと押せば購入出来たけど、リアル中世の今は集めるのもかなり大変だろう。

それに、翼竜は単体だと微妙に弱い。

たとえば国家が本気で運用しようと思えば、十匹は揃えないと使い物にならないと思う。

一日に牛を二十頭喰うなら、一月なら六百頭。

費用対効果の問題だねー……。

メルメル

MMORPG《ゴールデン・ドーン》の世界において、モンスターとモンスターでない生き物は明確に判別出来た。

ぶっちゃければ、色が違うだけ。

ゲームに出現する、モンスターあるあるだ。

イラストが一緒でも、強さや色を変えて数種類用意されるんだよな。《ゴールデン・ドーン》もそうだった。

たとえば羊。

普通の羊は家畜だ。外見は前世と同じで、体毛は白。メーメーと鳴いている。

だが、飼われている羊とは違う、羊型のモンスターも存在した。

名前はメルメル。外見は羊と一緒だが、体毛は黄色で、その名の通りメルメルと鳴く。

メルメルは、ただでさえ弱い中央国家群のモンスターの中でも最弱のEランクだ。

――ただし単体なら。

やつらは群れる。そして群れた場合、ランクはAもしくはSに跳ね上がる。

そんなメルメルの群れというか……海にどっぷりと浸《つ》かってしまった……。

道なき荒野を一直線に進むという暴挙。

それを行っていたのは、出現した転移ポータルから出来るだけ遠く離れることと、想定外の行動で追手の読みをかわすこと、王子の体力育成などいくつかの意図があったからだ。

なにせ人里で補給を行わなくても、アイテムだけは豊富にある。生きるために足りないものはなく、引率する俺の戦闘ランクBも、中央国家群内の平地に棲むモンスターに対してはほぼ無敵だ。

だから慢心というか、気のゆるみがあったのだと思う。

ようやく見つけた大きめの川の、川べりに沿って南下を始めて数日。

野営をして目覚めると、周囲は黄色の海に変化していた。

「――おはよう、カリヤ」

先に起きたらしいウォルド王子が、結界の端まで近寄って興味深そうにメルメルを眺めていた。

野営のたびに張っている守護結界は、外部からの侵入を完璧に遮断する。

これまでの経験から王子はそのことを知っていたし、俺も安心して、頭から毛布を被って熟睡していた。そのせいでメルメルの接近にも、鳴き声にも気づけなかった。

「……殿下、決して大声を上げたりせず、突然激しい動きもなさらないでください」

周囲にいるメルメルたちに殺気はない。それも接近に気づかなかった原因だろう。

川に水を飲みに来たのか。

うねる丘陵の、丘の上まで黄色のモコモコが続いている。進もうとしても進めない不可視の結界に、不思議そうに体を押しつけたりしながら周囲に密集したメルメル。

王子も不思議そうに首を傾げる。

「分かった。――このモンスターは危険なのか？」

「手さえ出さなければ危険ではありません。ですが、そろそろ時間的に結界が切れます。ゆっくりとこちらに――」

「あ」

結界が切れた。

わさっと、メルメルたちが野営地になだれ込んでくる。

人とあまり接したことがない群れなのだろう。こちらに敵対する意志は感じなかった。

ただ面白そうな、好奇心に満ちた感情をおぼろげに感じる。

こいつら、見たことないぜー。

敵じゃないよねー？

うん、怖くない。敵じゃないー。

「……ウォルド殿下、お気づきですか？　メルメルは共鳴能力《シンパシー》を持っているモンスターです。我々がこいつらの考えていることがなんとなく分かるように、我々の考えていることもなんとなくこいつらに分かります。ぶっそうなことは考えないようにしてください。手さえ出さなければ、危険ではないランクEのモンスターです」

「分かった……だが、カリヤは危険だと判断し、警戒するモンスターなのだな」

え？　王子もシンパシー能力持っていたっけ？

「いや、口調が敬語に戻っている」

「――刺激しないよう、もうその場所から動かないようにしてください。いつかメルメルの群れも去っていくはずです。それまで決して、メルメルを驚かせたりしないで……」

　へいへい、兄ちゃんびびってるぜー。

接触しているせいで、クリアに伝わってくるメルメルの感情がウザい。

黄色の海の中に突っ立ったまま、俺は離れた位置にいる王子に、メルメルの危険性を説明した。

金色に輝く糸を紡げるメルメルの羊毛。しかし群れを狙《ねら》ってはいけないこと。

大人《おとな》しいメルメルだが、気が立った時は毛にパチパチと電気を帯びる。それが群れで起こった場合、シンパシー能力によって電気を共有し、雷魔法に変化させること。

「今囲まれているような大規模な群れの場合、一撃で死にます。黒焦げになります」

「――そうか」

「本来なら、囲まれる前に逃げます。俺が一人なら、今頃《いまごろ》ジャンプで逃げています。だけどもう、逃げることが出来ない。俺とあなたが離れているからです」

「すまない……私が結界を過信して、メルメルを眺めに行ったからだな」

反省している王子に頷く。

俺も至らなかったが、彼には慎重すぎるほどに行動してほしい。

結界を過信しちゃいけないし、ジャンプも過信しちゃいけない。相手に触れていないと、一緒にジャンプは出来ないのだから。

「今回はたまたま、遭遇したのがメルメルで運が良かった。メルメルは刺激しない限り恐ろしいモンスターじゃありません……と言っている側《そば》から、何をしているのですかあなたは」


あー、気持ちいいわー。

すっきりー。

わたしもおねがいー。


何故か、ウォルド王子がメルメルの目元を指先でほじっていた。ついていた目やにを、爪の先を使って取ってやったらしい。

メルメルたちの喜びの感情が伝わってくる。

が、王子の周囲のメルメル密度が増した。

モンスターを刺激しないようにじりじりと近づいていた俺の歩みも、それ以上接近出来なくなって止まってしまった。

「……ウォル」

「ごめん。つい、見えにくそうだなと……」

「――ばっちいので、手袋を嵌めてください」

もう止めろと言えない……メルメルたちが期待している。

まあ今の状態で、ほかに何かが出来るという訳でもない。メルメルたちが自分から去っていくまで、この場で突っ立っているだけだ。

大きな川の場合、水棲種《すいせい》モンスターが水底にいる。

夜の水辺は危険だから、他のモンスターは日暮れまでに去っていく。海のようなメルメルの群れも、その頃には薄くなっているだろう。

シーズン的にそろそろ最後の翼竜の群れが、南から北へと空を渡っている。

地上も平穏そのものだった。メルメルの群れに取り囲まれてさえいなければ。

メルメルは移動してはいるのだが、数が多いのでなかなか周囲の密度が下がらない。

水と携帯食料は身に着けていたので、互いに立ったまま食事をした。

目ヤニを取るという任務を与えられた王子は、のんびりとメルメルの相手をしてやっているようだが、俺は暇だ。

だからといって行動を起こそうにも、周囲のメルメルを驚かせるのが怖い……ヒゲの蛮族も目ヤニを取ろうとしたが、スルーされてしまった。

どうせなら美少年がいいらしい。正直なモンスターだな、おい。

「……そうだ、ウォル。どうしても確認しておきたいことがあるんだが、いいだろうか？」

「私で分かることなら」

穏やかに答える少年に、俺は静かにたずねた。

「この世界での、冒険者ギルドについて確認したい。──冒険者ギルドは、国家と同じ権力を有しているんだろうか？」

王子の動きが止まった。

緊張を感じ取ったメルメルがざわめく。

このタイミングで聞いたのは失敗だったかとあせったが、すぐに王子は安心させるようにメルメルの頭を撫でた。

「……国家と同等かと言えば、同等ではない。実際はどうであれ、名目では冒険者ギルドは商業ギルド、職人ギルドと同じく、各国の下で庇護される民間の互助組織だ」

「ということは、国に対して命令は出来ない？」

「ああ。ギルドは国ではない。税を納め服従の立場を取っている。国に対して忠告は出来るだろうが、対等ではない」

「そうか。だが、ティシアに対する今回の冒険者ギルドの行動は、いわゆる内政干渉にあたるんじゃないか？」

その内政干渉を、冒険者ギルドの立場で行うのは不当なのでは。

少年がエメラルドの目をきつくつむった。

「――そうだ。内政干渉にあたるだろう。六年前の事件の、決着は既についている。それを再び裁くことは出来ない……」

「……そこで、〝クラシエル国〟が出てくるのか」

タキリン城砦に現れた、サキタという転生者の言葉が引っかかっていた。

六年前の事件で、冒険者ギルドと合意し定められた賠償をしたなら、もうその件は解決済みということになる。その後の王国碑を削るという行為は、ティシア王家の家系図である限り、ティシア王家の問題で、ティシアの国内問題だ。

冒険者ギルドは国家ではない。

独立国であるティシア国内の問題に、異議を申し立てる資格も権利もない。


『国家安康、君臣豊楽』を地でやったんだな……」

「カリヤ、それは？」

「ん？　前世で有名な歴史のエピソードだよ。相手に非はないのに、悪意で曲解して原因を作り、自分に正義があるのだと実力行使した」

日本の戦国時代。豊臣家の奉納した鐘に刻まれた言葉を、徳川家康が悪く解釈して言いがかりをつけたという説がある。そして大坂の陣が起こり、豊臣家は滅亡した。

ティシアの王国碑の一件もまた、戦争を起こすための建前だろう。本来ならば系統図から名を消すという行為は、該当者に対する懲罰の意味合いを持つ。そう取ればティシア王家の行動は、褒められこそすれ非難されるいわれはないのだ。

サキタはティシア王家を憎んでいるかもしれない。

だが、その彼の憎しみを冒険者ギルドが利用し、クラシエルという国も利用しているのか――。

「クラシエルの現王妃は転生者だ」

冒険者ギルドとクラシエル国に何か特別な関係はあるのかと聞き、王子の答えに納得する。

それも、六年前にティシアを出ていった転生者の一人らしい。裏でギルドと繋がっているだろうことは、容易に推測がついた。

ラギオン帝国が冒険者ギルドを操っている訳ではなく、ギルドの方が帝国を操っているのだと聞いたが、クラシエルもそうなのだろう。

「——なるほど。ティシアは嵌められたようなものなのか」

六年前の真実など俺は知らない。

だから、その後の事柄で判断するしかない。

「とりあえず、王国碑を削ったことについては、どこにも内政干渉をされるいわれはないな。ウォルたちの方がつらかっただろう。存在していた家族の名前を消して、いなかったことにするなんてと、俺的には思う」

仲がよさそうだったものな、ティシア王族。

そして六年前に決着がついたことを蒸し返すのは、ただの言いがかりとしか思えない。

ティシアの当事者は死んでいる。復讐は果たされた。賠償を受け取って決着をつけたのなら、そこで納得しないといけない。不服ならその時に申し立てるべきだった。

「————ん？」

ピリ、と空気が震えた。


……こいつ、敵じゃね？


メルメルたちが、何故か殺気立ち始めていた。

小さいの、いじめてね？

泣いてるー。

泣かしてるー。


「え？」

ウォルド王子の白い頬《ほお》を、透明な涙の粒が伝っていた。

はらはらと涙をこぼす少年に、周囲のメルメルが心配そうに鳴いている。

そしてキッとメルメルに睨まれている。俺が。

……こいつ、悪者じゃね？

小さいのを泣かしてるよねー？

ということは、やっぱり敵じゃね？

パチパチと放電し始めた毛皮に、俺は後ずさりたかったが後ろにもメルメルがいた。

「……待て」

待て、話せば分かる。

今雷撃をくらえば、俺は多分耐えられるがそこの小さいのは巻き添えをくらって死ぬぞ？　その後に怒り狂って本気になったメルメルに殺される自分の未来も見えるがな。

「――大丈夫だよ」

柔らかな王子の声に、殺気立っていたメルメルが静まった。

小さいの、大丈夫ー？

げんきー？

平気ー？

心配そうに見上げているメルメルに、微笑《ほほえ》みかけている少年……思うんだが、彼はモンスターテイマーの素質があるんじゃないだろうか。

懐かれっぷりが半端じゃない。

「通してくれる？」

少年の言葉に、俺と彼の間にいたメルメルがすっと脇《わき》へと退《しりぞ》く。

「……ずっと他の誰かに、分かってほしいと思っていた。ありがとう、カリヤ――」

俺の正面に立ったウォルド王子が、頬を濡らしたまま綺麗な笑顔を見せた。

そのまま両手を伸ばして抱きついてくる彼を、俺も抱きしめ返し――メルメルの群れの中から、ジャンプで逃げた。

いやー、ＭＰ全部を距離にぶち込んで、本気で跳んだわ。

『メルメル死』と前世のゲームで呼ばれていたが、あの群れの中でだけは死にたくない。ちょっと情けない気分になるから。

「――ああ、街壁が見えるな」

春を告げる若草が芽吹く平野の向こう。

灰色の高い石壁に取り囲まれた、大きな街が見えていた。

最初の街到着

荒野を越えてたどりついた街の名前は、ヘレンナといった。

ティシアで徴集兵を集合させていたルイセルと、同じくらいの大きさだ。つまり、その地方では中堅の規模の街なのだろう。

ヘレンナという街の名は、俺の前世のゲーム知識にはなかったが、ウォルド王子が知っていた。

北部諸国連合の、北に位置する小国の地方都市らしい。

まだ中央国家群の地図的には、俺たちが転移したポータルと同じ『02・03』の枠内にある国だ。

目指すゴールは遠い。

街に入る城門の前に、徴収される通行税の金額が掲示されていた。

一人あたり三十ゴルド。はっきり言ってお高い！

こういう高い外壁で守られた街って、入るのに大金をふんだくるよな。維持費や安全料みたいなものなんだろう。

これまで俺が立ち寄ったことのある村は、取り囲む柵も木製で、安い木戸銭を支払っていた。

大きい街だから高いんだろうね。ルイセルでもけっこうな額を徴収していたみたいで、徴集兵はとても中に入れなかった。

俺は仕事だから無料で出入りしていたが、通行札をもらっていたっけ、そういえば。

「……カリヤ。本当に、この街に寄るのか？」

手続きの列に並んでいると、マントのフードを深く被った王子が小声で問いかけてきた。

「かなり厳しい審査が行われているようだ。もっと小さな町の方が、安全なんじゃないか？」

「いや、この規模の街じゃないと、俺の用事もオルの用事も済ませることが出来ない」

だって王子、実家あてに手紙を出したいって言ってたじゃありませんか、商業ギルドから。

最低限これくらいの規模の街じゃないと、商業ギルドの支部なんてありませんよ。

仕方ないから、腹をくって入りましょうよ。大丈夫、そうそうバレやしませんよ。

「基本、俺が応対するから。オルは内気そうに俺の背中に隠れていること。何もしゃべらなくていいから」

「次ー！」

「あ、はーい」

前の馬車の審査が終わったらしい。

呼ばれたので、武装した守備兵の前を通って役人の前に立つ。役人はいい年をした、気難しそうなおっさんだった。

「……山の民が二人か。珍しいな。ヘレンナへ入る目的は？」

王子と荒野を越えている間に打ち合わせた設定で、俺はおっさんに説明する。

「ウチの村長に命じられて、こちらの街の商業ギルドへのお使いに来たのと、ついでの買い出しですね」

「お使い？」

「届け物です。中身は知りませんよ」

「……フン。今回は二人で六十ゴルド。これが税を払ったことを証明する書きつけだ。街中では身に着けておけ。街を出る時に回収するが、またヘレンナを訪れる時のために、通行税が割安になる札を渡す……後ろの連れとの関係は？」

「弟です」

「フン、兄弟……と」

ほら、と渡された納税証明書には、代表者として俺の簡単な外見と来訪の用件、兄弟という単語が記入されていた。

六十ゴルドを支払い、俺は役人から紙きれを受け取る。

セキュリティーがすごいぜ、大きな街。

でも二度目以降の通行はほとんど審査をしないっぽい。

俺の並ぶ列の横では、定期的に野菜を運び込んでいるらしい農民が、馬車の上から木札を示して兵士に十ゴルドだけ支払っていた。

「次ー！」

役人が後ろに声を掛けたので、王子の背に手を添えて歩こうと促した。

ヘレンナの街の中は賑《にぎ》わっていた。

道は舗装された石畳で、街の門から入ってすぐの通りには、三階建ての商家が立ち並んでいる。

俺は……この世界で初めて三階建ての街並みというものを見たかもしれない。転生後の人生で一番大きかったルイセルの建物も二階建てだった。タキリンは五階建てだったが、あそこは城砦だし除外で。

「……ま、大丈夫だろ。何とかなる」

「ふ、不安なことを呟いてないか、カリヤ!?」

「だーいじょうぶー。まず宿屋を探そうか。ベッドのマークの看板が下がっている建物な。それで間違いないはずだから」

「それくらいは知識として知っている！　本当に大丈夫か、カリヤ!?」

田舎《いなか》から出てきたおのぼりさん設定だから、多少世間知らずでも大丈夫なんですよ、王子！

ヘレンナの街の、宿屋の立ち並ぶ一角はちょうどチェックアウトの客が出ていった後らしく、よその通りと比べて人の往来が少なくなっていた。

通りから店の中を覗き、カウンターに女性がいる宿屋を選ぶ。

「――ここにしようか」

おっとりとした人の良さそうなおばさんが掃除をしている宿屋を選び、王子を連れて中へと入る。

カウンターに花が飾られた、清潔感あふれる高級宿。おばさんと、もう少し若い女性が、俺の蛮族姿を見て少しだけ眉をひそめた。

「……ごめんなさい、まだ掃除中なのよ。夕方にでも出直してくれるかしら？」

「すみません。先ほどヘレンナに着いたんですが、長旅で疲れているんです。こちらでどうしても二人で一部屋、三泊でお願いしたいんですが」

「あのね、この宿屋は」

「弟をゆっくり休ませてやりたいんですよ。オル、フードを脱いでおかみさんにご挨拶しなさい」

「……あの、強引な兄で申し訳ない……です」

俺が声を掛けて促すと、フードを取ったウォルド王子が頭を下げる。

転移ポータルで飛ばされて約一か月。

マッスルに近づこうと鍛えはしたが、まだまだ美少女めいた王子の美貌は健在だ。

この宿は、女性を連れた家族向けの宿だった。

俺一人なら、治安の悪い三流宿の、馬小屋の軒先でも寝られる。だけど王子をそんないかがわしい宿には泊めたくない。馬小屋は論外だし、安宿はベッドも共有する相部屋《あいべや》だ。

無理。

狼《おおかみ》の巣に兎《うさぎ》を投げ入れるようなものだ。貞操なんて、その日のうちに失ってしまうだろう。

安心が金を出して買えるのなら、買う。

ここは女性旅行者が、安心して泊まることが出来る宿屋だ。ウォルド王子の美貌を見れば、俺が強引にでもこの宿に弟を泊めたがっている理由を、彼女たちは察してくれるだろう。

緊張にこわばった表情を浮かべている王子に、若い方の女性が微笑《ほほえ》みかけた。

「――お兄さんの言う通り、疲れているみたいね。もう掃除の終わった部屋があるから、そこに案内するわ」

「無理を言ってすまな……すみません」

「いいのよ。姉さん、三階の角部屋に案内するわね」

「ありがとうございます」

ウォルド王子を階段へ案内し始めた女性に、俺はカウンターの姉だという方に頭を下げた。

「いいのよ。お兄さんもいろいろと心配でしょう？　妹さんに男装させるくらいですもの」

「あ……ハイ」

あれ？

美少女みたいな美少年のつもりだったが、そのまま美少女で通ってしまったか。

「ただ、うちは女性が安心して泊まれる宿だから、気を配っている分値段が高いのよ。用心棒に警備をお願いしたりしているから。それなりに宿賃がかかるけれど、大丈夫？」

「いくらになりますか？」

「三泊だと、朝夕二食と体を拭くお湯込みで千二百ゴルドになるんだけど」

「大丈夫です。妹の安全には代えられませんから」

「良いお兄さんね」

ふっとおばさんが微笑む。

そしてその場で前払いをしたら、百ゴルド割り引いてくれました。

ありがとうございます！

しかし、千百ゴルドか。日本円で三泊十一万円か……。

いいお値段の宿だが、安全はプライスレス。納得しよう、うん。

冒険者ギルドに殴り込み……偵察に行こう！

通された部屋は、日当たりの良いツインルームだった。

ベッドが二つあって良かった。この世界、宿屋のベッドは共用って認識があるのか、赤の他人と一緒に使わされるものな……安い宿だったからか。

それともゲームの中で、大部屋にいくつもベッドをぶちこんでいた宿屋レイアウトのせいなのか。

先に通されていた王子が、窓辺に立って珍しそうに外の景色《けしき》を眺めている。

……とてもお美しいです。

たしかにおばさんたちが少女と見間違う訳だわ。窓から差し込む陽《ひ》の光に浮かぶ横顔は、まるで宗教画に描かれた聖女のように神々しい。

いや、よく見ると骨格とか男のものなんだけどね。こう、視覚情報を脳が無視する美少女っぷり。

「カリヤ」

入室した俺に、王子がエメラルドの瞳を細めて微笑んだ。

「無事に宿が取れてよかった。これから、今日はどう動く？」

「まず風呂に入る」

旅の汚れを落とすと宣言した俺は、もう一度階下に降りると無料だというお湯を瓶に入れてもらって部屋へと戻った。

さすが高級宿。サービスだというお湯は、食事で忙しい時間でなければいつでも使い放題だ。

案内された部屋に風呂はついていない。

バスルームがある宿は更にランクが上がって、とても蛮族は泊まらせてくれないだろう。だから体を拭くためのものなのだが、あくまで湯をもらいに行ったこともカモフラージュです。

部屋の中に防水シートを敷き、巨大なたらいをドン！

「ささ、メルメルに触ったんだから。ばっちくなっているから、すぐに綺麗にすること！　野生動物に触った後は、手洗い必須！」

「給湯器は？」

「水音をさせるとバレるから、今回は俺が人間シャワーになるよ。ウォルの髪だけ洗うから、体は自分で」

「あ、ああ」

たらいに湯を張り、服を脱いだ王子を座らせる。

べつに股間《こかん》は見ないから。隠さなくていいから
……ってまあ、見せびらかすものでもないけど。

手のひらから適温のお湯を出し、黒く染めた髪に触れる。

くすぐったいようで、少年が肩をすくめたり体をねじらせたりしている。時々「うひゃ」みたいな変な声を出して反応していたが、人間シャワー機は気にせず任務を続行です。

荒野でも疲れて動けない時は、髪を洗ってやっていただろうが。今さら気にするな。

王子がつやつやホカホカになった。

部屋に用意されていたパジャマを着た彼の、髪をいつものように乾かす。

「……よし。それじゃ夕食までベッドで休もうか」

「いや、すぐにも商業ギルドに行かなくては――」

「あせるな。まず俺が下見をしてくる」

まだ何か言いたそうな王子を、強引にベッドの中にいれる。

開いていた窓を閉め、カーテンを引くと部屋が薄暗くなる。視線だけを向けてくる少年に、俺は安心させるように笑ってやった。

「久しぶりのベッドだ。いいから、今日はもう休め。たまにはゆっくりするのもいいだろう？」

「……」

頭を撫でると、物言いたそうだった瞳がゆっくり

と閉ざされた。

すぐに聞こえ始めた小さな寝息に、彼がどれだけ疲れていたのかと少し心が痛んだ。

これまでベッドでしか眠ったことがなかっただろう王子様が、突然野宿をすることになったんだ。きつかっただろうと思う。

彼がすごいのは、つらくてもそれを口にしないところだよな。

世の王子は皆そうなんだろうか。

「……さて、じゃあ俺はやるべきことをやるか」

転生者の俺は、基礎スペックが高いから別に休息を取らなくてもいいんだよ。

ゲイリアス奥地でのサバイバルに比べると、荒野での生活は温かったくらいだし。

部屋を出て扉の鍵を閉め、更に上から魔法で結界を張っておく。

連れは休んでいることを告げて鍵をカウンターに預け、俺は宿を出た。


そのままぶらぶらと通りを歩き、細い路地に入り、人がいないのを確かめてジャンプする。

野営地に、王子の荷物を放置してしまってるんだ……俺の分はメルメル襲来時点でアイテムボックスに収納したんだけど、彼の分までは回収出来なかった。

ぶっちゃけリュックはそのまま捨ててもいいんだが、守護結界アイテムも置いてきてしまっている。

そちらがやばい。

おそらく見るものが見たら、転生者作製だとバレる。

ヘレンナの街から遠くへ跳び、MPポーションを飲みながら川沿いにジャンプを繰り返す。

目的地にたどりつくと、黄色の海はもうなくなっていた。

荷物は無事だったけれど、野営地跡が荒らされている……小さいのがいなくなって、メルメルがあらぶった模様。

よかった、メルメルがいなくなってて。

大きいのはやつらの敵だからなー……。

「……せっかくだからここで準備していくか」

守護結界と王子の荷物を回収して、代わりに大きめの籠を取り出す。

今、身に着けている服を脱いで、アイテムボックスから取り出した普段着に着替える。三つ編みにした長い髪は上着の中に隠した。

これで『山の蛮族が来たー！』から『むさいヒゲを剃れよ町人！』にジョブチェンジ出来ただろう。

ん？

なんだか変装するならヒゲを剃った方がいい気がしてきた。

付けヒゲの方が良くないか？　変装にバリエーションが出てくるし。

まあ、ヘレンナの門で渡された書きつけには、俺の人相が『ヒゲ』と記されていた。

トラブルなく街を出たいなら、剃らない方がいいだろう。

そうだ、書きつけの偽物も作らないとな。

問い合わせればバレるだろうが、その時だけ誤魔《ご ま》化《か》せればいいんだからと、俺一人の町人バージョンもその場で作っておく。

すべての準備を終え、MPポーションを飲みつつヘレンナの街に戻る。

中規模の街程度なら、タキリン城砦のようなジャンプ避《よ》けの結界は張られていない。

先ほどジャンプした路地を目指して最後のジャンプ。目撃者を心配するなら、コツは頭上の高い位置に一度出現して下を確認することです。

自分の視線より高い場所には、人はあまり気づかない。

無事再潜入を果たし、まず俺が赴いたのは銀行だった。

銀行、もちろんあるよ。だってゲームで存在していたから。

口座を作るのも、入金も出金も無料だったよ？

――まあ、前世のゲームの中では、だったけどな。

転生したこちらの世界では、銀行業務には手数料が必要になっている。

ちなみにゲイリアスのカリヤさん、残念ながら口座を持っていません。銀行の口座って、作るのに推薦という名のコネと手数料が必要なんですもの。

どちらも農民には無縁のモノです。

それに銀行の存在など幼少期は知らず、知った頃には転生者だと自覚していて、アイテムボックスという名の財布を持っていたので預ける必要性を感じなかった。

預ける金もなかった。

物々交換が基本の田舎《いなか》では、金銭を手にする機会は滅多にない。

アイテムボックスという巨大な財布を持っていながら、中に入っていた現金は雀《すずめ》の涙ほどのわずかな額だった俺だが、ティシア王家に雇用されて大金持ちになった。

そこで儲けすぎた。

代金は一万ゴルド金貨で追いつかなくなり、レアメタルで支払ってもらっていたんだが、農民に戻った今なら分かる。

……一万ゴルド金貨（日本円にして百万円）なんて、農民が使える金じゃねぇ。

そこらの寒村で使える硬貨じゃない。相手に釣りがない。それ以前に悪い意味で噂《うわさ》になるだろう。

現金はあまり持っていない。

正直に言うと、先ほどの宿の支払いでほぼなくなった。

小銭をかき集めて払っていた俺を、宿屋のおかみさんはどこか申し訳なさそうに見守っていた。

ちなみに、ウォルド王子に金の無心をするつもりはない。

というか、しても無駄だ。

身一つで転移したのだから、財布なんて持っている訳がない。王子様は日頃から現金など持ち歩いていない。

最初に預かった服や装備品などは、旅費の足しにしてくれと言われた。だがもしバラしてボタン一つを売るとしても、高価すぎて簡単に足がつくだろう。

大丈夫、売らなくても。

金はあるんだ。金貨だけど。

だから使えるように金貨を崩したい。となると大きな街に出て買い物をするか、銀行で崩すしかなかったんだ。

両替をする窓口に赴き、一万ゴルド金貨を三枚分頼む。

おそらくだが、俺が商売人という設定ならこの金額辺りがぎりぎり疑われないラインだと思う。

三万ゴルドが無事、手数料五パーセントを差し引いて小銭に変わった。

身分証明になる書きつけは、求められたが一瞥されただけでバレなかった。ユルい。

小銭を財布に入れて一息つく。

これで半年は生活出来る……はず。

今泊まっている宿レベルを続ければ。

銀行を出たら、次に向かうのは冒険者ギルド。

ルイセルになかった冒険者ギルド支部は、ここヘレンナにはあった。

この中で確かめなくちゃいけない——ティシアとクラシエルの戦争はその後どうなっているのか。

ウォルド王子と俺は、賞金首として扱われているのか否か。

冒険者ギルド、ヘレンナ支部

「変装よし、ステータス偽装アイテムよし。——じゃあ、中に入るか」

息を整え、俺はヘレンナの街の冒険者ギルドへと足を踏み入れた。

冒険者ギルド。

《ゴールデン・ドーン》で、プレイヤーたちが所属していた組織。

ごく一般的なMMORPGと同じく、冒険者ギルドはプレイ開始時のチュートリアルの役割を担う。

その後もランクアップ認定やクエスト仲介など、ゲーム内における様々なサポートをこなしていた。

異世界転生で《ゴールデン・ドーン》に似た世界に生まれ変わった訳だが、おそらく冒険者ギルドは前世と同じサポート業務を続けているのだろうと確信に似た気持ちがある。

理由も分からずに転生してしまったプレイヤーたちの、心の拠《よ》り所《どころ》として。

ま、俺はギルドなどクソくらえと思うようになってるけどな。

転生したと分かった直後くらいで保護されたならともかく、二十五年自力で生きてきたんだから、今さらサポートなんぞいらん。それに存在を知ってからも、ろくな干渉を受けてないし。

ともかく関わり合いたくない。

が、あちらから関わってくるというのなら、絶妙な距離を見定めながらうまく逃げないといけない。

――という訳で、こっそりお邪魔シマス……。

建物の中は、ゲームと同じ内装だった。

ホールを抜けた正面にカウンターがあり、仕事を斡旋《あっせん》したりドロップ品を買い取る窓口が並んでいる。

ギルドの壁にはランクごとに仕分けた依頼が貼られ、受けたい依頼を選んでカウンターへと向かう。

討伐や採取など内容で紙の色が違っている。至急は赤枠だ。

ホールには酒場が併設され、一仕事終えた冒険者が酒を飲んでいる。臨時メンバーの顔合わせも行われたりするのだろう。

入り口から入ってすぐ、左手の壁際に俺は向かった。

前世の記憶そのままだったら、そこには黒枠の用紙で賞金首が紹介されているはずだった。

「……ないな」

賞金首に、ティシア王子の名も、容貌の該当する少年の貼り紙もなかった。

転生者の動きは分からないが、NPCまで動員するつもりは今のところないらしい。

そのまま、たまたま最初に賞金首のブースをチェックしたように見せるため、貼り紙を順に眺めていく。護衛依頼がある。採取依頼もあった。傭兵《ようへい》の募集も……まだ戦闘は始まっていないが東の方角がきな臭いらしい。

ヘレンナから見ると南の方角にあるクラシエルからの傭兵募集はなかった。この街から遠いからか、もう戦争自体が終わってしまったのか。一番必要な情報がない。

依頼をチェックしているうちに、あることに気づいた。

Aランク以上を対象とした依頼が、一件もなかった。

NPCの上限はBランク。

Aランク以上の転生者向けの依頼は貼りださないのか、高ランク転生者自体がこのヘレンナ支部にいないのか。

後者でお願いします。

非力な生産職なんです。蘇生アイテムは新しいものを身に着けたが、戦闘職に勝てる気なんてしないよ。

今、このギルドにたむろってるNPC程度なら、勝てるけど。

そんな失礼なことを考えながらギルド内をうろついた訳だが、別に前世に読んだライトノベルのように新入りが来たと絡まれることもなく、ギルドの構成員が変人という訳でもなかった。

せっかくなので販売カウンターに寄って、掘り出し物を買って帰ることにした。

冒険者ギルドで買い取られるアイテムの、端数やだぶついた品がたまに格安で売られている。

別にギルドの加入者じゃないと買えない訳ではない。自分の欲しいものがたまたまあれば儲けものっていう感じの偏った日替わりラインナップ。

前世にゲームであった特売コーナーは、こちらの世界でも存在していた。

普通の動物の革なんかは街の商店で買えるだろうから、モンスターからドロップした取扱品をチェックする。

大蛙《ビッグフロッグ》の革があった。

防水に優れているからマントに仕立てたり、自作予定のテントの補強にいいかもしれない。

「十五……いや、二十枚ください」

「少々お待ちください。在庫を調べてきます」

窓口の職員さんが広げていた見本を手に取り、奥へ下がる。

販売カウンターの前で待っていると、ギルドの入り口付近から声がした。

「ただいまー。最後の乗合馬車が出たから、本日分の報告書類を持ってきたよー」

革鎧を着た若い女剣士が少し離れた受付カウンターに近づき、顔見知りらしいギルドの女職員に声を掛けている。

「広場から動けないのって、地味に疲れる！　交代要員が欲しい。トイレに行くために」

「馬車の出る時間は決まってるんだから、ちょうど暇なタイミングで行くしかないんじゃない？　二人も使うような仕事でもないし」

「まぁね。乗合馬車を利用する客を数えて、どんな客だったか身体的特徴を書くだけだし……」

「――お客さん、二十枚ありましたよ。金額は」

「あ、青蛙《ブルーフロッグ》の革も追加します。二枚。一緒に包んでください」

「お待ちください」

販売カウンターの職員が、また奥にある倉庫へと向かう。

視線は職員の背中を追いながら、俺は向こうのカウンターでのやりとりに耳をすませる。

ギルドに入ってきた直後の彼女の声は大きかったが、カウンターに近づくと普通にやりとりを始めていた。酒場の喧騒が、やけにうるさくホールに響いて聞こえる。

「……この……ってさ、ヘレンナから新しい乗り合い路線を増やす計画……」

「違うと思うよ。ギルド総本部からの仕事だから……期限はなしで、乗合馬車の出てる街の支部に……」

「……じゃないの？　馬車に乗った客を全部報告……何を調べたいんだろうね？」

――逃げたティシアの王子が、どこにいるのか調べたいんだと思うよ。

俺は心の中で彼女の疑問に答えた。

おそらく十五歳前後の少年の情報を集めているのだろう。


各地のNPC冒険者を使うのはいい考えだ。安い依頼料だけで、中央国家群全体をカバー出来る。

しかし、依頼内容について普通に会話しているヘレンナ支部のユルさに感謝だ。これで乗合馬車は使えないことが分かった。

冒険者ギルド総本部は――クラシエルは王子の行方《ゆくえ》を探している。

まだ生死不明の段階だから打っている手だ。生きていることが分かれば、おそらく追及はもっと厳しくなっていく。

王子にジャンプを早く覚えてもらおう。

でないと、ティシアに戻るまで何年かかるか分からない。

ブートキャンプ、更に厳しくなること決定。

「お待たせしました。大蛙二十枚と、追加で青蛙二枚です。金額は――」

販売カウンターの職員に代金を払い、蛙の革と貴重すぎる情報を得て、俺は冒険者ギルドを出た。

兄妹から夫婦へランクアップ……！（吐血）

冒険者ギルドを出た後は、人気《ひとけ》のない路地に入って抱えた蛙の革をアイテムボックスに収納し、そのまま何食わぬ顔で大通りに戻って買い物をした。

材料さえあれば自作出来るアイテムマスターの俺だが、素材は無料で拾えるものばかりじゃない。

たとえば服は謎の光と共に作れるが、前提として布と糸と針がいる。

布と糸ならその気になれば何とかなる。非常に面倒くさいけど。

だけど針は無理。

俺は金属との相性が悪い。なにせ非金属系生産職ですから。

そして正直、費用対効果みたいなものを考えると一般的な素材は購入した方が安上がりにすむ。絹の布が欲しいからといって、カイコを飼うための桑の木を植えることから始めたくはない。


買い物をする。人気のない路地に入る。大通りに戻る。

買い物をする。人気のない路地に入る。大通りに戻る。

二セット繰り返し、それ以上は目立つことになるだろうからジャンプで街の外に移動。人気のない荒野で堂々と山の民の格好に着替えて、ヘレンナの街に戻る。

もう買い物をするつもりはなかったんだが、通りすがりの花屋でコツブシロワタゲの花を売っているのを見かけた。

ふわふわとした五ミリほどの大きさの白い花は、乾燥させてから精製すると傷薬の材料として使える。

どこにでも咲いているありふれた花だ。

店で売っていると思わなかったんだが、街では前世のカスミソウのように花束の中に混ぜて使っているんだろう。

思わず店頭にあるだけ買ってしまった。

薬屋でなく花屋だったから、商品に色紙を巻いてリボンを掛けて渡してくれた。

まるでプレゼントだ。

「――王子への土産《みやげ》が出来てしまった」

せっかくなのでアイテムボックスに入れずに抱えたまま宿に戻ったら、少年はまだベッドで眠っていた。

俺が戻ってきたのにも気づいていない。

気持ちよく眠れているのなら、いいことだ。

持ち帰った花束を見せたかったと思いつつ、包装を取り外す。

生産職の特技、素材の下準備スキル〝乾燥〟で、白い花を一気にドライフラワーにした。鮮度が落ちる前に処理をした方がいいし。

あとはこの花を容赦なくむしるだけなんだが……。

「……鎮静、安眠作用もあるんだよな」

ドライフラワーを一本、花束から抜き出して眠る王子の枕元に置いてみる。

なんだかものすごく似合っている気がした。さすが、一見美少女。

そのまま、調子に乗って王子のベッドを花で埋めてみた。

白い花の中で眠りにつく王子様。

満足をした俺は、その日は丸一日少年を放置することにした。

買ってきた大蛙の革で、来たる梅雨《つゆ》に向けてのフード付きマントを新調する。袖口やフードの縁など、青蛙の革のアクセントが可愛《かわい》いと思うんだがどうだろう？

宿は夕食込みだったので、時間には階下に降り、二人分をトレイに載せて部屋へと戻る。

夕食は他の食器に移し替えて、温かいうちにアイテムボックスに仕舞った。

王子は寝ているしな。

昔作った干し肉をかじりながら、ランプのあかりをともしてマント作製を続行する。

宿屋街でも落ち着いた一角だから、夜が更《ふ》けたら通行人の騒ぐ声も聞こえなくなった。

静かな少年の寝息が聞こえる。

おそらく、このまま朝まで起きないだろうから、寝起きは軽い脱水症状を起こしているかもしれない。砂糖と塩を溶かした果実水を用意しておこう。

……エリクサーを飲ませた後の俺がぶっ倒れていた時は、一日一本ポーションを飲ませてくれていたらしい。

体調を考えたら自分も飲むべきだったのに、手持ちが少なかったからその分を俺に回して、自分はオレンジで飢えを満たしていたのだ。

彼のそういうまっすぐなところが、いいなと思う。

「――おし、完成」

一度現物を作ってみないと、謎の光の作製短縮は出来ない。

レシピは知っていたんだが、大蛙のマントはかなり低ランク用だったので、前世では作製も着用も機会がなかった。今世は、ゲイリアス山岳地帯には生息してなかったんだよな、蛙モンスター。

謎の光と共に二着目を作り、果実水も作ってアイテムボックスに放り込む。

それからパジャマに着替えてランプの灯《あか》りを消すと、俺も自分のベッドに潜り込んだ。


「……リヤ、カリヤ」

ふわ、と心地よい花の匂《にお》いがする。

そっと体を揺する手に、俺はゆっくりと目を開いた。

やべ、思い切り寝てた。先に王子が起きている。

少し癖のある少年の黒い髪に、白い花がいくつもくっついている。

「……おはようございます、殿下。この部屋のベッド、やばいですね。熟睡してしまってました」

「おはよう、兄さん。まだ寝ぼけているだろう……まあ私も、昨日《きのう》の昼からずっと眠ってしまっていたが。この宿のベッドは〝やばい〟な」

くすくす笑う美少女……じゃなかった美少年に、そうだったとアイテムボックスの中から果実水を取り出す。

「あー……ごめん、ウォル。水差しに水をもらってきていなかったな。これ、ウォルにって作ってたんだ。とりあえずすぐ飲んで」

「ありがとう。そういえばカリヤ。私は何故《なぜ》起きたら花に囲まれて眠っていたんだろう？　まじないか何かか？」

「……ソウデス。よく眠れただろう？」

「ああ、ぐっすり眠ることが出来た」

ありがとう、と王子が笑う。

そのまま俺のベッドの縁に腰を下ろし（多分、自分のベッドが花まみれだからだろう）、両手でコップを持ってうれしそうに果実水を飲み始める。よほど喉が渇いていたんだろうなと、申し訳ない気持ちになった。

ついでに腹も減っているだろう。昨日の昼から食べていないはずだし。

「ウォル。それを飲んだら一階まで降りて、食堂から二人分の朝食をもらって来てくれるか？」

「私は目立たない方がいいと思うのだが、部屋から出てもいいのか？」

「この宿屋の中ならね。そういう宿を選んだから。あ、宿の従業員はウォルのことを弟ではなく妹だと思っている。そんな感じに振る舞ってくれ。その間に俺は着替えて、あっちのベッドの上も片づけておく」

「分かった。行ってくる、兄さん」

わくわくとした顔で、王子が立ち上がった。

空になったコップを俺に渡し、長い髪をまとめもせずそのまま部屋を出ていく。

『はじめてのおつかい』、対人編。楽しそうだなぁ。

ベッドから出て、着替えながら思い出した。

そういや王子、魔法で水を出せたじゃないか。喉が渇いたら、自力で水を飲めるはず……まぁ、果実水は味がついているからな。美味《おい》しかったのなら何より。

身支度を済ませてから自分のベッドを簡単に整え、王子のベッドの上に散らばるドライフラワーをアイテムボックスの中に放り込む。

しばらくすると王子が二人分の朝食の入ったバスケットを持って戻ってきた。

温かなミルクティーの入ったポットもある。バスケットの中身は、具沢山のサンドイッチとりんごだ。

だが、戻ってきた王子の様子が変だった。顔が少し赤くて、どこかぎこちない。

「――下で他の客に絡まれた？　ごめん、俺が行けばよかった」

「い、いや、誰《だれ》にも絡まれてはいない。ただ……すまない、カリヤ。私は宿の女将《おかみ》の誤解を、更に悪化させてしまったようだ」

ん？

「とりあえず、温かいうちに食べよう。パンに挟んだハムとオムレツは焼きたてだから……」

言われて、二人で窓際のテーブルに移動する。

お高い宿の朝ごはんは素晴らしかった。

サンドイッチは三種類。とろけるチーズと焼いたハム、野菜たっぷりオムレツ、ジャムとバタークリームのデザートサンド。

バスケットの奥にはきのこのスープも入っていた。ふた付きの小さな器が二人分ある。りんごも新鮮で美味しかった。

さすがだ、お高い宿。

アイテムボックスに仕舞っている昨夜の夕食も、食べる日が楽しみだ。

朝食を食べ終わり、次は俺が動こうと、バスケットと昨夜の夕食のトレイも一緒に階下に戻しに行った。

もう他の客は朝食を食べ終わっているらしく、おかみさんが妹さんと掃除を始めている。

「ごちそうさまでしたー」

こっちを振り向いた二人が、何故かぱあっと顔を輝かせた。

掃除の手を止めて走り寄ってくる。

「もう、先に言いなさいよ。お兄さんったら」

「年が離れているから妹ってことにした方が、旅をするにはいいかもしれないけど」

「でも新婚旅行なんだから、お嫁さんがかわいそうよ？」

「――は？」

「新婚旅行の思い出に、ウチに泊まったんでしょう？」

……ウォルド王子。

あなたはいったい、彼女たちとどういう会話を交わしたのですか？

許容出来ること、出来ないこと
ものすごーく無理をして、高級宿に泊まろうとする二人組の男女（両方とも男だと、最初は言ってたんだけどな！）。

部屋に入るなりお湯を欲しがったかと思うと、扉の向こうからなにやらいかがわしい声が聞こえてきた（行水の時か。泊めた客の素性が気になったのだろうが、聞き耳は立てないでほしかった）。

女は昼間なのにそのまま寝入り、男だけ出かけていったと思うと、花束を抱えて帰ってきた（うん、抱えて帰ってきた！）。

夕食を持って部屋に上がり、出てくる気配がない。そのまま夜も遅かったらしい（マントを作ってた。手縫い仕事）。

朝、白い花を髪につけて、女だけ朝食を受け取りに降りてきた。尋ねると、男がベッドに飾ってくれたと恥ずかしそうに答える（……王子!?）。

よくよく見てみると顔が似ていない。肌の色も違う。血が繋がっているのかと尋ねると、繋がっていないけれど、家族ですと答えた女。

……うん、似てないなと言われたら、正直に血は繋がっていないと伝えようとは話し合っていた。

義理の兄弟というやつだ。

血は繋がっていないけれど、家族。そう押し通せると思っていた。

まさか家族＝夫婦となるとは思っていなかった。

「……私は、このまま女装で旅をして、カリヤと夫婦だということにした方がいいんだろうか……？」

おかみさんたちの前から逃げ出して、部屋の王子に話を聞いた。

誤解された経緯を語り終え、ヒゲの生える気配のないつやつやかな自分の頬《ほお》を撫でる美少年。

「ウォルは十五歳だったな」

「――ついこの前、十六になっている」

「おお、そうなんだ。遅れたけどお誕生日おめでとう」

「……ありがとう。あのあわただしいタキリンで迎えたから、祝う言葉がもらえるとは思っていなかった」

ああ……うん、戦時中だけどお祝い行事っぽいのがなかったってことは、ちょうどクロエ平原敗戦の頃《ころ》だったか……。

「結論から答えるが、女装を続けるのは無理がある。これからウォルは男らしく成長していく。顔立ちが綺麗だから、先にそう思い込んで接したらごまかせるかもしれないが、それも今だけだろう。体つきはもっとしっかりする。ごまかせなくなるのはあっという間だ」

俺がこれからもっと鍛えるしな。

「姉上と同じ顔だと周囲から言われていたが、男らしく成長出来るだろうか？」

「成長しているだろう？　男装したカザリン殿下と並ぶ時、ドレスの下で膝を曲げて身長を同じくらいに見せていなかったか？　ふだんは普通に歩いていたから、背が高いのが分かったし」

「……カリヤはよく見ていたんだな」

「護衛だったから。他の者に関しては、王女殿下をじろじろと見ないからバレなかっただろうけど、あと一年もしたら入れ替わりには無理が出てたぞ。という訳で、先入観さえなければウォルは充分に男らしい」

「そ、そうか」

断言した俺の台詞《せりふ》に、なんだか美少年がものすごくうれしそうにしていた。

ウォルド王子には、女装趣味はなかったってことでいいんだろうな。好きでドレスを着ているのかと、あまりの似合いっぷりに疑ったことはあったが。

しかし可憐《かれん》だ。降ろしている長い黒髪に、白い花が散っているからなおさら。

ちょいちょいと手招きし、少年をベッドの縁に腰かけさせて髪を梳くブラシを取り出す。

「……カリヤ、髪を編んでくれるのはうれしいが、私も三つ編みは上手《うま》くなったぞ？」

「んー、俺の趣味？　この街ではゆっくり出来るように時間を取っているし、工夫して編み込んでも許される気がして。長い髪って、梳いてて楽しいよな」

「わ、私も楽しいと思っている！　だからカリヤ、明日の朝でいいから、カリヤの髪を私が編んでみてもいいだろうか？」

「おう。上手になったというなら、お手並みを拝見させてもらうよ」

髪に絡んだ白い花を取り除きつつ、少年にも少女にも見えるギリギリくらいの可愛い編み込みをしてみた。

山の民の服装に旅のマントを羽織らせ、フードを深く被らせる。

「――よし、変装完了。今から商業ギルドに手紙を出しに行って、買い物だな。ヘレンナを出るのは明後日《あさって》だ。準備を万全にしてから、東へ向かおう」

分かったと頷く王子を連れて、部屋を出て鍵をかける。

そういや洗たく物。洗浄スキルと乾燥スキルのコンボでこれまでしのいできたが、宿に泊まったからには洗う素振りを見せないと不審に思われるだろうな。

宿に預けて洗ってもらうことも出来るけど……夫婦者にしては下着もシーツも汚れてないのがバレる。仕方ない。明日の朝、自分たちで洗うとするか。

しかし俺、王子と夫婦に間違えられてもそんなに動揺していないな。間違えられる程度なら無害だしなぁ。

王子も特に嫌がっているようでもないし。

にっこり笑うおかみさんに、苦笑しながら鍵を預ける。

楽しんでらっしゃいよと背中で聞きながら、宿屋を出た。


ヘレンナの街の商業ギルドの場所は既に調べていた。

――この世界で手紙を出そうと思ったら、手段はいくつかある。

届け先に向かう人に頼む。届ける人を雇う。冒険者ギルドの巡回システムを利用する。商業ギルドの転移システムを利用する。

一番安くて信用出来ないのが人に頼むという行為で、一番高くて信用出来るのが商業ギルドの転移システムだ。

特に商業ギルドの迅速性、正確性は群を抜いている。

転移ポータルとはまったく別種のシステムであり、おそらく前世のゲームの都合で構築されていた別の流通形態が、そのままこちらでも機能しているんだと思う。

彼らは転移システムを商売とみなしている。

商業ギルドを使えば、冒険者ギルドの介入はない。

秘密も守られる。

ただ、お高い。

ギルドに加入している商人ならともかく、個人で使おうと思えばそれはもうべらぼうにお高い。

「合計で二万二千九百ゴルドになります」

対価さえ支払えば、商業ギルドは敵とさえ取引をする。

通された一室で、王子の差し出した三通の手紙の宛先《あてさき》と重さを確認し、告げた職員の言葉に震えが走った。

日本円で約、二百三十万円……っ！

さすが速達便。お高い。

おまけにそれぞれ宛先が違うし、そりゃあこれくらい取るか！

ちなみにおそらく、前世のゲーム知識のままなら、冒険者ギルドに同じ依頼をした場合の金額は十分の一で済んでいた。

頷いた王子が、懐から小さな袋を取り出す。

そこで俺は思い出した。

彼はたしか、現金をまったく持っていなかった。

他に換金出来そうだったアイテムは俺が預かっている。転移時に身に着けていた物しか、彼に財産はなかったはずだ。

少年の座る椅子の背後に立っていたのだけれど、身を乗り出して耳元で囁いた。

「……オル。支払いは？」

「……私の〝腕輪〟だが、もしもの時はいくつか取り外せる宝石が嵌まっている。〝国宝級〟の代物だ。足元を見られてもそれなりの値で売れるだろう」

……？

「……」

――先祖代々、受け継がれてきた〝国宝〟なんだろう⁉

覚悟を決めた目で、寂しそうに微笑《わら》うんじゃねーよ、年下が！

王子の動きを制して、一万ゴルド金貨を三枚取り出す。

少年の体越しにテーブルの上に置くと、ギルド職員が頭を下げた。

「しばらくお待ちください。別室で、契約書とお釣りを用意してきます」

「――カリヤ！」

部屋を出ていった男に、王子が椅子に座ったまま体をねじって背後の俺を見上げた。

「私の問題だ。私が支払うのが筋だろう!?」

「あなたの問題じゃない。〝俺とあなた〟の問題だ。今ここで売ってしまえば、二度と同じ物を買い戻すことは出来ないぞ？　無理をしてまで一人で解決する必要はない。相談しろ。助けを求めろ、俺に。この旅の間だけでも」

「――――」

室内でもマントのフードを被ったままの少年がうつむく。

俺は、彼の頭にポンと手を乗せた。


「……後で、その外した宝石を、元の場所に嵌めてやるよ」

「お待たせして申し訳ありません」

トレイに契約書と釣銭を載せて、商業ギルド職員が戻ってきた。

少年の後ろの位置に戻り、叩いた口の大きさに心臓ドッキドキの俺。

実は半年前まで、所持金は千ゴルドもないド貧民だったんだぜ……なのに今じゃ一万ゴルド金貨なら三百枚くらい持っている。

古今東西、戦争が儲かるって本当だよな。

いつでも無心をしていいんだぜ、少年。

支払いは出世払いでツケておくからさ。

作戦会議のお時間です

手紙を託し、商業ギルドを出る。

同時に三通も出すと依頼場所がバレてしまうのではと思ったんだが、王子によるとまだ他の場所を経由して配達されていくらしい。

そして二通は揃わないと、仕込んだ暗号の解読が出来ないのだとか。

まあ、くわしくは分からないが大丈夫なのだろうと納得しておく。

それから二人で買い物をした。

何故ヘレンナに三泊も宿を取ったのかというと、休息もあるが旅の仕度を整えるためだ。

王子の服がもっと欲しい。

でも俺の手持ちの布地は使い切ってしまった。

防具はサイズ補正があって誰《だれ》でも装備出来るんだが、普通の服にそんな機能はない。

俺の持っている服を共有しようかと考えたんだが、少年に着せてみると少しサイズが大きかった。

それにかなり着古している。なので自分の分もついでに新調することにした。

既製の古着を買うという選択肢はないぜ。何故なら俺が生産職だから！

自分が作れるのに、何故他人の作った服を着せなくてはいけないのか⁉

それに俺が自作したら改造が出来る。

むしろ楽しみながら魔改造するのがメイン！

お互いに好みの柄の布地を選んで、何種類も購入する。

他にもこまごまとした物を買い込んだ後は、建物の二階にあるレストランで、街の広場を眺めながら昼食をとる。

観光客向けの店だから、旅行中と一目で分かる山の民も入店出来た。

金を握らせて座ったテラス席から（普通なら山の民は部屋の隅……）、ヘレンナの街の観光名所である広場の噴水が良く見える。

「……でだ、あそこが乗り合い馬車の発着所」

くい、とフォークの先で噴水の向こうを指す。

綺麗な仕草で焼いた肉を切っていた王子が、示した先に視線を向けた。

「革鎧を着た冒険者の女の子が、少し離れた樽《たる》の上に座っているだろう？　馬車の利用客の人相を、あそこで書き写している。ギルド総本部からの依頼だそうだ」

「……私が馬車を使うか、どこへ向かおうとしているのか調べているのだな」

「おそらく、すべてのギルド支部がある都市で調べている。全員分を総本部に報告させ、その中にオルに似た背格好の少年がいれば対応するんだろう」

「クラシエルの転生者が先回りをして、到着地で待っていたりする訳か……」

昨日《きのう》、冒険者ギルドで入手してきた情報を披露する俺に、王子が美貌をかげらせる。

「私たちが自前で馬車を所持したり、馬に乗ることは出来ないんだな？」

「場合によってはしてもいいが、緊急移動手段がジャンプだからなー」

その時点で馬を捨てることになる。

仕方ないことだが、馬さんが悲惨だ。誰かが拾ってくれればともかく、モンスターに喰われるかもしれない。

伝えた理由に、眉をひそめながら口に肉を運ぶ少年。かわいそうだという気持ちと、早く帰りたいという気持ちがせめぎ合っているんだろうな。

「ま、馬は高価な買い物だ。繰り返していたら足がつく。いざという時の手段にしよう。基本の移動は徒歩とジャンプで。……隣の席に客が座るみたいだから、この話はここまでな」

空いていた席に、商人らしい家族連れが座る。

旅装束を着ている親子は、子供たちは楽しそうに噴水を眺めていたが、両親はわりと深刻な顔で話していた。

「どうする？　東へ向かえなくなった」

「いつかはとは思っていたけど、戦争が始まるなんて……」

商人夫婦が出した国の名は、俺が冒険者ギルドで見かけた傭兵の募集をしていた依頼主だった。

旅のルートを変更せざるを得ないのだろう。嘆く夫婦の会話を聞きながら、そっと王子が俺に囁く。

「……兄さん。兄さんの持っているあの地図に、書き込みをしてもかまわないだろうか？」

「オリジナルはあれしかない。他の紙に写すか、薄い紙を上から敷くならいいが」

「ありがとう。薄い紙と色鉛筆があるならそれで。食事を終えたら宿屋に戻ろう」

提案に、俺は頷いた。

そういやウォルド王子だが、市井の街中を見るのは初めてかと思っていたが、実はわりと出かけていたらしい。

社会勉強と称して、王都アルティシアや地方の領都をお忍びで歩いたのだとか。

誰が連れだしたのかを少年は語らなかったけれど、一度だけ口にした領都の名はコートレイ地方のものだった。

懐かしそうに、切なそうに語る少年の師が誰であったのかを思い出して、あの人らしいなと思った。

宿屋に戻り、にこにこ笑顔のおかみさんから鍵を受け取ると部屋に戻る。

なんと窓辺に可愛らしい花の鉢植えが置かれていた。新婚旅行者向けのサービスらしい。

こまやかな心遣い。この宿がお高いのも納得だ。

本当に良い宿だけど……ちょっとだけ血の涙を流したくなった俺を責める男はいないと思う。

だって、相手が同性なんだ。

可憐な美少女が男じゃなくて、身分も高くなかったらプロポーズを真剣に考えていたかもしれない。

良い子なんだよウォルド王子。けなげで、頑張り屋で。

この際、男でもいいんじゃないかなとまで思ってしまう。この世界、同性愛も選択肢の一つとしてあるみたいだし。

でもさすがに王子殿下は駄目だ。

身分が違いすぎるし、セックスも禁止だと本人から釘《くぎ》を刺されている。

俺がそんな阿呆《あほう》なことを考えている間にも、取り出した地図をテーブルの上に広げた王子が、真剣な表情で重ねた薄紙の上に色鉛筆で書き込みを加えている。

「――カリヤ、これを見てくれ」

呼ばれて、俺はテーブルへと近づいた。

地図の上には国境の線が引かれ、各国の名が記されていた。地方都市の名も書かれている。

現在地へレンナは、『02：03』の枠の右下に書き込まれていた。

「カリヤの地図は、地形はとても正確だけど、おそらく九百年くらい古い情報なんだ。転生者の知るゲームの知識と、この世界の歴史は微妙に変わってしまっている。だから、今の中央国家群の情勢を記した」

覗き込むと、地図のほぼ中央に記していたユリアナ帝国の名が消されていた。

代わりに南半分にいくつかの小国が書き加えられている。クラシエルの名も、クロエ平原の北に記されていた。

ユリアナ帝国の北半分は黒く縁どられ、〝死者の国〟と記入されていた。

「ここは？」

「旧帝都一帯は、生者は立ち入ることが出来なくなっている……ユリアナ帝国とそれ以外の国々が激突した、最終決戦の結果だ」

あの地は呪《のろ》われた、と呟く少年。

クラシエルの転生者であるサキタが言っていた、対冒険者ギルドとの五十年にわたる戦争の結末なんだろう。

……前世の《ゴールデン・ドーン》のゲーム内で、

辺境によく似た設定のアンデッドがはびこるエリアがあった。それを再現したのかもしれない。

外道の技だ。趣味の悪いイベントエリアだった。

その技を行わなければならないほど、相手も外道だったのだろうか……ちなみに、俺は行ったことないです。

SS以上推奨エリアで、堕《お》ちた神がいた。

〝神殺し〟に至るためのクエストエリアの一つで、攻略サイトで見ただけの知識です。閑話休題。

「そして、先ほど隣の席で話していた国がここと こ。近いうちに戦争を始めるかもしれないという情報は、ティシアも得ていた。北部諸国連合内の情勢はチェックしていたから」

赤色の色鉛筆が、ヘレンナの存在する国の東と、そのまた東の隣国を囲んで斜線を引く。

「そして、この二ヶ国の戦争が始まった場合、この国とこの国も近寄らない方が良くなる。王家同士の繋がりが深い。いつ戦火が飛び火するか分からない」

赤色で囲んだ斜線が増えた。

「……戦争の最中《さなか》を突っ切るか、南下して大きく迂回するか……」

「ちなみにカリヤが考える、私を連れて入ることが難しいエリアと、不可能なエリアを教えてくれないか？　他の色の鉛筆でチェックを入れてくれ」

言われて、俺も色鉛筆を手に取った。

青で不可能なエリア、緑でまあ何とかなるだろうけど、出来れば入りたくないなというエリアを記入していく。

「……ゲイリアス一帯は全部緑色か？」

「ホームグラウンドだからね。ま、大丈夫。ただし冬以外に限る」

Sランクの身体スペックだから俺は耐えられるが、王子が凍死する。

告げると、難しい顔をした少年が頷く。

地図に書き込んでいくと、取れるルートが限られていることが分かってきた。

戦争を避けるなら、まず南下。それから北東に向かうんだが、黒枠の旧ユリアナ帝国領がとてつもなく邪魔だ。

そこに並ぶ、翼竜《ワイバーン》が越冬する中央国家群最大の湖『中海』。中海に隣接するエルフの『大樹海』。

この黒と青で囲んだ三か所が決して抜けられない大きな壁になっている。

奥へ入れば北部諸国連合の影響圏外になるんだろうが、おそらくそこに行きつくまでに王子が死ぬ。

エルフが住む『大樹海』は、巨大な森全体に結界が張られているから、足を踏み入れることさえ不可能だ。

だが、かならず北部諸国連合を脱出する。

ウォルド王子を無事に祖国まで送り届けて、そしてまだ戦争が終わっていないのなら、クラシエルとの戦いに決着をつけよう――。

さらばヘレンナ

残りの二泊は、あわただしくも穏やかに過ぎていった。

次の日は朝から宿の部屋にこもって、旅に必要な装備一式を作った。

山の民バージョンの他にも、町人風、農民風、それらの夏服。下着一式まで。

少しは王子に金目の物を持たせておかなければと思い立ち、ベルトやブーツの合わせた革の間に、金貨と銀貨も仕込む。

もしも俺とはぐれたり、俺が死んだ時のことも考えないといけないよなぁ……俺が死ぬ時は少年も死んでいるだろうと思っていたけど、万が一に備えるのは大事。

彼の身に着けている、ギミック満載の腕輪にも工夫を加えてみた。

右手首の腕輪には、蘇生アイテムや光玉などを板状に加工し、設置した溝穴《スロット》へ模様のようにはめ込んでいく。おかげで一見すると、色石を嵌めた素朴な装飾になった。

土台の木製部分への飾り彫りとかは我慢だ。それをしたら美術品になってしまう。

左手首には、ランクSの鑑定阻害機能をつけた腕輪を嵌める。

こちらはわざとさりげなく周囲に見せる。

実は王子が二の腕に嵌めていた宝冠だが、あれをつけていたらまったく少年を鑑定出来ないことに気がついた。

いい仕事をしてくれているのです、宝冠。

だがその結果、鑑定を仕掛けると『〝鑑定出来ない事実〟が鑑定される』という面倒なことになってしまった。

たとえSSSランクでも鑑定出来ない、究極の血統アイテム、王家の宝冠。

俺のアイテムボックスに隠すという案も出たのだが、血統アイテムなので入れることが出来なかった。

なので、宝冠の存在を気づかせないように、見せ腕輪を手首の方に嵌めておく。

一般ピープルがランクSアイテムを持っているのはかなり無理があるのだが、転生者をごまかそうと思えば仕方ない。万が一にも気づかれて突っ込まれたら「先祖代々の家宝」で通してしまおう。


俺が生産活動に勤《いそ》しんでいる間、王子のすることがなかったので、宿の中庭での洗たくを頼んでみた。外に買い物なんて、一人では行かせられない。間違いなくナンパされてしまう。

そうしたら、予想より早く戻ってきた。宿のおかみさんが手伝ってくれたらしい。

せっかくなので乾燥スキルは使わず、窓を開ける。手は出さずにアドバイスだけを王子に送り、部屋の中に洗たくロープを張ってから洗たく物を干してもらう。

王子、初めての洗たく無事終了。

いい笑顔で笑った少年が、次の仕事をねだってきたので、次は上着への刺繍をお願いしてみた。

少年が悲壮な表情で針を運んでいる。

どうも刺繍は苦手らしい。うん、カザリン王女の時の様子を思い出せば予想はついたかな。

だけど、自分の着ることになる服なんだから可愛《かわい》くし甲斐があるだろう、と首を傾《かし》げれば、はっと王子が提案してきた。

「どうせならカリヤの服に刺繍がしたい！　自分の分はわざわざ刺繍したいとは思えないが、カリヤが……他人が着る服はそうは思わないから、苦手だけどがんばれる」

「そう？　じゃあ、頼むよ」

ぱあっと笑顔になった美少年に惚《ほ》れかけた。

うちの王子様は本当に可愛いよな……どこぞの馬の骨なぞには絶対にやらんぞ？

嫁になど行かせるものか。ま、彼は嫁を取る方の立場だけど。

そうやって、日が傾いて洗たく物が乾く頃《ころ》まで部屋で一緒に作業をしていた訳だが、

夕食を取りに階下に降りると、満面の笑みを浮かべた女将《おかみ》さんが食事の載ったトレイを渡してくれた。

「ヘレンナはそんなに大きくない街ですものね。観光は一日あれば終わっちゃうわよねー」

……作業で使うから、日の高いうちからお湯をわけてもらったっけな。

「お嫁さんはまだ若いんだから、あまり無理をさせちゃダメよ？」

「――ハイ」

うん、気をつけることにします、いろいろと……。

三泊の間お世話になった宿に別れを告げ、門をくぐってヘレンナの街の外に出る。

書きつけを門番に返すと、一枚の木札に化けた。

次回入る時は、この札を見せれば通行料は十ゴル

ドになるらしい。……多分、もう来ることはないと思う。

まず向かうのは北の方角。

ヘレンナの街に入った門が北だった。

お使いで来たという俺たちの設定なら、来た方角に戻るのが自然だろう。ある程度街道を歩いて、街から充分離れたら進路を南に変更する予定だ。

やはり戦争は避けることにした。

「ウォル、利き腕じゃない方……左手を出して」

隣を歩く少年が、首を傾げながら左手を持ち上げた。

俺は街道の端に寄って足を止め、彼の細い手首に銀色に光る鎖を結びつける。

鎖の長さは短い。

端に銀の球体がぶら下がっていて、それがちょうど手の中に握り込めるよう、長さを調節する。

「これは……？」

「光玉。中身は入っていない」

ピンポン玉より少し小さいくらいの金属の球体だった。

全体にこまかな装飾が施されている。表面の中央に丸い窓があり、中に無色の水晶が収まっているのが分かる。

「それが本物の『光玉』だ。タキリンで作っていたのは、器の容量が十分の一にも満たない劣化品だった。今日からMP最大量を増やす訓練を行う。歩きながら、手の中に握りしめたその光玉にMPを充填させるんだ」

「……これを、毎日満タンにすればいいんだな？」

「ん？　いや、無理だろまだ。水筒の横にMPポーションの瓶をぶら下げておく。一日のノルマは、ポーションを飲みながら光玉にMPを注ぎ続けて、瓶を空にすることからだな」

小さなポーションの瓶をベルトの環に引っかける。

北から東へ曲がろうとする街道を外れ、俺は荒野へと続く丘陵に向かい、一直線に歩き出す。

歩いてきたのがこのルートだったので。

誰《だれ》も気にしてはいないだろうけど、同じルートを戻っておいた方がいい。

渡した光玉を手の中にぎゅっと握りながら、ウォルド王子が俺の後を追う。

「つまり、自分の中にあるMPを空にするのを繰り返して、最大量を増やすのだな？」

「正解。MPは使えば使うほど増える。これからは毎日、ポーション酔いしない範囲でドーピングしつつ、何度も使いきる予定。その特製ポーションは一口ずつ口に含むんだ。ウォルにはかなり濃い」

さぁ、ブートキャンプ第二章の始まりだ！

「――あ」

突然、王子が横手に顔を向けた。

視線をたどると、だだっ広い草原で一匹、メルメルの仔《こ》が草を食《は》んでいた。

「群れからはぐれたのだろうか？」

「じゃないかなぁー……」

「……カリヤ。よければあの仔は見逃してやってくれないか？」

金色の羊毛を目の前にして物欲にまみれかけていた俺は、王子の頼みに構えた弓を降ろす。

……まぁ、特に今、アイテムに困っている訳じゃないしな。ヘレンナで充分補給出来たし。

足を止め、微笑みを浮かべて美少年がメルメルを眺めている。

かなり気に入ったんだなと思いながら付き合っていると、メルメルが視線に気づいた。

小さな黄色い羊が顔を上げ、じっとこちらを見つめ返している。

「人を怖がらないんだな、メルメルは」

楽し気に遠くから見守っていた王子に興味を引かれたのか、とてとてと仔メルメルの方から近づいてきた。可愛くてもモンスターだが、しょせん単体ならランクEだ。

近づかれても大丈夫。充分に対処出来る――。

くわっと、仔メルメルが横長の瞳孔《どうこう》の目を見開いた。

小さいのがいた────！

「え？」
「は？」

ドドドドドと、地響きがはるか遠くから聞こえてきた。

仔メルメルが背後にした丘陵の向こう、北西の方角から立ち上る土煙。シンパシー能力全開だった絶叫に、応《こた》える思念が聞こえてくるようなこないような……。

無言で王子を抱きかかえ、俺はその場から連続ジャンプで逃げた。

戦争が始まるという東の方角へ。

……元来た方角である南に逃げたら、ヘレンナの街が金色の海に沈む未来が見えたんだ。

幕間

王座の背後にある王国碑は、周りを白い布で囲まれていた。

謁見《えっけん》の間の扉は衛兵によって厳重に守られている。人払いをした室内の、白い覆いの中に入り、カザリン王女は自国の王国碑を見上げていた。

王国碑のすぐ下には、雪狼の毛皮が敷かれていた。足しげく通う彼女のために、誰かが気を利かせたのだろう。身を預けるクッションと、ひざ掛けも用意されている。

クッションを挟んで王国碑に寄りかかるようにして座り込み、彼女は碑に刻まれた弟の名前に指先を伸ばす。

双子の弟の名前は、金色に輝いている。

それは彼がまだどこかで生きていることを──血統の資格を失くすことなく生きていることを表していた。

「カザリン。やはりここにいたのか」

「ルシアン兄上──」

白い囲いの中に入ってきた異母兄に、カザリンは碑に触れていた指先を戻した。

「……一国の王女が床になど座るものではない。この場にいたいのなら、椅子を置くといい。体を冷やすぞ」

「いくら見えないように囲いをしている中とはいえ、王座と同じ高さの場所で椅子には座れませんわ。それに、寄り添っていたいのは私のわがままですもの。気にかけてくださってありがとうございます、兄上」

ふふと笑い、カザリンは腰を下ろしていた毛皮の上から立ち上がった。

「……解読出来ましたか？」

「これだ」

異母兄が渡してきた紙を受け取って目を通す。

弟から手紙が届いた。


タキリン城砦からの、最後の転移メンバーの中にいなかった弟。

自らの意思でポータルの外へと出ていき、その後行方《ゆくえ》が知れなくなっていた彼を、どれだけ探しただろうか。

生きていることだけは王国碑で確認出来たが、どこにいるのか、敵の手に落ちたのかさえまったく分かっていなかった。

王家に伝わる方法に従って届いた最初の手紙を見た時、カザリンは泣いた。

双子の弟が無事であること──自らの意思で手紙を送る自由を失っていないことを知って。

それから二通、それぞれ別のルートを使った手紙が届き、仕込まれた暗号が解読出来た。

手紙は自分の愚かな行動を詫《わ》びる文章から始まっていた。

撤退してきた者たちから聞いたように、敵に宝冠を見せられてポータルから飛び出してしまったこと。

その後カリヤに助けられて、タキリンから脱出したこと。今は彼と共に、ティシアに戻るために行動していること――。

「……北部諸国連合の影響下にいたとはな」

既に手紙に目を通した異母兄が呟く。

「それも北方の僻地に飛ばされていたとは……この手紙を出したヘレンナの街にたどりつくまで、今までかかったようだ」

「カリヤが一緒にいてくれてよかった――」

生産職とはいえ、Sランク転生者が弟の側《そば》にいることを知り、カザリンは安堵のため息をついた。

そんな様子を見ていたルシアンが、妹に尋ねる。

「――カザリン。おまえの目から見て、カリヤは信用出来るか？」

「出来ますわ、ルシアン兄上。彼は間違いなく、我々この世界の住人に恵みを与えてくれる〝良き隣人〟です」

人に善人と悪人がいるように、転生者と呼ばれる存在の中にも、良き存在と悪《あ》しき存在がいる。

〝良き隣人〟とは、彼らのいうNPCに対して好意を持ち、慈愛深く接してくる存在のことを指した。

彼らはこの世界を愛し、自らの英知を惜しみなく与えてくれる。

〝老師〟と呼ばれ敬愛されていた、SSランク転生者もそうだった。

強大な力を有しながらその力に溺《おぼ》れることなく、周囲の人々を――ティシア国民を庇護して、良き方向へ導こうと尽くしてくれた。

ティシアを愛し、ラギオン帝国を始めとした他国から誘われてもこの国を離れることはなかった。

まだ幼かったカザリンも慈しんでくれた。やさしく頭を撫でる、枯れた手のひらを覚えている。

「ティシア軍がクロエ平原で互角に戦えていたのは、彼の能力によるものです。カリヤがいなければあそこまで戦えなかった。それほどに貢献しながら、彼自身が対価を強欲に求めることはありませんでした。

交易スキルで算定された対価だけです、受け取ったのは。彼の献身は、あくまで善意によるものでした」

「言い切れるのか？」

「ええ。カリヤはほんの少しの祖国への愛情と……友情のために、手を貸してくれていました。老師が先々王《おじいさま》と友情を結んだように、彼はナダル・コートレイを友として、我が国に協力してくれた」

そして、とカザリンは目を閉じる。

「――ナダルなき今、カリヤが我が国を裏切ることはないでしょう。クラシエルはナダルの仇《かたき》ですもの」

彼女は、カリヤの美貌が絶望に染まるのをこの目で見た。

カリヤが冒険者ギルドに――クラシエルに味方することはないだろう。彼にとって、クラシエルは明確な敵となった。

「……カリヤはやはりナダルの愛人だったんだろうか」

「それ、彼の前で仰《おっしゃ》らないでくださいね？　気を悪くしますわよ。彼、同性愛の指向はないと、前に同席した時に確認しましたよね？」

「ああ。タキリンで話したが……ならウォルドは彼と共に行動しても、血統を失うことはない訳だな」

「もう、ルシアン兄上ったら。まさかカリヤがウォルドを無理やり？　そんなこと、ある訳ない……と思いますけど……」

一瞬考えこんだ王女は、ふむん、と頷く。

カリヤから、はないと思う。

気の良い青年だった。いくら美しいとはいえ年下の少年に対して、合意のない性交には至らないと思う。

対する弟だが、不測の事態には王位に就くよう育てられた身だ。血統を失うようなことは、絶対に自分からは行わないだろう。

逆ならともかく。

――逆？

「……読み終わりましたから、燃やします」

異母兄が頷くのを確かめ、カザリンは魔法を唱えた。手にしていた手紙の端に火がつき、紙がまたたくまに燃え尽きる。

「――ウォルドの生死についての公表はどうします？」

カザリンの言葉に、共同で王位の代行をしている異母兄はため息をつく。

「しばらくはこのままだな。情報を与えず、不在だけを告げる。国の内外には、好きに憶測を立てさせて時間を稼ごう。今、くわしいことを公表すれば、逃亡中のウォルドに危険を与えかねない」

「承知しました。……私、まだしばらくモテて困っちゃいますのね。求婚が引っきりなし。六年前に婚約者が死んでから、だーれも求婚してくれなかったのに。やはり女王の夫の座なら欲しい方って多いのね」

「だろうな。私もモテているぞ。おまえと結ばれる前に、血統の資格を得なくてはいけないからな。ベッドの周りが騒がしい」

「やだ。愛人はしっかり管理なさってくださいね、兄上」

去ろうとする異母兄の後ろについて出ていこうとして、カザリン王女はもう一度だけ背後を振り返る。

弟が帰ってくるまで、王国碑の覆いが外されることはないだろう。

そこには双子の弟の名が、金色の光を放っていた。

国境警備兵

メルメル襲撃（推定。実際は見なかった）から逃げきった後、俺と王子はかなりの距離を東に進んでいた。

正確には北東に進んでいた。

戦争を始めたという国を地図で見て、真上辺りまで進んでしまっていた。

まだまだ北方山脈沿いに荒野は続いているのだが、これ以上東に進むのはモンスター分布的にきつくなる。ランクが高くなっていくので。

なので進路修正。

斜め下、南西の方角に向かい、そのまま反時計《とけい》回りにぐるりと戦時中の国々を迂回予定。

ジャンプを使いつつも、基本は徒歩だ。

せっかくなので、ウォルド王子には今のうちにランクDのモンスターを自力で倒せるようになってもらうことにした。

彼は剣と魔法を織り交ぜつつ戦っている。

本人的には自国の国宝『白の天蓋』を扱うために、魔法剣士ではなく魔法使いに特化したいらしいが、魔法使いでも体力は必要です。

少年が背から降ろしたリュックの上に座り、俺は乱入しようとしている他のモンスターを弓で射て止める。

この辺りのモンスターは蛙型と兎型が多い。

蛙の皮はテントに使って、兎はコートの裏地かなー。

肉はもちろんどちらも食べる。

「……これで、最後っ！　〝ファイアアロー〟！」

少年が放った火魔法に弾き飛ばされ、もんどりうって転がった大蛙《ビッグフロッグ》が動きを止めた。

「おつかれさま。かなりコツを掴んできたようだな」

「……カリヤみたいに、無詠唱で魔法が放てるようになりたい」

「あれは習熟度だ。繰り返し使っていたら覚えられるようになる。さて、剥ぎ取りを……ん？」

「——馬が、こちらに向かってきている」

南に見えていた森の方角から騎馬が三頭、俺たちに向かって近づいてきていた。

どうやら魔法で戦っていたのが見つかったらしく、それを確認しに来ているのだろう。

誰《だれ》も周囲にいないと安心していたのだが、森の中に潜んでいたのか。

無法者ではなく、国境を警備する兵士だった。

ただし、正規兵ではない。

それぞれ自前の鎧を身に着け、肩口に所属を示す揃いのプレートを装着している。

「……傭兵か……面倒な相手だな」

「カリヤ、あれは」

「おそらく自衛団などではなく、金銭で雇われた国境警備兵だ。あいつらはかなりタチが悪い。ウォル、フードを深く被っておけ。おそらく今から連行されるだろう。話して解決するつもりだが、最悪金を巻き上げられて、身《み》ぐるみ剥《は》がれる」

「――分かった」

自分を納得させるように間をおいて、王子が頷く。

もうジャンプで逃げることは出来なかった。奴らはこっちを捉えている。

〝ジャンプを使えるのは転生者だけ〟だから、二人連れの旅人がジャンプで逃げたと広められるのはまずい。

近寄ってきた少年の手首から、NPCが持たない高ランクの光玉を回収する。

財布や他の装備はそのままにした。取られてもすぐに代わりがアイテムボックスの中から出せる。

少年の二の腕に嵌めている宝冠は、一応粗末に見えるように偽装はしている。

これさえ奪われなかったらいい。

「――きさまら、敵国のスパイか⁉」

もちろん、俺は違うと言い張った。

ただの山の方から来た猟師だと。

しかし連行された。

まあねー、一介の猟師が獲物をとるのに攻撃魔法なんて使わないよねー。魔法で倒したら獲物の状態が悪くなるし、それより平民は滅多に攻撃魔法なんて使えない。

連行されるのは当然だった。

どうやら森と荒野の境を、その国は国境としているようだ。

路面の状態が悪い街道が森に沿って通り、兵士の詰所は森の中に隠されるように存在していた。

元々常駐するような規模ではなかったのだろう。対人というよりは対モンスターの避難所のようだ。

だが、隣国との戦争が始まってしまった。

一応は国境だからと雇われた傭兵が、二十人ほど詰めている。正規兵らしき姿はない。

つまり万が一のために配置しただけで、戦場ははるか遠く。

暇を持て余していた傭兵たちがたまたま見つけた、格好の玩具《おもちゃ》が俺たちだった訳だ。

先端を尖らせた木の柵を巡らせている敷地の中に連行され、すぐに俺と王子は引き離された。

背から降ろしたリュックは既に奪われ、向こうで中身を漁《あさ》られている。

身に着けていた武器も取り上げられた。

フードを引きずり下ろされてあらわになった王子の美貌に、取り囲んだ傭兵たちの間から下品な歓声が起こった。

もちろん、ヒゲはスルーされている。

「女だ」

「女スパイだ」

「弟だ！　俺たちはスパイじゃない！　金目のものは全部やるから解放してくれ！　——さっき攻撃魔法を使っていたのは、弟だ」

王子を取り囲み、狭まろうとしていた輪がそこで止まった。

「おい、兄ちゃん」

傭兵のまとめ役らしい体格の大きな男が、抜身の剣を肩に担ぎながら近づいてくる。

「あのな、戦争をしている国にホイホイ近づいて、スパイじゃないなんて言っても誰も信じねぇよ」

「……調べてもらえれば分かる。ヘレンナの物だが、身分証明もある。敵国人じゃない。獲物を探して遠出してしまっただけだ」

懐から木札を取り出して差し出すと、ふぅんと男が一瞥した。

「――なら、おまえたちがこっちの国に来たってことは誰も知らないんだな」

木札が叩《はた》き落《お》とされ、踏みつけられた。まとめ役の男が周囲の仲間に声を張り上げる。

「次の正規兵の巡回は三日後だ！　それまでそこの女スパイを全員で尋問するぞ！　おい、女！　おまえが抵抗したらこっちの兄貴は殺す！　馬鹿なことを考えるなよ、すぐに兄貴を殺すからな！」

「兄さん！」

「――と言いながら、三日後の巡回が来るまでに二人とも殺すだろう？　こんな僻地じゃ、奴隷《どれい》として売り飛ばせないからな」

男がにやりと笑い、俺の顔に剣先を突きつけた。

「抵抗するなよ、殺すぞォ！」

「兄貴とやらを目の前で切り刻まれたくなかったら、今すぐ自分から全部脱ぎな！」

少年の三つ編みが乱暴に掴まれ、そのまま地面に引きずり倒される。小さな体に我先にと男たちがのしかかる。

「――動くなよ、ウォル！」

少年と傭兵の間に、俺がジャンプで割り込むスペースはなかった。

俺は無詠唱で、彼に群がる男たちに向けて〝かまいたち〟を放った。

「なっ⁉」

驚愕するまとめ役の背後にジャンプし、耳元で囁く。

「弟が魔法を使えるのに、兄だけ使えないと思ったのか？」

そのまま再度ジャンプで短い距離を跳び、崩れ落ちた傭兵のおかげでスペースの空いた王子の上に出現する。

返り血を頭から被った王子の腕を掴んで、繰り返すジャンプ。

まとめ役の背後で確認していた、詰所の敷地の端にある馬小屋に移動した俺は、呆然としている少年をわらの中に座らせた。

「ここで待っていてくれ。――殲滅してくる」

それから起きたのは、一方的な殺戮《さつりく》だった。

逃げ惑う傭兵たちを、馬小屋を背にして一人ずつ始末していく。

……以前、山賊の巣を始末した時にも、同じようなことをした。

抵抗する者も、命乞《いのちご》いをする者も、弓での攻撃の他に時おり風の刃も飛ばして、確実にとどめを刺していく。引き出していた馬に乗って逃げようとした者は、背後から弓で射落とした。

「……た、たすけ、助けてくれ……」

「これまで命乞いをした相手を、おまえは許したか？」

言葉を失くしたまとめ役の眉間を射ち抜き、敷地の中に立つ者は俺以外いなくなった。

……やってしまった。

弓をアイテムボックスの中に戻しつつ、俺は反省する。

傭兵殺しは反省しない。悪人は自業自得だ。

あいつらは俺の命を盾にして王子を輪姦《りんかん》し、その後二人とも殺すつもりだった。手際の良さを考えると、これまで同じことをしていたはずだ。

脱がせて王子が男だと分かっても続けただろう。少年でも見目が良ければそういう被害に遭う。

反省するのは、王子に前もって危険を知らせていなかったことだ。

自分が輪姦されそうになったと思ったら、相手は惨殺、自分は血まみれ。

さすがに……頭から血まみれはないよな。

風呂を用意するけど、洗わせてくれるだろうか。怯《おび》えられたりしたらつらいなぁ。

背にしていた馬小屋へ振り返ると、入り口に血を浴びて赤く染まった少年が立っていた。

片手を扉について体を支え、もう片方の手は胸の位置できゅっと握りしめている。

返り血で染まった衣服はまだ乱れたままだった。かまいたちの刃で切ってしまったのか、長かった三つ編みが途中で千切れている。短くなってしまった髪に、申し訳ない気持ちになる。

「……ウォルド殿下」

「ウォルと呼んでほしい。――そう言っただろう、カリヤ」

王子がかすかに唇の端を上げた。

「……我が国の名のもとに行われる戦いのすべては、我ら王家が責任を持つ。私のためにカリヤが戦ったのなら、その結果は私が受け止める。ありがとう、カリヤ。あなたは私を助けてくれた」

――ああ、彼はちゃんと覚悟を決めているのか。

俺は彼を守ろうと戦った。彼はその結果と責任を、自分のものとして受け止めている。

それが指導者としての覚悟。

人の上に立つ者としての心構えを、きちんと少年は自覚している。

彼との関係は契約であって、忠誠を誓っている訳ではないけれど、それもいいかなとふと考えてしまった。

「……ウォルが無事でよかった」

心からそう思えた。

証拠隠滅はしません

屍《しかばね》が累々と転がる詰所の敷地内。

まず俺がしたことは、馬小屋の中にアイテムボックス内のたらいを出現させることだった。

「カリヤ、これは……」

「返り血を落とさないとな。ウォルもさすがに死人を眺めながら行水するのは嫌だろ？　ここからなら見えないから。小屋の中にいる馬は気にせずに、すぐに洗い流してくれ」

あ、これ着替えね、と予備の服も取り出しておく。たらいの中にお湯を溜め、シャワーも備え付けて、それじゃ、と俺は少年に手を上げた。

「ウォルが風呂を使っている間に、俺の方はいろいろと確認してくるよ」

俺は返り血を浴びなかったので、湯を使う必要がない。せいぜい、血まみれの王子に触れた手を洗うくらいだ。

念入りに綺麗にしとけよーと言い置いて、俺は馬小屋から外に出た。

さて、と、地面に転がっている傭兵たちの方へ向かい、まだ息がある者がいないか確かめて回る。

王子が襲われた付近に転がる死体の中から、彼の千切れた三つ編みを握る腕を見つけた。

そのまま残しておく訳にはいかないだろうと、手首を踏みつけて指を開かせ、髪を回収する。

もう王子の持ち物がその場に残っていないのを確かめ、漁《あさ》られていたリュックの残骸も回収した。

持ち去られ、ポケットに入れられた物までは取り戻さない。ありふれた足のつかない物しか、最初からリュックには詰めていない。

確認したが、ちゃんと全員に止《とど》めを刺せているようだった。

ジャンプを見せたんだ。生き残りがいたら大変なことになる。

ほっと息をつき、転がる死体の間を抜けると、敷地内に建てられた家屋の中へ足を踏み入れた。

こちらにも潜んでいる者がいないか確認する。

終わると、意味なく室内を荒らした。

偉い人が使うらしい机の引き出しの中身を床にぶちまけたり、壁に張られていた地図を破り取ったり。

椅子と机も蹴って位置をずらした。

うむ、不審者が荒らした感がばっちりだな！

一仕事を終えて馬小屋に戻ると、王子が綺麗になっていた。

ちょうど着替え終わったところだったらしく、手招きで来い来いと呼び寄せ、まだ湿っている髪を乾かしてやる。

「ありがとう、カリヤ」

「そのままにしていたら風邪をひくから。……髪、短くなってしまったな」

「そのことなんだが」

肩の下辺りの長さになってしまった少年が、自分の髪の一房を手に取った。

「いっそ、もっと短く切ってしまいたいんだが、カリヤはどう思う？　髪が短い方が、女性に間違われなくなると思う。……間違われた場合のメリットより、デメリットの方が大きいと、今回は痛感した」

この世界の男の場合、髪の長さは短かったり長かったり様々だが、女は皆、長く伸ばす。短髪の女はほとんどいない。

そしてティシア王子の人相書きが出回っているならば、長髪で描かれているだろう。

髪を短く切るのは、変装の観点からいうと良いアイディアだった。

「え？　でも切っていいのか？　王族は髪を伸ばさないといけないとか、決まりがあるんじゃなかったの？」

「いや、たしかに貴族の男は髪を伸ばす場合が多いが……別に短いのが許されないとかはないぞ？　手入れした髪が富の象徴だとは見なされるが、気にしない者も多い」

そうだったのか。

会ったことのあるティシア王族は全員長髪だったから、伸ばすものなんだと思ってたよ。

「カリヤは、はさみを持っているだろう？　せっかくだから、今ここで短く切ってほしい」

「――了解」

椅子を出して座らせ、服を汚さないようにマントを羽織らせて、俺はウォルド王子の要望通りに髪を切った。

全体的にレイヤーを入れ、後ろ髪の長さは首すじが見えるくらいに短くする。

髪質にすこし癖があるからか、ゆるめのパーマをかけたみたいな仕上がりになった。

しかし、すごいイメチェンだ。

もう美少女には見えない。美少年にしか見えない。姉によく似た顔立ちだが、短髪にしてはっきりと見えるようになった顔や首のラインが、彼を男だと教えてくれる。

はっきり男だと分かるようになったが、美貌が失われた訳ではない。

言葉もなく見とれてしまっていた俺に、王子が恥ずかしそうに自分の短い髪をつまんだ。

「ここまで短くしたのは初めてだ。……おかしくはないか？」

「似合っている似合ってる！　俺も上手《うま》くカット出来るか心配してたんだけど、いい感じに仕上がってほっとしてる」

そうか、と美少年がうれしそうに笑う。

「ウォルが髪を切ったのなら、俺もついでに切ろうかな」

「それはいやだ」

「お揃いみたいになるし……って、え？　いやなの？」

「お揃いには心惹《こころひ》かれるけど、カリヤが髪を切るのはいやだ。カリヤには長い髪の方が似合っているから。だから切らないでほしい！」

「……お、おう……このままでいる」

なんだか力説されてしまったよ、少年に。

長髪が見慣れているのか。じゃあこのままでもいいかなー、冬は重宝するんだし。

散髪道具一式と風呂一式をアイテムボックスに片づけ、俺と王子は並んで馬小屋の入り口に立った。

傭兵の死体が転がる広場を見る。

「カリヤ……あれはどうする？　燃やすか？」

「いや、燃やさない。立ち上る煙で異変がバレるかもしれない」

死体の処理方法を尋ねてくる王子に、首を横に振る。

「穴を掘って埋めることもしない。あれはあのまま放置する。詰所を取り囲む柵の入り口を開けておけば、森に棲むモンスターが中に入り込んで喰ってくれるだろう」

「喰い荒らした跡は残るぞ？　それに、さまよう悪霊が死体を見つけて、乗り移る可能性もあるが」

「俺たちは日の沈む前にここを出ていく。だから関係ない」

頭を掻き、俺はゆっくりと説明を始めた。

「……三日後には、この国の正規兵が巡回でここを訪れるはずだ。死体をこのまま放置していっても、対処出来ると思う。俺は神官じゃないから、浄化魔法は使えない。火で焼くしかないが、煙を上げることは出来ない。さいわい、この詰所の周囲に人の住む集落はないようだ。この場は放置して去る」

「誰《だれ》が殺したか、問題にならないか？」

「この国は戦争中だ。となれば、犯人は一つしか考えられないと思わないか？」

「……ああ、そうか」

「さっき、建物の中をそれらしく荒らしてきた」

告げる俺の言葉に、少年が頷いた。

「ウォル。小屋の中にいる馬も今から逃がす。相手国が逃がしたか持ち去ったと思わせるために。このまま置いていっても、飢えるかモンスターに喰われるかだ。逃がしてやろう」

「分かった」

馬小屋の内部を振り返る。

先ほどまで外がずっと騒がしかったことや血の匂《にお》いに怯え、馬たちは小屋の隅に固まるように集まっていた。

入り口付近はそうでもなかったが、中に入ると匂いがきつい。ろくに掃除をしてなかったのかもしれない。

馬柵を外して中に入り、馬たちに外に出るように促す。

ゲームの仕様が関係しているのか。

人間に動物の言葉は分からないが、動物が伝えたいことはなんとなく分かる。

動物の方は、人以上に話している言葉が分かるようだ。命令をすれば、素直な動物ならその通りに動いてくれる。

なんとなくだが、馬小屋を出ていく馬たちが、小屋の奥を見てくれと言っているような気がした。

振り返りつつ去っていく馬たちに、小屋の奥に目を凝らす。

薄暗がりの中、浮かび上がる白い体躯《たいく》。

そこには一頭の牝馬《ひんば》が佇《たたず》んでいた。

辺境の馬小屋にいるとは思えない、見事な白馬だった。

痩せて全体的に薄汚れているが、元々の毛の艶が違う気がする。立ち居振る舞いも美しく、俺が近づくのをじっと見つめている。

近づいて気づいた。呼吸音がどこかおかしかった。

「……病気なのか」

細い息をつきながら、馬は静かに俺を見つめていた。

このまま外に放っても、すぐに力尽きてしまうだろう。モンスターに襲われたとして、おそらく逃げ切ることが出来ない。

馬は静かだった。

俺が近づいても、怯えることなく凛と首すじを伸ばしている。体調が悪いはずなのに、呼吸音以外は乱れた様子を見せようとしなかった。

まっすぐに俺を見つめる透き通った瞳に、何故かウォルド王子を重ね合わせていた。

「……くそっ、最後まで面倒を見るつもりはないからなっ」

白馬の口を開けさせて、ポーション各種を注ぎ込む。

驚いた様子を見せていた馬が、良くなった体調を確かめるようにその場で脚を動かし始めた。

回復した白馬をそのままにして、馬小屋の外に出る。

ウォルド王子が、詰所を取り囲む木柵《もくさく》の出入り口を開けようとしていた。その近くに集まっている馬たちに向かって声を張り上げる。

「おまえたち、サービスだ！　これを飲んでから出ていけ！」

アイテムボックスの中から長方形の木桶《きおけ》を取り出して、HPポーション大瓶を注ぎ、魔法で出した水で薄める。

治癒ポーションも混ぜておいた。他にも病気持ちがいるだろう。

まともに水さえ飲んでいなかったのか、わっと集まってきた馬たちがすごい勢いで水を飲み始めた。


一つでは足りないだろうと、木桶を二つ追加した。

「――カリヤ、藁《わら》も持っていたんだな」

「あー……うん、縄を作るためにね……」

入り口を開けて戻ってきた少年に、わさっと抱えた藁を下に降ろしながら答える。

ほーら、お日様を浴びてよく乾燥しているから美味《うま》いだろうー。

遠慮なくたんと食えよ、馬どもー。

「ま、食ったらここを出ていかせる。森の縁でうろちょろするより、荒野に出た方がモンスターの危険度は低い」

「そうか。――カリヤの面倒見が良くてよかった」

ん？　と顔を向けると、少年が小さく笑みを浮かべていた。

「私も面倒を見てもらっている」

……契約をしているからとか、そういう無粋なことを言う気にはならなかった。

それだけで彼の側《そば》にいる訳でもない。

俺は手を伸ばして少年の頭をくしゃりと撫でた。

短くなった髪は、優しい手触りがした。

荒野を駆ける

ウォルド王子を祖国に連れて戻るにあたって、俺は多少時間がかかろうが、馬を買うつもりはなかった。

馬に乗れば、歩くよりはぐんと移動が速くなる。

転移ポータルも乗合馬車も使えない状態で、馬という選択肢は魅力的だった。

購入した馬車を引かせるのもいい。

馬車の中で、寝泊まりしながら旅をする行商人スタイル……野宿ではなく、屋根の下で眠れる。

それになんだかロマンがある。

二頭立ての幌馬車の御者台に、のんびりと座って手綱《たづな》を操る。

王子は荷台の後ろから外を覗いて、流れていく景色《けしき》を眺めていればいいと思う。

そうやって村々を回りながら、積み込んだ商品を売って……あ、しまった。俺、交易スキルを持ってなかったそういえば。

鞍の後ろに荷物を積み、二頭の騎馬で駆けるのもいい。

風よけの分厚いマントの上から、背中に剣と盾を背負う。旅の傭兵か騎士のスタイルだ。

そう、けっして一農民が取れるスタイルではない。

普通の農民は、馬に乗って旅なんてしません。

馬は基本、農作物を載せた荷車を引くか、スキを引いて畑を耕してくれるものだ。

前世のゲーム内では乗馬スキルを取らず、今世でも山岳部出身の農民ということで馬自体に縁のなかった俺だが、タキリン城砦での特訓でスキルを無事取得し、馬に乗れるようになった。

だけど馬で移動したくなかった。

それは俺の緊急脱出手段がジャンプで、いざという事態には馬をその場に捨てて逃げなくてはいけないからだ。

ジャンプで逃げないといけない事態なんて、たいてい命の危険が差し迫っている場合が多い。

そんな場に、生き物を残していきたいとは思わない。

生き物を飼う場合は、最後まで責任をもって面倒をみたいんだよ。

使い捨てにする気にはなれなかったから、それなら最初から馬での移動を選択肢に入れないでおこうと思っていた。

……過去形なんだけどな。

ゲイリアスのカリヤ氏、現在一人の王子と十八頭の馬の面倒を見てますよ何故《なぜ》か。

アイテムボックスの中から出した長方形の木桶を、ウォルド王子が一生懸命水魔法で水を満たしている。

三つ並んだ木桶に首を突っ込んで、美味《おい》しそうに水を飲んでいる馬たち。

もう一頭たりとも毛並みの悪い馬はいない。

ぜいたくにもＨＰ回復ポーションを溶かし込んでいる水だからな。最悪だった馬たちの健康状態は、劇的に改善しつつある。

——国境警備兵の詰め所を出た後、俺と王子は荒野に馬を逃がして立ち去る予定だった。

馬は放った。

だが、全部戻ってきた。

馬にしてみれば、当然のことだっただろう。

彼らは元々野生だった訳ではない。

人の手によって育てられた馬ばかりだ。そんな彼らが荒野に放り出されて、自分たちだけで生きていける訳がない。

歩き出した俺と王子の後をついてくる馬の一団。

心細げに寄り添いあいながら、人の手によって放たれたのだと理解していても、それしか出来ないからと距離を開けつつ後を追いかけてくる。

そんな彼らに森から出てきた狼型のモンスターが襲い掛かったのを見て、俺は自分の敗北を悟った。

爆炎を生じさせる火球を投げつけて、狼を追い払う。

近寄ってきた馬たちが伝えてくる、うれしいとかありがとうとかいう感情の響きに、ウォルド王子へ視線を向ける。

「……彼らを一緒に連れて行ってやってくれないだろうか、カリヤ。このまま捨て置いて立ち去るのは、あまりに哀れだ」

うちの王子、マジ天使！

「私も手伝う。もちろん、ずっと共に旅をすることは出来ないと理解している。だから……次に立ち寄る街で馬商に彼らを託すまで、面倒を見てやってはくれないか？」

雇い主の許可は下りた。

だが俺がやっていることは、せいぜい昼間はモンスターの襲撃を防ぎ、夜は彼らも収容するために守護結界の範囲を広くしたくらいだ。

あとは、あまりに汚かったので一頭ずつ水洗いして、ポーションを飲ませ、虫下しも飲ませ、金属は苦手なのに蹄鉄《ていてつ》の様子も見てやり……あれ？

……まあ、出来る範囲で面倒を見ている。

水を飲み終わった馬たちが、そこらへんに生えている草を食べ始めた。

彼らが充分に草を食《は》める範囲を見定めて、守護結界を設置していく。

外から中へは入って来れないけれど、中からは出ていける結界だ。

一度教えたら馬たちが外へ出ていくことはなくなった。馬、かなり賢い。

「ん？　水は飲み終わったのか、おまえ」

近寄ってきた白馬に、結界を設置しつつ声を掛ける。

馬たちのリーダー格だったらしい白馬は、何故か俺に懐いた。

俺の与えたポーションのおかげで助かったことを理解しているのだろう。甘えるように肩の辺りに顔を寄せてきたので、鼻すじを撫でてやる。

「そろそろ名前を付けてやればいいのに」

白馬の後ろからやってきた王子に苦笑を返す。

「いずれ手放さなきゃいけないからな。つけると情がわくんだよなぁ……」

「もうわいているのに？」

「今以上にわいちゃうんだよ、ウォル。愛称で呼んだりしたら、更にダメ。なので普段は我慢している。愛称で呼ぶのは、本当に特別な相手のみかなー」

「……」

……あ。

王子様がほんのりと頬《ほお》を赤く染めていた。

……やばいよ、俺。

彼のことを名前じゃなく、愛称で呼んじゃってるよ。

口説いたつもりはない。

そんなつもりはないんだけど、もしかしてそう受け取られても仕方ないようなやり取りだった気が。

口説いてないんです。そんなおそれ多いこと、出来ない身分ってことはよーく存じ上げております。すみません、農民がちょっと調子に乗っただけなんですー……。

心の中でだらだらと汗を流していた俺だが、王子殿下はスルーしてくださったようだった。

何の反応も返さず、野営地に戻っていく後ろ姿にほっと息をつく。

そっと寄り添ってきた白馬の首すじを撫でながら、俺は肩の力を抜いた。

「あー……変に緊張した。ウォルド殿下の寛大さに甘えていたかも」

気づかなかったのではなく、気づかない振りをしてくれたのだろう。

今ここにリザ女官長がいたら、ものすごく叱《しか》られていた発言をした自覚はある。

はっきり言って、王子に対して情みたいなものはわいている。かなり好意も持っていたりする。

だけど同性愛が身近な世界なんだよな、ここ。

俺に、彼を肉体的にどうこうという気はないつもりだが、考えが足りなかった。

「……おまえのことも、嫌いで名前をつけない訳じゃないからな？」

分かっていますよ、という風に白馬が優しい目で俺を見つめていた。


朝だ。

朝食を済ませ、野営の跡が残らないように周囲を片づける。

俺と王子が仕度を済ませたのを見て取り、白馬ともう一頭が前に進み出る。

馬を連れているのに乗らないのもなーということで。

次の街にたどりつくまで、俺たちの移動手段は馬となった。

アイテムボックスの中から鞍を始めとする馬具一式を取り出し、装着していく。

俺を乗せてくれる馬は白馬だが、王子を乗せる当番は持ち回りらしい。順番が回ってきた馬がうれしそうにしている。

さりげなく今回も人外にモテているぜ、少年。

服装は遊牧民族っぽい衣装にチェンジしている。目元に風よけのゴーグルを装着。何故か前世のゲームで存在していたのだが、顔を隠すのにも良くて一石二鳥だ。

馬にまたがり、手綱《たづな》を振るって出発。

俺と王子を取り囲むように集まっていた馬の一団が、ゆっくりと南の方角に向かって走り出した。

基本的に、進むペースは馬に任せている。

俺は乗馬に関しては初心者だからな。無理やり急いでもかえって危険な旅だし、進む方向さえ合っていれば、後は彼らにお任せだ。

一日の最初は、彼らは徐々にスピードを上げていき、それから全力でしばらく走る。

「カリヤ、あれ！」

隣に並ぶ王子が、荒野の前方を指さした。

「綺麗な花畑だ！」

「――いや、違うな」

前方の草原が、一面紫色に染まっていた。

笑い、俺は王子に指示を出す。

「ウォル、襟の内側の布を引きずり上げて、鼻まで覆っておけ。このまま突っ込むぞ！」

目元も鼻も口元も、すべてをガードした状態で俺たちは紫の草原に突っ込んだ。

遠目にはよく見えていなかった小さな白い花。

それの蜜を吸っていた紫色の蝶《ちょう》が、鱗粉《りんぷん》をまき散らしながら一斉に飛び立つ。

太陽の光にきらきらと、金色に輝く鱗粉。

草原を広く埋め尽くしていた紫の蝶が、馬の進む先から次々に空へと飛び立っていく圧巻の光景――。

「……綺麗だ……！」

感動に声を震わせている少年。

そうだろうそうだろうと、俺はゴーグルの奥の目を細めた。

幻想的で、スケールが大きくて。前世でも思わずスクリーンショットに収めたくなった光景。

蝶の鱗粉はちょっとした麻痺作用があるから危険なんだけどな。

だから、風景だけではなく自分も入れてスクリーンショットを取った場合、完全防備の人間がものすごく胡散臭く見える残念なものになってたっけ。

この鱗粉は人間くらいのサイズなら危険だが、馬ほど巨躯《きょく》になれば大丈夫。

花畑は広大で、蝶の飛び立つ光景を堪能した俺たちだった。

――その夜は、二人で必死に衣服についた鱗粉を落としました。

バイヤール

「……ヤ、カリヤ！」

ひそめてはいるが鋭い王子の声に、はっと俺は眠りから目覚めた。

口の中が甘い。少年にポーションを――状態異常回復ポーションを飲まされたようだ。

野営地で毛布を敷いて横たわっていた俺の傍らに、王子が片膝をついている。目を開いた俺に、彼は少しだけ安心したような表情を浮かべた。

周囲は濃い霧に白く覆われて、少年以外はなにも見えなくなっている。

「これは――」

「分からない。起きたら周りがこんな状態だった。私が起きたのにカリヤが起きなかったのは、おそらくこの霧が原因なのだと思う」

ああそうか、と俺は少年が二の腕に嵌めている宝冠の存在を思い出した。

王家の血統アイテム。あれは鉄壁の干渉阻害能力を持っている。

抵抗出来なかった俺は眠りこけていたようだが、彼には通用しなかったのだろう。

森の中で野営をしていた。

朝もやが立ち込めたのなら分かる。だがしかし、これは――。

「……異界と重なってしまったようだな」

現状を推測した俺に、やはりかと小さな声で王子が同意した。

MMORPG《ゴールデン・ドーン》には、いくつかの別世界が存在していた。

イベント用に用意された平行世界もあれば、ランダムに遭遇する異界もあった。

精霊界。

冥界《めいかい》。

神界。

遭遇率は、前者は中央国家群で高く、後者ほど辺境の方が高くなっている。

王子が戸惑っていないということは、この転生後の世界でも似た設定が存在しているのだろう。

「……馬が周囲にいないな」

「この霧のせいで姿は見えないが、気配はしていたから守護結界を出ていないと思う――あ」

「「バイヤールか」」

俺と王子の声が見事にハモった。

バイヤール。

モンスターではなく、精霊界に住んでいる黒馬だ。時おりこちらの世界と精霊界が重なると、番《つが》いを求めて明け方に界を渡ってくる。

そして気に入った馬がいると眠りの霧でまだ夜だと飼い主を惑わして、連れ去ってしまう――。

「しまった！」

たしかに、霧の向こうにまだ馬の気配があった。

王子が手早く起こしてくれたらしい。

アイテムボックスの中から七連弓を取り出し、俺は魔法で風を起こして周囲の霧を吹き飛ばす。

見る間に流れていく霧の向こう、守護結界の境に馬たちがいて、向こうに立派な体格の黒馬の群れがいた。

はっと、白馬が首を俺の方へ巡らせる。

バイヤールは結界の中には侵入出来ない。中の馬が自ら外へ出ていかないといけないので、彼女を誘っていたのだろう。ひときわ見事な黒馬が、気を散らした白馬に切なそうに呼びかける。

『おお、可憐な乙女よ。そんな人の主など放っておけばいい。美しい精霊界で、我が愛《いと》しいそなたを幸せにしよう――』

「勝手に人の馬を口説いて連れて行こうとするんじゃねーよ！」

矢をつがえて放ったが、華麗に避けられた。

バイヤール。ランクSの精霊馬。

同じランクだが、地力は生産職の俺の方が劣っているようだ。見事に眠らされたし。

だが、アイテムの能力はこちらの方が上みたいだった。奴《やつ》の力ではこの守護結界を破れない。

だから自分から出てくるようにと、白馬を口説いている。

……精霊界の住人は、大人（運営会社）の都合で人の言葉を話していたから、内容がこっちにまで聞こえてるなぁ……アムールアムールうるせぇんだよ！

「おい、駄馬！」

『駄……っ!?　貴様、我は王の第百三十九子だぞ!?　王族に連なる我になんたる口を……！』

「王族はこっちにもいるんだよ、立派な次期王様がな。百三十九子風情が、大きな口叩くんじゃねぇ！」

精神体に近い精霊界では、高貴な血統は力を持っているとされて敬われている——はず。

そして上下の格や誓約など、形のないものを重視している。確か。

転生してこれまで、界が重なるという体験をしたことがなかったから前世の設定はあまり覚えてないんだが。

（攻略サイトの知識です。前世ではランダムイベントに遭遇出来なかったんだよ！）

うっと、黒馬がひるんだようだった。

ふと、隣から視線を感じて王子の方を向く。

なんだか呆《あき》れた顔をされてしまっている。勝手に身分を振りかざしちゃったのは悪かったかな。

「……カリヤは、実は口が悪かったりするのか？」

「き、貴族の生まれじゃないですからね、今世も前世も……汚い言葉づかいでスミマセン……」

あ、そっちの方だったか。

心の中じゃわりと好き勝手にしゃべってますね、ハイ。たまたま表に出ちゃいましたが。

気に障ったかなーと少年を観察していたが、心の広い王子様は別に気にしていなそうだった。

なんだかうれしそうなというか、楽しそうな様子を見せている。

乱暴な口調が珍しかったのかね……。

『――おい！　先ほどから我を無視してないか!?』

「あ、すまん、駄馬。いたのを忘れてた」

『駄馬ではない！　――そうではなく、この白く可憐な乙女を妻としてもらい受けたいと言っているのださっきから！』

声のした方に顔を向けてみれば、結界越しに黒馬の隣に白馬が寄り添うように立っていた。

申し訳なげにこちらの方を窺い、黒馬の方を見て、また恥ずかしそうにしている。

そうかー……と、遠い目をしてしまった。

口説かれて、心が動いちゃったか、お姫様。なかなかいい牡馬《オトコ》っぽいものな、そいつ。

きりっと偉丈夫風。堂々とした体躯で、毛の艶も輝いているし。家柄もよさそうだ。

少しおバカな気がしないでもないが、愛してもらえるのなら愚直に一途《いちず》に思われた方がいいだろうしなぁ……。

「……ウォル。馬商はなしでいいか？」

「カリヤについてきた馬だ。カリヤの好きなように」

微笑《ほほえ》みながら答えた少年に、視線を白馬に向ける。

「彼と一緒に行きたいか？」

この世界の生まれである白馬の声は聞こえなかったけれど、彼女の気持ちは伝わってきた。

「……そうか。おい、駄馬！」

『駄馬ではない！』

「彼女を託してもいいが、条件がある。ここにいる馬は全部連れて行け」

『全部？　我が配下が気に入った相手もいるようだが、去勢された牡《おす》もいるぞ？』

「彼女が率いていた、彼女の群れだ。異界に嫁ぐ彼女に寂しい思いをさせるな」

意味が分かったのだろう。

黒馬が鼻息荒く頷く。

「それと、――幸せにしてやってくれよ。妻として迎えるのなら、おまえの一生の長さは分からないが、彼女の一生分は付き合ってやってくれ。彼女一頭だけを愛し、大事にしてやってくれ」

『我らは人とは違うぞ。バイヤールの番いは一組だけだ。乙女は必ず幸せにしよう！』

「——だとさ。よかったな、おまえ」

そっと、近づいてきた白馬が顔をすりつけた。

別れの挨拶なのだろう。

美しい毛並みの首すじを撫でてやる。

最初に会った時はボロボロだったけどなぁ……王子様に見初められるくらい美女に戻ってよかった。

やがて身を離した白馬が、バイヤールの群れの方へと歩き出し、俺は守護結界を解いた。

霧の奥へと馬たちの姿が消えていく。

『……おい』

すぐにも去っていくかと思っていた黒馬が、白馬と寄り添いながらこちらを見ていた。

『彼女の二度目の主人らしいな、おまえは』

「ああ、まぁな」

『彼女が感謝しているぞ。一度目の主人の仇を討ってくれたことと、死にかけていた自分を助けてくれたことを』

そうか、と俺は頷いた。

やはり彼女の主人は、あの国境警備兵たちに殺されていたのだろう。

傭兵が持てる馬じゃなかった。強奪した馬だから、大事にされていなかったのだろう——。

『それでな、彼女はおまえに新しい名前をつけてほしいそうだ。名が欲しいなら我が名を考えてやろうかと言ったのにな！　おまえの方がいいのだと！』

ぷんすかと黒馬が怒っている。

彼女は賢い。

苦笑しながら、俺は白馬を見る。彼女も苦笑をしている気がした。

精霊界では——精神体に近ければ近いほど、名前の持つ重みは大きくなる。

彼が名づけをしてしまえば、名前は彼女を縛る鎖になるかもしれない。俺が名づけをした方がいいだろう。

「なら――〝ユキ〟。雪のように白い貴婦人。幸せになり――」

「行ったか」

馬たちが異界に去っていき、森全体に立ち込めていた霧が晴れていく。

並んで一緒に見送っていた王子が、俺の方を見た。

「先ほどの結婚観は、カリヤのもの？」

「ん？」

「その生涯のすべてを、ただ一人を愛して幸せにするという誓い」

「ちかっ!?」

美少年に尋ねられて、俺は動揺した。

そういやこっちの世界、旦那が何人いても、妻が何人いても良かったんだっけー！

特に目の前の美少年は王族。

お年頃になったら、妻を何人持ってもいいし、愛人もわんさか囲って良い身分だった！

「へ、平民は一夫一婦が標準なんだ。それに、前世では結婚したら浮気はだめだとされていてね……夫婦以外の相手との姦通《かんつう》は厳禁というか……」

「……そうだったな。転生者の女性は一夫一婦制でないと許されないと、冒険者ギルドも言っていた」

「あ、誤解されてしまっていたけど、俺の前世は女じゃないからね？」

念を入れておくけど、とタキリンでのあれこれを思い出して、王子に再度告げておく。

「俺は、前世も、男だったから。でもま、こっちじゃ奥さんを何人でも持っていいみたいだけど、一人で充分。そして結婚相手には、自分だけで満足してもらいたいとは思ってるかなぁ」

満足されなかったから、八年前に婚約破棄とかされちゃったけどねー。

……自分の言葉で古傷をえぐってしまった。

浮気は駄目だと思うんだよぅ。

彼のお値段

精霊馬に十八頭の馬を引き渡し、俺と王子は身軽になった。

あのまま一緒に旅をしていても、どうせいつかは売り飛ばしていた。馬たちにとっては精霊界で自由に暮らした方がいいだろう。

なのでさっそく人里の宿屋を目指す。

王子の体調管理のため、たまには雨風の心配がない屋内で、ベッドに横たわって体を休めないと。

野宿続きは過酷だ。いつモンスターの襲撃があるか、気を張りつめておかなくてはいけないし、横たわる地面も固くて寝心地《ねごこち》は良くない。

いっそアイテムボックスの中からベッドを取り出して寝起きするか、と野営のたびに思うんだが、大自然のただなかにベッドが出現しているという非常識さのインパクトはものすごいだろう。

赤の他人に目撃されたら、そのネタだけで数十年語り継がれるレベルだ。

そしてそんな噂《うわさ》が広まれば、おかしいと冒険者ギルドに気づかれるかもしれない。

身バレは極力避けたいのです。

森を出て人里を探す。

見つけたのは、ヘレンナのような大きな街ではなく中規模の農村だった。

平地に青い麦畑が広がっている。

畑の中心にある村は、周囲を木の柵で守られていた。門は木戸銭を取ることもなく開け放たれている。

どうやら定期的に開かれてる市の日らしかった。

小さな村の中央にある広場は、大勢の人々で賑わっている。

「……宿屋は空いているだろうか？」

呟いた王子の言葉を聞いた通りすがりの女が、多分大丈夫だよと声を掛けてきた。

どうやら市は今日が最終日で、近隣に住む売り手は宿に泊まることなく自宅へと戻っていくらしい。

市が立っている最中は宿も満室らしいが、今日なら空きが出来ているだろうとのことだった。

「なら、先に宿で部屋を取ってから、市を見て回ろうか」

先ほどから物珍しそうに市の様子を眺めている少年に声を掛けると、ぱあっと花咲くような笑顔が返ってくる。

王子様、どうやらこういった場所は初めてらしい。人が多いのではぐれないようにと彼なりに考えたのか、俺のリュックの端をつまむように手を添えているんだが、その仕草もまた可愛い。

最初に入った宿にはまだ部屋の空きがなかった。仕方がないので次の宿を当たる。この村、それなりに賑わっているらしく三軒も宿屋がある。すごい。最初の宿よりランクの落ちた宿には空きが出ていた。

個室も大部屋も空いているらしい。

大部屋はベッドが並んで置かれているだけの、プライバシーも何もない場所だ。ランク順に回っているので、おそらく残りの一軒も似たような感じかここ以下だろう。

美少年の身の安全のためにも、この宿の個室一択かな。

宿屋には食事がついていなかった。

大部屋に泊まるなら一人二十ゴルド。個室なら一部屋で七十ゴルド。

個室を頼むと、宿の女将が続けて尋ねてきた。

「女は楽しむ？　ウチで斡旋出来るけど」

「――ん？」

……どうやら、売春婦の仲介もしているらしい……。

そうか、と俺は冷汗を流しながら納得した。

小さな村だものな。娼館なんて存在しないだろう。

女と寝たければ連れ込みオッケー。相手を探す手間を省きたいのなら、宿が紹介してくれるのか。おそらくプロフェッショナルではなく、村にいる後家さんとかを。

個室は連れ込み用の部屋らしい。

最初の宿ならファミリー向けだったから大丈夫だろうけど、こっちじゃ下手《へた》すると大部屋でも致す猛者《もさ》がいるかもしれないな……。

弟も一緒だからと斡旋は断って、個室の鍵を受け取る。

なんだか女将が変な含み笑いをした気がした。うーむ、遊ぶこともしないヘタレと思われただろうか。

まあ急に部屋に押しかけてこられるよりはいい。おそらく鍵さえかけておけば大丈夫だ。

そう自分を納得させつつ、昼でも薄暗い階段を上がって部屋へ向かう。

「……あのな、ウォル」

部屋の前に到着し、俺は鍵を開けながら背後についてきた王子に声を掛ける。

「この宿、どうやら連れ込み宿も兼ねてるんだ。だから――部屋にはベッドは一つしかない」

中を確認する前に言ったのだが、言いながら開けた部屋にはやはりベッドは一つしかなかった。

大きさはセミダブル。幅がシングル未満の大部屋のベッドよりは、大きいサイズなのだろう。

「という訳で、一緒にベッドを使うぞー。せっかくベッドがあるのに、床に寝るなんて宿代がもったいないからな。ぐっすり体を休めて、代金分の元は取る」

「あ、ああ」

「改めて誓っておくが、手は出さないから安心しなさい。ちなみに、大部屋でも人数が多ければ、ベッドは複数で使うことになる」

「カリヤのことは信頼している」

「ん、サンキュ。それと同じベッドを使う利点は、手を伸ばせばすぐにウォルに接触出来ることだな。別に気にしないから俺が床で寝てもいいんだが、万が一にも敵に強襲されたら、隣ならすぐさまウォルを掴んでジャンプで逃げられる」

「ありがとう……」

いえいえーと俺は笑い、部屋へと足を踏み入れた。

まず窓を開けて、弱い風魔法を使って中の空気を入れ換える。……連れ込み宿と分かったら、やはり気になってしまうよな。

担いでいたリュックを壁際に降ろし、旅装も解く。隣で同じように王子もマントを外した。

財布だけを上着のポケットに入れ、いざ市へ。

お小遣いとして少年には五ゴルド渡してみた。それで気に入ったものがあればお食べ。

頬《ほお》を上気させ、懐から出した小銭入れにいそいそとしまっている美少年。

あーもう、本当に可愛《かわい》い。

その時の俺たちは、久しぶりの人里ということでかなり浮かれていたのだと思う。

荷物を置いて身軽になり、個室を出る。

そうだ、と俺は廊下の先、階段の反対側にある部屋を王子に見せておくことにした。

「――ウォル、これが大部屋。ベッドが狭いだろう？　寝返りもうてない」

「……本当だ」

社会見学の一環だ。

まだ日も高いからか、部屋には誰《だれ》もいなかった。置かれたままの荷物もあるけど、あれは多分持っていってもどうしようもないような物が入ってるんだろう。貴重品は身から離さずが鉄則だしな。

「複数で雑魚寝《ざこね》する場合、もう少しベッドが大きくなる」

「カリヤは普段、こちらの部屋に泊まっているのか？」

「いや、村の買い出しに選ばれた時くらいだったな、宿を使うのは。一人旅で泊まる場合は、馬小屋で寝ていた。金が要らないんだよ、あそこ」

「……」

いや、アイテム職人だから自作の寝袋も虫よけも匂《にお》い消しも使って、快適に寝ていたよ？

だからそんなショックを受けたような表情でこちらを見ないでほしい……ん？

階下から、宿の客らしき男が上がってきた。

大部屋の前にいたので、中に入るのかと入り口を空けてやる。

と、そこで俺と王子を見比べていた男が、俺に向かって手招きをしてきた。

「……なんだ？」

「兄ちゃんのツレか？」

「――弟だ」

立てた親指を王子に向けながら尋ねてきた男の言葉に、しまったと気づく。

部屋で俺がマントを外したから、彼も外していた。気づいた王子が失態に目を見開いている。

「そうかそうか、可愛《かわい》い弟だな。――どうだ兄ちゃん。弟に小遣いを稼がせる気はないか？　夜までには返すぜ。五十、いや七十でどうだ？」

「安い！」

思わず殺気を放ちつつ、本気で反応していた。

なんだそれは！　こんな極上の美少年を前にふざけた値段だな！

ウチの子が個室代か!?　買ったことがないから相場など知らんが、それが田舎《いなか》の値段なのか!?

「たとえ金貨を積まれても、弟は売らん――」

「ヒッ、すまん！　そんなところに突っ立ってたから、てっきり夜、自分で楽しむ前に稼ぎに来たんだと……ごめんなさいぃぃ！」

腰を抜かした男を置いて、王子の手を引いてもう一度部屋に戻る。

そこで反省会だ。

「ごめん、ガラの悪い宿屋を選んでしまって……」

「こちらこそすまない。うっかりマントを外してしまっていた……」

興が削《そ》がれてしまったので、本日はこのまま部屋を出ないことにした。

市は他の町や村でも立っている。また行くことも出来るだろう。

　アイテムボックスの中から取り出した食事を食べて、早々にベッドに入る。

　昼間の出来事の後に同じベッドに入るのもなんだか気まずいが、ベッドが一つしかないのだから仕方ない。

　窓の外はまだ賑やかだ。

　市が終わって懐の温かくなった者たちが、遅くまで酒を飲んでいるのだろう。

　……しかし、もしかして俺は、元締めだかヒモだかに間違われてしまったのか。

　ヤバいな、蛮族。

　はした金で弟を売ってしまうのか。というか、あの口調じゃ俺も楽しんでいるような感じだったんだが。

　この世界、兄と弟でも寝るのか……ってそうだ、異母同士なら大丈夫だとご本人自ら言っていたっけ。

　俺と王子は髪の色以外、まったく似ていないだろうからなぁ。

　そう考えたら、受付の女将の含み笑いの意味も分かった気がする。少年愛好者に思われてしまったのか、俺。

　だがしかし、少年愛好者ではないがこれだけは主張したい。

　王子の金額が安すぎる。

　こんなに凛々《りり》しくて可愛《かわい》い初物の美少年。もし彼の競りが行われたら、俺なら一億ゴルドからスタートする。

　や、競売なんてかける気はないけどね！

　……そういう展開を考えるなんて、俺もたいがい前世のライトノベルに毒されているなぁ……。

　そんな風に就寝前の思考をあちこちに飛ばしていると、突然、鍵を掛けていたはずの扉のノブが乱暴に回された。

　ガチャガチャと耳障りな音が響き、閉まったままの扉が揺らされる。

間を置いた隣に横になっていたはずの少年が俺の腕にしがみつき、俺は彼の背中に手を回して引き寄せる。

『あれー、鍵が開かないぃ……?』

『やだ、旦那。この部屋じゃなくて隣の部屋よ』

酔っぱらっているらしい男女が、はしゃぎながら廊下を移動していく。

ほうっと息をついた俺の腕の中で、王子が小声で囁いた。

「……カリヤの言うとおりだ」

「ん?」

「すぐ隣で寝ていたら、安心出来る」

そう言って彼は微笑《ほほえ》み、俺から少し身を離した。

手を伸ばせば届く距離。

先ほどよりも近くなっている。

「おやすみ」

「……おやすみ」

囁き合って、俺は目を閉じた。


――まあ、なかなか眠れなかったけどな。

隣で情熱的に始まったのが、薄い壁越しに聞こえてきて。

次からはファミリー向けの宿屋に泊まる。

祝・テント完成

テントが完成した。

ギリギリ梅雨《つゆ》には間に合った。

MMORPG《ゴールデン・ドーン》の世界には――そのゲーム世界の中心である中央国家群内には、四季があった。

日本と同じような設定になっていたから、夏は暑くて冬は寒かった。春には緑が萌《も》え、秋には紅葉が木々を染め上げて――。

だから梅雨もあった。転生後のこの異世界にも存在している。

間に合うかとハラハラしていたんだが、雨が降り始める前になんとか、野外で寝泊まりするテントが出来上がりました！

「待たせたな、ウォル！」

街道沿いに点在している休憩所。

魔物よけの結界が取り囲むように設置されている広場の隅に、俺はようやく完成した自作テントを張った。

見た目は灰色の大蛙《ビッグフロッグ》の革で作られている、オーソドックスな三角形の小型テント。

俗にいう軍用テント、シェルターハーフと呼ばれていたタイプになる。テントシートと支柱とロープとくさび、半分ずつを持ち歩いて、二人分を合わせて作るので、シェルターハーフ。

二本の支柱を地面に立てて、六角形のテントシートの端を支柱の先に取りつける。反対側を地面にくさびで留めたら、側面の出来上がり。

シートは六角形なので、余った三角形部分が前後をカバーして、出入り口も出来上がるという簡単な構造だ。

これまでの雨の野営は、防水シートの端を立てた支柱に引っ掛け、そのまま体をくるんで座った姿勢で寝ていた。骨のない傘みたいな状態だった。

だが、テントならば体を伸ばして横になれる。

そしてもちろん、アイテムマスターである俺が作ったテントが、ごく普通のテントである訳がない。

ささ、と俺はテントを前に感心している少年に、中へと入るように促す。

「本気で作ってみた！　入り口は狭いけど、中は広いゾ？　入ったら、両脇にある青蛙《ブルーフロッグ》の布地をめくってみようナ？」

ウフフ〜とテンションおかしく笑う蛮族に、首を傾《かし》げながら少年が中へと入り——しばらくして転がり出てきた。

「カリ、カリ、カリヤ！　中にも部屋がある！　広い！」

「フフフフフ」

実はこのテント、入れ子状態になっていたりする。

メインテントはごく普通の、見た目通りの大きさのテントだ。

だがシートの内側に青い生地が重なっていて、そこを持ち上げると異空間が出現する。

まあ、ネタばらしをすると、空間拡張を施したテントを二つ、メインテントの内部にくっつけているだけなんだけどな。

俺の部屋とウォルの部屋、四畳半ほどの大きさだけどプライベートルームが出来ました。

ベッドとサイドテーブル、クローゼットは既に設置を済ませておいた。正方形の部屋で、窓はないが天井には照明もついているし、誰《だれ》に見られることもなく室内で行水も出来ます。

「他に必要な家具はある？　アイテムボックスの手持ちにあれば、すぐに取り出すが――」

「……カリヤ。改めて謝罪する。私は、カリヤの言う〝転生者の本気〟が、どれほどのものであるか分かっていなかった――まさかこんな、ここまで……」

「ウフフフフ～」

わくわくとエメラルドの瞳をきらめかせながら掛けられる称賛の言葉に、蛮族はにっこにこ笑っちゃいますよ。

すげーと驚いてくれるのがうれしい。

SSSやSSではなく、ただのSランクなんだけどね！

でもすごいすごいと言ってもらえるのは、やっぱりうれしいなぁ！

ひたすらに照れつつ喜んでいたら、街道をこちらに向かって進んでくる二騎の人馬に気がついた。

乗っている男二人は、その統一感のない装備から冒険者だと分かる。統一していたら大抵どこかに所属している軍人だ。

「――先客がいたか。準備が早いな、この時間から野営の支度をしているなんて」

完成したテントをお披露目するためです。

広場に入ってきた馬から降りた男が、俺たちに向かってきさくに声を掛けてきた。

鮮やかな赤毛の持ち主だった。腕が立つなら、その色にちなんだあだ名をつけられているかもしれない。二十代半ばほどの、明るい笑みを浮かべた精悍な男前だ。

もう片方のひょろ長いのは、まだ馬に乗ったままだった。

こちらを警戒しているんだろう。しっかりと仕事をこなしている。

「明日は早く出る予定なんだ」

掛けられた言葉に答えて続ける。

「隊商の護衛か？　あんたたちは」

「ああ。三十人ほどの大所帯だ。こっち半分は使わせてもらうぞ？」

「俺たち兄弟は、テント回りさえ空いてりゃかまわないよ。他は遠慮なく使ってくれ」

「助かる。――おい、戻って旦那に伝えてくれ。休憩所は先客二人。使用可能」

分かった、と頷いたもう一方が、馬首を巡らせてきた道を戻っていく。

赤毛の方は残るようだった。まだこちらを警戒しているのかと思ったが、雇い主の野営の前準備のようだ。

広場中央に設置されている焚火ポイントに、馬に積んであった小枝の束を移し、火をつけている。漂ってきたのはモンスターが嫌がる匂《にお》いだ。

休憩所の中は安全地帯になっているが、更に念を入れているんだろう。

手際がいいなと感心する。

もしかしたら、護衛を専門とする冒険者なのかもしれない。

「……カリヤ、今さらだが私は顔を隠した方がいいか？」

近くに寄ってきていた美少年が、そっと小声で尋ねてきた。

そういえばマントのフードを被っていなかったっけ。

「もう見られているだろうしな。何かあればすぐ対処出来るし、今回は堂々としてればいいよ、オル」

「分かった、兄さん」

変えた呼び方に、意をくんだ少年が頷く。

街中などで不特定多数を相手に警戒するのは骨が折れるが、こういう狭い場所なら何か起こっても充分に対応出来る。

「すまんが先客のお二人！　この周囲に水場があるかご存じないか？」

呼びかけてきた赤毛の男に首を振る。

休憩所は安全な野営地だが、井戸はない。前世のゲームがそんな仕様だったからなぁ。

水さえあれば宿場町として発展出来るんだろうが、周囲にも水場がない場合が多いので誰も定住出来ず、ただの広場として存在している。

実はゲームの中では、広いフィールド内をジャンプで移動するための登録地点《セーブ》として使われていたんだよな、ここ。

なので休憩所の端には目印のための石碑が建っている。刻まれている模様は、一つとして同じものは存在していないはずだ。

「俺たちの来た、あっち側の街道沿いにはなかったな。そちらの隊商に水魔法を使える者はいないのか？」

「一人いるが、今は予定外に人員が増えててな……情報ありがとう」

「弟が水魔法の使い手だ。手伝わせようか？」

いいのか、と目線で尋ねてきた少年に小さく頷く。

俺たち、腰に下げた水筒にしか水を入れていない。隠していても、炊事の時に水魔法を使えばバレる。

「ありがとう、ぜひご助力いただきたい！　俺の名はキース。冒険者パーティー『緑のコマドリ』に属していい、ます」

「丁寧に話さなくても、いつも通りでいいよ。

――アロワだ。弟はオル。一晩の付き合いだろうが、よろしく頼む」

「助かる。こちらこそよろしくな」

近づいてきたキースとにこやかに握手を交わす。

よくあることらしいからな。休憩所内で旅人同士、野営の見張り番を交代したり、水魔法の心得がある者が手伝いをするのは。水の提供に関しては、対価で報酬も稼げるそうだし。

辺境の蛮族でも、それくらいの世間の常識なら知ってるんだぜー。

「兄さん……」

「大丈夫だよ、オル。生活魔法程度の使い手なら、平民にも数は多くないけどいるから。たまたま、兄弟の弟の方が魔法を使えただけだ」

「いや、そちらではなく。――〝アロワ〟って、誰？」

そっちだったか。

戦闘職ではないのですよ
アロワという名前が、故郷の幼馴染のものであると説明。

なるほどと少年は納得していた。

彼もまた、一緒に戦争に参加して、クロエ平原にいたのだということまでは言わなかった。

ゲイリアス部隊が配置されていたのは布陣の東の端。黒森近くにいたのなら、渡したモンスターよけを使って黒森へと逃げ込むことが出来たはずだ。生きていると信じている。

念のために周辺を確かめてくる、と言って赤毛のキースが馬を駆って休憩所を出ていき、しばらくしてから街道をこちらに向かって進んでくる隊商の列が見えた。

と同時に彼も戻ってきた。

見通しの良い草原であるこの休憩所近辺に、手ごわいモンスターはいないだろう。

冒険者パーティーの護衛に守られ、旅慣れた商人たちの一行が野営地へと入ってくる。

またたくまに今宵《こよい》の野営地が作り上げられていく。

休憩所の外周に沿って並べるように配置されていく馬車。外敵の襲撃時には壁として機能するはずだ。

大所帯はそういった大掛かりな対処が出来るので、王子と俺のような二人組など、人数が少ないものが広場入り口の街道近くに宿泊する。

壁の穴を減らすためだ。

休憩所はモンスターの侵入は止めるが、同じ人間相手には機能しないからな。

はっきりというと盗賊対策になる。

盗賊なら奪う荷に傷はつけないから、あまり火矢の心配はしなくていい。

キースによって一行のリーダーだという恰幅《かっぷく》の良い商人に引き合わされ、挨拶をかわした。

そこからウォルが大活躍だった。

正式に商人から依頼され、水魔法を使う。

馬の水桶《みずおけ》の中を満たし、減っていたという人間用の飲み水の樽も満たしていく。

魔法使いは重宝される。

特に、生活に根差した水魔法使いは。

王子、モテています。そりゃあ魔法の使える美少年は放っておかれないだろう。

料理当番のおばさんや娘さんたちが、うっとりとした目で手伝う王子を眺めている。

そんな様子を眺めていたかった俺だが、何故か木剣を持って赤毛のキースと対していた。

何故《なぜ》だ!?

「戦闘の腕が鈍《なま》らないように、休憩所に着いた後は仲間内で訓練しているんだよ。だけどいつも同じ面《メン》子《ツ》じゃ、もうどんな動きをするのか読めてしまってるからな。たまには別の訓練相手が欲しくてさ。頼むよ、アロワ」

にかーっとキースが笑っている。

彼の所属するパーティーは、ＲＰＧの王道六人組だった。

攻撃担当の剣士、守備担当の盾使い戦士、先ほど馬に乗っていた、偵察担当のレンジャー、弓使い、攻撃魔法（火）使い、治癒魔法使い。

蘇生のこなせる神官職は神殿に属しているので、修行の一環でもない限り冒険者にはならない。

リーダーは盾使いのおっさんだった。しぶい。歴戦の勇士って感じだ。

弓使いの少女はリーダーの娘。魔法使い二人も女だが、このパーティーならしっかりと活動出来ているだろう。

皆がリーダーのおっさんを慕っている様子が分かる。

そのおっさんに頭を下げられてしまったんだよな。胸を貸してくれないか、と。

攻撃担当のキースは両手剣使いだ。

既にこれだけで俺の方が不利です。おまけに彼、〝鑑定〟したらNPC上限のBランクだし。

リーダーのおっさんもBランクだった。レンジャーの兄ちゃんはC、女の子たちはまだDランクだが、攻守の柱に実力があるから崩れることもないパーティーだろう。

準備をしたがまだ火を入れていない焚火の横、休憩所の中央に作られた空間で対峙する。

自分の仕事を終えた商人たちが、腰を下ろして楽しげにこちらを囃《はや》し立て始めた。

娯楽の一種なんだろうなぁ。俺ものんびりしたい。

「んじゃ、よろしく……なっ！」

キースが躍りかかってくる。

彼の手に持つ得物は、俺と同じ片手用の木剣だ。両手用を使われたら、当たり所が悪ければ死ぬ。

剣を打ち合わせ、刃の部分を滑らせて攻撃をかわす。立ち位置が変わるが、キースは強引に自分の体を回した。回転しつつ打ち込まれる切っ先を見切って、足を半歩動かして避ける。

後ろにばかり逃げてちゃダメだ。追い込まれる。

踊りのステップを踏んでいるかのように避ける、避ける、無理なら攻撃を利用しつつ距離を取る。切り込む隙が見つからない。フェイントを意識しても、行動を読まれて逆に襲いかかられる未来しか見えない。

こっちも相手のフェイントは読めるんだが、対処だけで反撃出来ない——。

「アロワァ！　あんた、なかなかやるじゃねーか！　攻撃してもいいんだぜ!?」

「あのな、無理を、言うな。攻撃出来る隙なんてないじゃねーかぁっ！」

この近距離縛りじゃ、攻撃が当たらないように逃げるのがやっとだよ！

俺はね、生産職なんだよ！

ばらす訳にはいかないから心の中だけでぶっちゃけるが、剣スキルはCの中くらいだよ!?

魔法はオールBだから無詠唱で首は落とせるが、さすがに落としちゃいかんだろ。


ジャンプも使えないから距離も取れない。スタミナはあるからへたることなく続けられるが、至近距離のままじゃ——いずれ詰む。

石を踏んで姿勢が崩れた。

ピタリ、と俺の首すじでキースの木剣が止まる。

切っ先はピクリともぶれていない。まだまだ余力を残している。

うれしそうに赤毛の男が笑う。

「すげぇ。アロワ、あんた十分近く避けてたぜ？　それでいて息もそれほど乱れてないし」

「まったく、乱れてない、おまえには、言われたくない」

「まだいけるだろ？　二回戦やろうぜ、二回戦！」

「つつしんで、お断り申し上げる。休ませろー……」

見物人たちから健闘を称《たた》える拍手が起こる中、ふらふらとテント近くの王子の元に戻る。

さすがウォル、水を入れたコップを持って待機してくれていた。

コップを受け取って一息で飲み干し、その場に座り込む。

ああもう、つかれたーっ！

「――兄さんが負けるとは思ってなかった」

呟かれた少年の言葉に苦笑する。

「いや、俺はそんなに強くないよ？」

「オルっていったっけ。おまえの兄貴は剣士じゃないだろ？　それなのに俺とあれだけ打ち合えたらなかなかのものだぜ？」

いつの間にか、パーティー仲間を引き連れたキースが近くに来ていた。

だろ？　と対戦相手に尋ねられて苦笑する。

「……まぁな。俺は弓使いだから、互いの距離が三十メートル離れていれば……」

側のテントに立て掛けていた弓を手に取る。

その場に座ったまま空に向かって弓を横手に構えて矢をつがえ、続けざまに三本射る。

「――勝っていたかもな」


引き絞った弦から放たれた矢が、ちょうど編隊を組んで頭上を飛んでいた野鳥を三羽貫いた。

「すげぇ！」

「『すごい！』」

「あのっ、私も弓を使っているの。コツとか教えてもらえませんか!?」

商人が飼っている犬たちが、落ちる獲物を拾おうとうれしそうに駆け出していく。

はしゃぐレンジャーに魔法使いたち、そばかすの可愛《かわい》い女の子の申し出と、その場が一気にカオスな状態になった。

とりあえず、野鳥は犬の飼い主である商人に進呈する。

夕食に招かれていたからな。食材の足しにしてください。

弓使いの女の子への指導は快諾。代わりに、キースにウォルの剣術の指導をしてもらうことにした。

「ん？　弟は魔法使いじゃなかったっけ？」

「自己流の俺と違って、剣はきちんとした相手に手ほどきを受けたことがあるんだよ。その道のプロに教えてもらって損することはないからな。頼む」

「まあ、使えるのが水魔法なら、攻撃手段が少ないから剣も使えた方がいいだろうな」

　肩に木剣を担ぎ、赤毛の男が少年の前に立つ。

「オルっていったな。おまえの兄貴は遠距離担当だ。おまえの剣で、襲ってくる敵から兄貴を守ってやるか？」

「——ああ」

「いい返事だ！」

　笑ったキースが広場へとウォルを連れて行く。

　ウォルの剣術ランクはC。タキリン城砦にいた頃《ころ》から稽古《けいこ》の相手は務めていて、今も空いた時間には剣を振っている。もう最近は、互角の戦いがこなせるまでになっていた。

　ブートキャンプの効果が出ているのはうれしい。

　自分を越えていくのだと思うとちょっと寂しい気もするが、彼は王家の血を引く人間だ。

　このゲームによく似た世界ではヒロイックサーガのように、王族や指導者は戦いの時に前線に立たなくてはいけない。

　前世が日本人の俺は、トップは安全な場所で指揮に専念しろよと突っ込みたくなるが、前世のアニメやゲームみたいな〝それが常識の世界〟なのだ。

　人の上に立つ者は、〝英雄〟としての行動が求められる。

　常に先頭に立って剣を振るい、味方を鼓舞する。敵を前に恐れを見せれば、幻滅した味方が先に離反する。攻撃するなら一番最初に。撤退するなら一番最後に。

　ティシア王族だって、魔法主体の王家なのによく国王と王太子が揃って最前線に出るなと感心していたが、それが〝王に求められる振る舞い〟だった。

　おまけにティシア王家は六年前に権威を失墜していた。

次に大きな失態を犯せば、民に見限られた国は内部から瓦解《がかい》していくだろう。

墜《お》ちた権威を復活させるために、彼らは無理をしてでも最前線に立つことを求められていた。

少年も、祖国に戻れば王として戦場に向かわなくてはいけない。

ならば俺に出来るのは、彼が簡単に死なないように鍛えること、鍛える環境を作ることだ。

木剣で打ち合いを始めたキースとウォルの姿から視線を外して、俺は弓使いの少女の指導を始めた。

休憩所の夜

賄賂（鳥三羽）の効果はすさまじく、商人から夕食をおごってもらったばかりか、夜中の見張りまで任せてしまえることになった。自分たちだけで既に当番が決まっていたらしく、人数は足りているのでゆっくり休んでくれたらいいよとのことらしい。水魔法の謝礼も入っているのかも。

夕食を食べ終え、日が沈んでからも焚火の周囲に集う。見晴らしの良い平原には外敵が少ない。商人一行も、今夜は休息日なんだろう。

酒が振る舞われ、俺たちもご相伴に与《あずか》ることが出来た。

馬車から出した箱を椅子代わりにして座り、集まった面々が思い思いに話に花を咲かせている。

「――ねぇ、あんた、もしかして転生者じゃないのかい？」

酔った女に尋ねられたのは、俺ではなく俺の隣に座るウォルド王子だった。

思いもかけなかっただろう言葉に、少年がワインのカップを手にしたまま固まっている。

「いやだってさ、転生者ってのは美男美女揃いで、魔法が使えるって聞くから。ねえ、タグさん。あんたの姪《めい》っ子《こ》もそうだったんだよねぇ？」

「ああ、そうだよ」

話を振られ、焚火の向こうに座った中年男が苦笑している。

驚いている者はいなかった。彼らにとっては周知の事実なんだろう。

「妹の産んだ娘がそうだった。今は冒険者ギルドの総本部に引き取られて、母子でラギオン帝国に住んでいるよ」

「この子のように、綺麗な子だったんだよねぇ。そのせいで大変だったって聞いてるけど」

「あー……昔の話だ。今は幸せだって、妹からたまに便りが届いてるよ」

「そうなのかい。よかったねぇ……よかったよかった」

かなり酔っぱらっていたらしい女が、一人で納得して頷いている。

呆然とやりとりを眺めていた俺と王子だったが、王子と反対側の隣に座っていたキースが笑いながら教えてくれた。

「ここの隊商の旦那とうちのパーティーは付き合いが長いからな。タグさんの姪っ子の話は聞いたことがあるぜ？」

「さっぱり意味が分からん。良かったら教えてくれ。あ、それと弟は転生者じゃないから」

転生者は俺だ。

まぁそうだろうな、とキースも頷く。

「そうそう転生者なんていないものだ。——タグさんの妹が産んだ娘が転生者だって分かったのは、十歳を過ぎた頃だったらしい。田舎《いなか》で暮らしていて、冒険者ギルドの巡回で判明したそうだ」

「……ほう」

都会に住んでたんだな、その姪っ子さん。田舎っていうのは……いや、ゲイリアスにも来ていたけど、俺が巡回に気づいていないだけだった。

しかし、やはりというか転生者という存在はかなり浸透しているんだな。

冒険者ギルドがずっと啓発活動をしていたのかも。

「そうしたら、妹の旦那が欲に走った。自分の娘だっていうのに、奴隷《どれい》のように金で売ったんだ」

「――――」

「相手は領主で、魔法が使える娘はしばらく経《た》ってから隙を見て逃げ帰ってきた。そのまま、タグさんは母親と一緒に娘を連れて故郷を出たそうだよ。街の冒険者ギルドまで連れて行って引き渡したから母子は保護されたけれど、タグさん自身は帰れなくなった」

なんとなく、領主と父親のその後が分かった気がしたが、キースは予想した通りの答えを口にした。

「……転生者って仲間意識が強いらしいな。ギルド所属の転生者が、領主と父親を報復で殺してしまってさ、それで故郷に戻れなくなったらしい。転生者が生まれた家なら、ギルドから養育費として大金がもらえるのに、父親はなんでそれで満足出来なかったんだろうな……」

そうして、タグさんはこの隊商の一員になったとのことだった。

ラギオンに行った妹から、たまに手紙と金が送られてくるそうだが、タグさんは手紙の方を喜んでいるそうだ。

……いい人だ、タグさん……。

ふと横を見ると、ウォルド王子の浮かべている笑みが少しこわばっているのが分かった。

話に、いろいろと思うところがあったのだろう。

ピンと背すじを伸ばして座っていた背中に、そっと自分の手を当てる。

「……うん」

俺の向けた視線に気づき、少年が体に入っていた力を抜く。

そのまま何か労《いた》わりのような言葉を続けようとした俺の目の前に、何故か先ほどの酔っ払いおばさんがいた。

「お兄さん！」

「――はい？」

「オルちゃんは可愛《かわい》いというか美人さんだし魔法も使えるんだから、転生者に間違われて奴隷にされないように守ってあげなきゃダメよ？」

「ハイ……」

すげぇ酔っ払い理論だな、このおばさん！

だけど言ってることは間違ってない。うちの王子は可愛いし美人さんで、魔法も使える優良物件！

「そこの赤毛からも守ってあげなさいよ？　キースは女の子より男の子が好きなんだから！」

「――ハイ？」

「いや、姐《ねえ》さん。指摘を否定はしませんが、俺にも好みはありまして。少年よりも同年代くらいがいいかなぁ」

「あらやだ、お兄さん。よく見たら男前じゃない。さすがオルちゃんの兄だけあるわ」

あははと赤毛の好青年が笑っていたが、酔っ払いはそんなことは聞いていなかった。がしりと顔を両手で掴まれ、おばさんの顔が近づく。

「――やっぱり。ヒゲを剃りなさい、そのうっとうしいヒゲを！　それだけで印象変わるから！」

ふんっと鼻息荒く断言した酔っ払いは、満足そうに頷き、そのままふらふらと向こうへと去っていった。

……自由だ。

「――どれ？」

あごに指が添えられ、くいっと横を向かされる。

揺れる焚火の火を映して、いっそう鮮やかに見える赤毛の男がすぐ側にいた。

楽しそうに笑いながらこちらを見ていた青い瞳が、何故か見開かれる。

俺の視界が、一瞬で何も見えなくなった。

「――駄目」

背後から手を伸ばしたウォルが、俺の両目を隠して自分の方へと引き寄せる。あごを捉えていたキースの指が離れたのが分かった。

トン、と後頭部が膝立ちをしているらしいウォルの胸元に当たる。

「カリ――兄さんは、私の兄だ。勝手に触れたり、そんな目で見るのは……その、肉親として止めてもらいたい」

「……いや……そのヒゲ」

「兄ほどヒゲが似合っている男はいない。弟の私が断言する。だから兄さん、絶対ヒゲは剃らないで！」

ウォルに目隠しをされ、少年の手のひらの中でパチパチとまばたきしていた俺だが、二人の会話はすぐに終わった。

目隠しから解放され、キースを見る。

赤毛の男は体を丸め、苦しそうに笑いをこらえていた。どうもウォルの台詞《せりふ》がツボにはまって、会話を続けられなくなったらしい。

ヒゲ連呼か。ヒゲ連呼だろうな。

「――明日は早いから。そろそろ下がらせてもらおう、兄さん」

「あ、ああ」

焚火の周囲に残っている面々に就寝の挨拶をし、自分たちのテントに戻る。

その間、ずっとキースは笑いをこらえ続けていた。

笑い上戸なんだろうな……おやすみと声を掛けたら、片手だけ振り返してくれた。

「それじゃあ兄さん。私はどちらの部屋を使えばいいんだろうか？」

テントの中に入り、青蛙の革を見ながらウォルが尋ねてくる。

「どちらでもいいんだけど、今夜は使わないでおこうか。ここで二人並んで寝よう」

「……え？」

「隊商の誰かに、急に中を覗かれるかもしれないから。また今度、テントの入り口に細工を加えておくよ。他の者が中を覗いたら、俺たちが寝ている幻影を見せたりとか、そういう仕組みがあった方がいいと気づいた。だが今夜は間に合わないからこのまま寝るぞ。少し狭いけど、二人並んで横になれる」

「……分かった」

がっかりさせてごめんな、ウォル。

個室のベッドで寝るのを楽しみにしていたのに。

配慮が足りなくてすまん――。


朝起きて出立の支度をしていると、やってきた商人に同じ方角に向かうなら途中まで一緒に行かないかと誘われてしまった。

水魔法の使い手は、何人いてもうれしいものだからな……うちの王子は水以外の属性も使えるけれど。

その王子だが、どうも寝不足らしい。

なかなか寝付かないなーと思いながら、俺の方が先に眠ってしまったので、その後は知らんが。

テントの外が遅くまで賑やかだったから、気になったのかねぇ。

「そうか、反対方向だったか」

がっくりと商人が肩を落とす。

「北へ行くなら気をつけたまえ。北方山脈の麓で戦争が始まっている。だから私たちは南に向かうんだよ。ずっと南のクラシエルも戦争はしているらしいが、あれは南部諸国連合とだからねぇ。私たちの往来には関係ない」

「クラシエル……」

ウォルが小さく呟く。

商人の言葉になるほどと頷きつつ、俺は踏み込んだ。

「そういや、そのクラシエル。戦況はどう動いているかご存《ぞん》じですか？」

「――――」

「まだ戦争自体は続いているが、優勢なんじゃないかね？　物資も売れるし、勝っているからと傭兵がどんどん集まっているらしい。彼らも楽して稼ぎたいだろうからな。冒険者も雇っていなかったっけ、大将！」

広場の向こうにいた、冒険者パーティーのリーダーである盾使いの男が頷く。

リーダーの隣にいたキースが、会話に興味を引かれたのかこちらに近づいてきた。

「……クラシエルの冒険者ギルドも、大々的に人を集めているようです。儲け話に盛り上がってますよ」

「キース、あんたも雇われるつもりか？」

尋ねた俺に、赤毛の男は肩を竦めた。

「明らかに犯罪者の盗賊ならともかく、人間同士ってのはどうにも苦手だ。冒険者ってのは、名も無き民の味方だからな。俺には隊商の護衛や、モンスターを相手にしているのが性に合ってる」

「だが冒険者ギルドというのは、非常事態にはランクの高い者は強制召集されるんじゃなかったかね？」

「あー、旦那。そういう召集はギルド支部ごとに出されるんで、該当国に行かない限り大丈夫なんです」

商人に答えていたキースが、そうだ、と俺の方を見た。

「アロワは冒険者だったたっけ？」

「いや？」

「そうか。冒険者同士なら、ギルド支部に委託して手紙のやりとりが出来るんだけどな……って、弟。いや、手紙だけだぜ？　こう、たまたまどこかで会えるならって……」

「縁があれば再会できるさ」

俺の背後にいるウォルと話しているキースに笑いかける。

一瞬呆けた顔をした赤毛の男が、「なるほど、ヒゲか……」と一人頷きだした。

「——準備は終わったし、そろそろ出よう、兄さん」

テントの半分をくくりつけた、重い荷物を背負った少年が声を掛けてくる。

そうだな、と俺も荷物を背負う。早く隊商から離れて、アイテムボックスに仕舞ってしまおう。

行先は北だと答えたが、正しくはまだ東に進む。

ヘレンナから大きく反時計《とけい》回りに戦争を避けて進んでいる途中だ。いずれ北東から北へと進路を変更し、現在目指している座標は『03：05』。

そこにあるのは、中央国家群の北半分を東西に分ける印である巨大な峰『竜の顎《あぎと》』。

高く鋭い山肌にそびえたつ砦城『シリン』と、城下街『アルシリン』が裾野《すその》に広がる地理上の要衝――。

手を振って隊商の人々に別れを告げ、俺とウォルは休憩所を出て歩き始めた。

強制イベントはじまる

季節は初夏になった。

俺とウォルは、一応順調に東の方角に向かって旅を続けている。

この中央国家群エリアは、MMORPG《ゴールデン・ドーン》ではゲームの序盤。

なので特定の場所以外に出てくるモンスターはそれほど強くない。

はっきり言って警戒しなくてはいけないのは、敵方の転生者と彼らが所属する冒険者ギルドだけだ。

ギルド支部のある規模の大きな街は指名手配や待ち伏せの危険が高いが、広いフィールドで遭遇する可能性は低いだろう。

なので人里には極力寄らず、旅を進めるようにしていた。

あってよかったアイテムボックス。溜めててよかったアイテムの数々。

補給の必要がないって素晴らしい。

街道を横目で見ながら、森の中へと分け入り山越えルートを選択する。

木々の生い茂る森の中ではジャンプが使えない。あまり足を踏み入れたくはないのだが、転生者同士なら条件は同じだ。

つまり、敵に遭う危険は少ない。

巨木の立ち並ぶ森は、太い根が壁のような存在感で地を這《は》っていた。

風を防ぐのにちょうど良いと、その根の間を利用して一夜を明かすことにする。

テントの出番は本日はお休み。

あれ、実は入れ子のスペース分も設置場所が必要なため、広い平地がないと展開出来なかったりする。

見た目はテント一つ分の大きさで、中の部屋は謎空間になっているんだがなぁ。

この転生後の世界の理《ことわり》は、前世のゲームに準じているから、テントの仕様もそうなってしまっているんだろう。

つまり見た目に反して、設置にはテント三つ分のスペースが必要。

森の中にそんな広いスペースはなかった。

まぁ、たまには懐かしの野宿もいいものだろう。

うっそうと木々が生い茂った森の中では、日が暮れて暗くなるのが早い。今日は月がないせいか、更に暗くなるのが早かった。


食事は既に終えた。長い夜の手慰みに、焚火を前にした生産職の俺は、アイテムボックスから取り出した材料で弓を作る。

隣に座ったウォルは、毎日のノルマである光玉へのMP注入をしていた。

光玉の数は増やしている。少年のMP最大量は、順調に増えているようだ。宝冠をちょっと外して〝鑑定〟させてもらったんだが、無事Bランクに成長していた。

NPCはランク上限であるBを極めたら、ランクアップアイテムを使って〝ジャンプ〟が使用可能になる。

少年にはぜひとも引き続き精進していただきたい。極めるにはまだ先が長いぞ。

ちなみに何故『極めたら』と注釈がつくかというと、普通のBランクではジャンプを発動するためのMPが足りないからです。だいたいギリギリ一回分。ランクAで使用可能になるスキルだから仕方ない。

連続ジャンプはＭＰをドーピングしつつ行うことになるだろう。

ドーピングするための装備作製は任せとけ！

「カリヤ。新しい玉を渡してもらえるか？」

いっぱいになった、と左手首に結んでいた鎖を外し、ウォルがほんのり光る玉を渡してくる。

差し出した手のひらに受け取ったそれを、そのまま掴む仕草でアイテムボックスへと仕舞う。

もう一度握った手を開きながら、ボックス内にある空の光玉を出現させた。

ありがとうと微笑《ほほえ》みながら受け取ろうとする、少年の指先にふと意識を捕らわれる。

――ガラスの器に入れた小さな光玉をつまんでいた、少女のようにたおやかだった白い指先を覚えている。

俺に伸ばされているのは、土の汚れが薄くついた、小さな傷跡が無数に残る手だった。

深窓の姫君として違和感のなかった、手入れの行き届いていた絹のように滑らかな肌は見る影もない。

タキリンを出てから、そろそろ五か月が過ぎようとしている。

豆がいくつも潰れて厚くなった手のひら。

白さは残しているが日に焼けた皮ふの下に、しなやかな筋肉があるのが見て取れる。

指先だけでなく、少年の体格そのものも変化していた。身長も伸びた。

あたりまえだ、タキリン城砦を脱出後、ひたすら彼を鍛えている。

彼は魔法系戦闘職の血筋だが、物理系戦闘職の技能も磨いた。魔法使いでも体力をつけるべきってのが、俺の持論だ。

「……カリヤ？」

凝視している俺の視線に気づいたウォルが、首を傾《かし》げた。

うーむ、相変わらず可愛《かわい》いんだが、凜々しさの比重が高くなりつつある。

成長期ってすごいな。

美少年というより、美青年と呼んだ方がいい感じに大人びてきている気が。

長かった髪を切ってしまったから、もう彼を少女と間違う者はいないだろう。たとえ泥まみれになっても気品は消えないし。すげぇわ、王族って。

ウォルド王子が美しく微笑む。

月のない夜の闇《やみ》の中で、赤い焚火をエメラルドの瞳が反射している。

「いや――」

その時だった。

エメラルドの瞳に映っていた焚火の光が、風もないのにすっと消えた。

森から音も消えていた。

巨木の梢《こずえ》を揺らす風も、動物の気配も消えていた。

火が消えて暗闇になるかと思われた森の中は、うすぼんやりとした白い光が満ちている。

違う、霧だ。

白い霧が、彼方からすべての音を消して近づきつつある――。

ウォルが傍らに置いていた自分のリュックを俺の方に押し出し、剣を手に取って鞘から抜き放った。

戦うためじゃない。あくまでジャンプ準備が整うまでの牽制、時間稼ぎだ。

基本的に俺たちは逃げる。

目的は祖国への帰還だ。けっして戦って勝利することじゃない。

まだ転生者たちの襲撃はないが、モンスターに襲われた場合も無理なんてせず即座に逃げている。

だからウォルは俺にしがみついてくれるだけでもいいんだけど、牽制してくれるのは正直ありがたい。

……ん？

ウォルのかまえた剣の刃が、青白い光を放っていた。

非金属系生産職の俺だが、デメリットを受けることなく扱える金属が二種類存在している。

銀と、神聖銀と呼ばれるミスリルだ。

少年はタキリン脱出時に自分の剣を失くしているので、俺が軍から支給された鉄剣をミスリルで補強して渡していた。

そのミスリルが青く輝いている。

「死霊がいるのか」

神聖銀《ミスリル》が青い光を放つのは、冥界の住人を感知した時だ。

「カリヤ、霧に囲まれた。異界——冥界と繋がったのか？」

俺は、自分たちの周囲に設置していた守護結界に視線をやった。

結界は有効だと教えてくれる、稼働時の光が消えている。

守護結界がなんらかの力で無効化されている。

ジャンプで逃げよう。

そう、即座に判断した。夜だから、森の中だからとためらっている場合じゃない。


荷物をすべてアイテムボックスの中に放り込み、周囲を警戒しているウォルの腕を掴む。

そうして〝ジャンプ〟を発動しようとした時、頭の中に謎の声が聞こえた。

イベントをキャンセルすることになるが、かまわないか——と。

「——強制イベントか！」

「カリヤ!?」

謎の声は、ＭＭＯＲＰＧ《ゴールデン・ドーン》のメッセージだ。

前世のゲーム設定そのままのこの世界の、天の声。ゲームサポートの残滓《ざんし》。

薄かった霧が濃くなっていく。

考えろ。

霧は異界に通じている。

この状況を〝イベント〟だと言われた。

俺が自分で選択して、起こした訳じゃない。いつの間にか起きる要因が揃っていて、強制的に起こったイベントだ。

白い霧。

転移してしまったら終了するイベント。

場所はおそらく関係ない。ゲーム序盤である中央国家群内の、名前もないありふれた巨木の森だ。

季節か？ 初夏。梅雨《つゆ》。重なりつつあるのは冥界。

遭遇するのは死霊だ。

死霊を倒せるのは、聖別された武器か神聖魔法だけだったから、非金属系で生産職だった前世の俺が経験したことのあるイベントじゃない。

「どうかしたのか、カリヤ？」

腕を握ったままだったウォルが、心配そうに俺を見つめる。

その時分かった。

これは俺のイベントじゃない。

彼のイベントだ。

《ゴールデン・ドーン》には、ＮＰＣをキーとして起こるイベントが存在した。

今遭遇しているイベントは、そのうちの一つ。

出現する季節は初夏。『夏至前後の、新月の夜』。

街や村の中ではなく『他には誰《だれ》もいない自然の中』で、『一年以内に家族や恋人など近しい者を亡くしたＮＰＣ』の身に起きる、特殊イベント。

白い霧の中から現れる死霊が、ＮＰＣに近しかった死者の姿や声を借りて、異界へと連れ去っていく。

それを阻止するイベントだった。

ジャンプを試みようとして、警告があったはずだ。

ＮＰＣのイベントだから、当事者は連れて行けない。俺だけが脱出することになる。

そして、置き去りにして見捨てる形になったＮＰＣは、死霊によって冥界へと連れて行かれる――。

『死者の行進』


そのイベントは『死者の行進』と呼ばれていた。

冥界から現れる死霊の群れから、対象となるNPCを一晩守り抜くだけの内容。

発生する条件の厳しさからそう遭遇することはないが、対策は既に立てられ、簡単なイベントのはずだった——前世では。

そして途中で面倒になったら、ログアウトなりジャンプで離脱なりして、キャンセルすることが可能だった。

イベントは失敗扱いとなり、NPCは連れ去られてしまうけれど。

それでもプレイヤーにペナルティは与えられず、〝ゲームからNPCが一人いなくなるだけ〟で終わっていた。

今、ゲームが現実となったこの世界では、ウォルが連れて行かれる。


彼は、一年以内に父と兄を亡くしている——。

「——少年、剣を鞘に戻して俺に渡せ！　他の武装も！」

アイテムボックスの中から、銀糸が織り込まれたマントを取り出す。

これを作った頃《ころ》、ド貧民だった俺は金なんて持っていなかった。材料を購入出来ず、慣れない手つきで〝採掘〟をして自力で集めた銀の分量じゃ、作りたいものすべてを作るには足りなくて、織った破魔の布はこれ一枚だ。

戸惑いつつも言う通りにし、鞘に納めた剣と腰のナイフを差し出すウォル。

受け取ってアイテムボックスに放り込み、広げたマントを地面に敷く。

「カリヤ、何が起ころうとしている？」

「聞いたことはあるか？　『死者の行進』に出くわした。冥界の死霊が霧に紛れてやってくるぞ！」

イベントは異界の伝承として伝わっていたのだろ

う。ウォルが緑の瞳を大きく見開く。

「知っているようだな。死霊はウォ——あなたを冥界に連れて行こうと企《たくら》んでいる。残念だが、俺にはやつらと一晩中戦って撃退する腕はないし、聖別された武器も持っていない。浄化の呪文《じゅもん》も知らない。銀糸のマントを被っていれば、やつらには俺たちの姿が見えない。そうやって一晩やり過ごす」

「わ、かった」

「あなたには宝冠の加護がある。精神干渉は効かないはずだが、尋ねられても自分の名前は教えないでくれ。名前を知られれば、魂が連れて行かれる」

今からマントに二人でくるまって、全身を包み込んで隠す。

銀糸で織っているから、隠れていれば死霊は手出し出来ないはずだ。

「そのままこの場で、夜明けまで潜んでやり過ごす」

もう逃げられないのだと告げると、蒼白《そうはく》になったウォルが頷いた。

「すまない、家族を失っている私がカリヤを巻き込んだのか。あ、名前……」

「俺は気にするな。肉親が死んだのはもうかなり昔だ。——近づいてきたみたいだな。呼びかけに錯乱して、出ていかないように拘束させてもらうぞ」

濃くなっていく白い霧の向こうに、幾つもの気配を感じるようになっていた。ざわざわと、声なき声が途切れがちに聞こえてくる。

それは生者を求めて嘆く悪霊のささやきだった。

「さあ、ここへ！」

王子の体を敷いたマントの上に横たえる。

上から覆いかぶさるように自分の体を重ねて、俺は残りの布地を繰ると全身を隠すように巻きつけて身を伏せた。

息が出来るようにと、銀の筒を何本か外へ突き出すようにしてマントを巻いた。

おかげで息苦しさは感じない。

体を少し横にずらし、互いに地面に横たわった姿勢でウォルの体を抱きしめる。顔を突き合わせていると呼吸がしづらいので、彼の吐息が俺の肩辺りにかかるように位置を調節した。

「苦しくないか？　少年」

「――しゃべってもいいのか？」

「ああ、会話は大丈夫。やつらの目には見えなくなっているけれど、こっちの気配は既に捉えられている。これから一晩中、やつらはあなたが自分から姿を現すように仕向けてくるはずだ。だから、マントの中から出ていかないように俺がこうやって拘束しておく。足も絡ませるけど、痛かったら教えてくれ」

頷いた肩口の頭に、片足を上げて彼の体を跨《また》いだ。

宝冠があるから錯乱はしないとは思うが、念を入れて攻撃されないように武器を外させた。

マントの中から出ていこうという素振りを見せたら、すぐに体を起こして押さえつけて止めないと。

布の向こうで、近づいてきた何体もの死霊が、すすり泣きながら移動しているのが聞こえてくる。

誰かの名を呼びながら探しているようだけれど、はっきりとした言葉にはなっていない。

やつらは死者そのものじゃない。

ただ生者を連れて行きたくて、生者がもう一度会いたいと思っている、最近亡くした知り合いの記憶を利用する。

記憶を読んで、その声を使って自分たちの元に呼ぼうとする。

「……大丈夫、銀の布を被っていればやつらは手出し出来ない」

顔を伏せ、額を王子の頭に押し当てる。

少年が身じろぎ、そっと彼の手が俺の背中へと回された。

クロエ平原で敗北して半年近く――。

まだ夜中になると彼がうなされるのを、俺は知っている。

もう半年じゃない。まだ半年だ。

『――そこにいるのは息子ではないか？』

びくり、とウォルの体が震えた。

冷たい気配が立ち止まったのが分かった。

しゃがみこみ、間近で聞こえる先ほどよりも若い声。

『おお、たしかに。弟がおるようですぞ、父上』

腕の中で体の震えが大きくなる。

俺も聞き覚えがある声だった。一度だけ、ナダルに連れられて挨拶をしに行った。

「……父上……兄上……」

聞くな、と怒鳴ろうとした。

だが俺の声は響かなかった。

白い霧の中で、なんらかの妨害が働いていた。ウォルを抱いていた手が動かない。拘束はしているが、彼が抵抗すればあっけなく解けてしまうだろう。

『やはりか。息子よ、我らと共に向かおうぞ』

『弟よ、父上が誘っておられる。――おいで――』

「……愛《いと》しき父上、兄上。私が息子であり弟であるというのなら、どうぞ我が名をお答えください……」

それは、イベントのクリア条件の一つ。

伝承として伝わっている撃退法だった。

異界から現れる死霊は、獲物の名前を知らない。

こちらから教えない限り、鍵となる名前を使って操れない。

そして名前を知らないのだから、本当は肉親ではないのだと教えてしまうことになる。

声を震わせながら、ウォルが尋ねる。

「どうぞ我が名をお答えください、父上、兄上」

『……あぁ、うらめしいぃ……』

『……おのれぇぇぇ……』

怨嗟《えんさ》の台詞《せりふ》を呟きながら、死霊の気配が離れた。

嘆きの声が遠くなっていき、他のささやきに紛れて聞こえなくなった。

湖にしずかに打ち寄せる波のように、死霊のささやきは遠く近く聞こえ、薄い気配はなくならない。

それでも、脅威は去ったのだと分かった。

ウォルは正しい答えを出して、イベントをクリアした。

後は朝まで、このまま身を隠していればすべてが終わるのだろう。

俺の首すじに、少年がゆっくりと顔を埋《うず》めた。

「――やはり、二人は死んでいるのだな」

生きていると思いたかった。

震える声で絞りだされた言葉に、俺は目を閉じる。なきがらを見た訳じゃない。

王国碑も、その目で確かめた訳じゃない。

別れの言葉もなかった。だからもしかして、と、本当に低い可能性だけど、彼は家族の死を信じなかったのだろうか。いや、分かっていただろう。

二人は死んでいる。

それを、死者の姿と声しか使えない死霊が証明しただけだ。

金縛りに遭ったように動かなくなっていた俺の体が動くようになっていた。

だから少年を強く抱きしめた。

喉の奥を震わせながら泣くのを耐えていた王子が、俺の肩にきつく顔を押し当てて、声を上げて泣き始める。

ごめん。

ちゃんと君に涙を流させるべきだった。家族の死を、心から悼《いた》ませるべきだった――。

長かった夜があけて、巨木の森に風と陽《ひ》の光が戻ってくるまで、俺は腕の中で泣き続ける少年を抱きしめていた。

そして俺は、その台詞を聞くことになる。

「――――カリヤが好きだ」

つづく

掌編　タリスの悲劇

それはまさに、青天《せいてん》の霹靂《へきれき》ともいうべき知らせだった。

ティシア王国東部の要衝であるタリスで起きた、転生者の少女の自死。

後に〝タリスの悲劇〟として知られることになる事件の、終わりの始まり。

名も知らぬ彼女の死を聞き、遠いラギオン帝国の地にいたティシア王は、呆然《ぼうぜん》と手にしていたティーカップを取り落とした。

中身をこぼしながら落ちたカップが、甲高い音を立てて砕け散る。

半年にも及ぶ外遊であり、留守を任せた王弟からの知らせは届いていた。再婚を考えている、気に入った少女がいるのだと。

第四王子の留学に合わせて行われている親善訪問を終えれば、彼に馴《な》れ初《そ》めなどを聞く予定だった。

ティシア王家は慶事に喜んでいたのだ。

先王を友としていた老師が亡き今、転生者たちとまた深く親しい関係を結べればと。

《ゴールデン・ドーン》と呼ばれるこの世界とは異なる、日本という名の異世界で前世を過ごした転生者たちは、仲間意識が強い。

そして仲間の女を守る。

女が尊厳を奪われ、害された場合。冒険者ギルドと呼ばれる組織を設立した彼らは一丸となり、すさまじい報復を行う。

それは過去、中央国家群に存在していたユリアナ帝国の滅亡が教えていた。

幾何学模様を描くタイル張りの床に、カップのかけらが散る。

先に混乱から立ち直ったのは、親善訪問中の国王に随行していたナダルだった。

短期滞在のためにと借り上げた高台の邸宅の、美しい庭と風景を眺めながら休息を取っていた。先ほどまで浮かべていた穏やかな表情をこわばらせ、動かなくなった王のもとに近づき、肩に手をかけて揺さぶる。

「陛下、陛下」

呆然自失《ぼうぜんじしつ》している彼に、ナダルは眉《まゆ》をしかめる。

気持ちは分かる。これから転生者の怒りがティシアを襲うのだ。だが、王たる彼が道を示さないと、周囲は動けない。

「――アロイス！　しっかりしろ！」

老師のもとで剣を学んだ兄弟子であり、親しい友でもある王は、ナダルの叱責にはっと我を取り戻した。

ナダルと視線を合わせて頷《うなず》き、王は知らせを読み上げた騎士に向き直った。

「確かなのだな。では……」

一行が滞在していたサラウィト地方に、帝都アルラギオン経由で水晶球により伝えられた一報。

ティシアから送られてきた報告について、騎士が現時点での詳しい説明を始める。その間にも、邸宅に設置した簡易水晶球からもたらされた情報が随時、庭園へと運ばれてくる。

ナダルは庭から眺めていた光景へと視線を向けた。

高台から一望できる、巨大な湖。周囲を砂漠に囲まれたオアシスの上空には灰色の雲が湧《わ》き、大瀑布《ばくふ》と呼ばれる雨が途切れることなく降り注いでいる。

滝つぼに落ちる水のように、本来なら会話も聞こえないほどの轟音《ごうおん》が響いているはずだ。だが大湖には遮音の結界が張り巡らされ、音が軽減されている。借り上げたこの邸宅にも結界が張られているので、外の騒音はまったく聞こえない。

結界は外部からの音だけではなく、内部の声も拾えなくしていた。だが、念のためにも王を建物の中へと誘導した方がいいだろう。

そう考えて動こうとしたナダルは、邸宅内で控えているはずの自分の副官がやってくるのを認めた。

「グウィン、どうした」

「ナダル様。サラウィトとアルラギオンを繋《つな》げる転移ポータルが使えなくなっています」

声を潜めて告げる乳兄弟の副官に、ナダルは眠そうだとよく揶揄《やゆ》される目を見開いた。

「――それは技術的な問題でか？　それとも、ティシア人だけが使用を拒否されているのか？」

「完全な封鎖です。ですが理由は示されていません。転移システムの管理は冒険者ギルドが行っており、その指示に従っているようです」

「狙《ねら》いはティシアだな」

吐き捨てたナダルは、王に視線を向けつつ副官に尋ねる。

「この邸宅の周囲に兵の姿は？」

「まだ集めている段階です。半日後には包囲されるかと」

「転移ポータルでの移動は無理だろう。だが大湖からアルラギオンへ向かうだけなら運河が使える。サラウィト脱出のために、快速船をすぐにも手配しろ。このまま身動きが取れなくなる前に動く」

「かしこまりました。ティシアではなく、剣聖の名前を使ってよろしいですか」

「そうだな。冒険者ギルドからの妨害はなくなるだろう。使え」

〝剣聖ナダル〟。

その名の価値を、ナダルは知っている。

物理系戦闘職を志す転生者のランクアップには、コートレイ一族の成人の儀に参加する必要がある。コートレイが拒絶すれば、彼らのランクアップの道が断たれる。

私利私欲のためにその名を使うつもりはないが、ナダルはティシアを祖国とし、ティシア王家に仕える者だ。

利用するのにためらいはなかった。

「ちょうど供の中に、王家付きの水魔法使いであるロウワードがいる。彼なら水上であれば、妨害を排して追手を振り切れるだろう」

「了解しました。では、すぐにも撤収準備を始めます」

いつの間にか側に控えていた、護衛隊長が一礼した。

副官が入れ替わるように姿を消す。命じた快速船の手配に向かったのだろう。

「時間はかかるが運河を使いアルラギオンに向かおう。まずは別行動中の王妃殿下たちと合流する。あちらは――」

「王妃殿下、王太子殿下はティシア大使館に避難しています。エリナー殿下はすでに学園寮に」

護衛隊長の報告は、別れて行動していた彼らの、一応の身の安全を保障するものだった。

大使館内なら治外法権がある。踏み込まれての拘束はないだろう。

第四王子の留学先である緑弓学園には、俗世の干渉を許さない学び舎としての自治権がある。人質としての意味合いを持つ留学だったが、皮肉にも学園の存在が第四王子の身柄を守っていた。

「ティシアから同行していた転生者たちは？」

「少女の一報後、姿を消したそうです。自死した少女は、サキタの婚約者でした」

「――」

ぎり、とナダルは奥歯を噛《か》む。

SSランク物理系戦闘職であるサキタは、あまり社交的ではない男だった。

転生者のコミュニティである冒険者ギルド内では責任のある地位に就いて活動していたようだが、それ以外の場では積極的に動かない。

ティシア王宮を訪れることも滅多になかった。

このラギオン帝国への親善訪問で、冒険者ギルドからの同行メンバーに彼が選ばれた際に、婚約者を連れていきたいと希望していたのを覚えている。

婚約者の少女はEランクだと聞いた。

さすがに国家間の外交には格が足りないので同行

出来ないと断り、正論にサキタは引き下がったはずだった。結局、彼の婚約者とナダルは顔を合わせもしなかった。

その少女が何故《なぜ》、婚約者不在の間にタリス城の塔の上から身を投げることになったのか。

「……冒険者ギルドの報復は、苛烈《かれつ》なものになるだろうな」

「少女は王弟の子を身ごもっていたのでしたか。王国碑に名を刻んだと」

「我々がラギオンにいる間に、ティシアで何が起こったんだ――?」

サラウィトに持ち込んだ簡易水晶球頼りの報告では、限界がある。

くすぶる疑問を抱えたまま、ナダルは王の元へと向かう。

おそらく、兵を動かされる前に脱出しないと軟禁されて身動きが取れなくなる。その後の一切の情報も遮断されるだろう。

ラギオン帝国の傀儡《かいらい》である冒険者ギルドは、帝国内では絶大な権力を有している。

身柄を押さえられる前にここを出て、帝都アルラギオンにいる王妃一行と合流しないと。

近づいてきたナダルに、ティシア王が血の気が失《う》せた顔を向ける。騎士からもたらされる報告が、それほど絶望的なものなのだろう。

友に向かって、ナダルは告げた。

「アロイス。提案がある――」

転移ポータルを使えば半日もかからないアルラギオンへの移動も、快速船では十日かかる。

携帯できる簡易水晶球から切れ切れにもたらされる報告を、ティシア王とナダルは船室から動かずに聞き続けた。

どこまでも広がる砂漠に突如出現する、長大なアルラギオン外街壁の全容を、つぶさに確認できる距離まで近づいた時だった。

その報告がもたらされたのは。

タリスに星の雨が降った――。

高ランク転生者たちによる、タリス城へのSSSランク級魔法攻撃。天より次々に墜《お》ちた星の雨。

事件への対策を話し合うために、王弟のもとに集まっていた王族と関係者すべてが巻き込まれた。城下の街に被害は及ばなかったが、城自体は原型を留めぬほどに破壊された。

ティシア王族で存命なのは、タリスに赴かなかった王太后、第一王子、第一王女、第三王子のみ。

それ以外の王族が、王族に付き従う家臣が、警護の兵が、タリス城で働く下男下女に至るまで、すべて。

――皆殺しにされたと。

遠い異国の地で、結局何も動けず、ナダルはティシア王と共にその報を受け取った。

Ruby collection

ゲームの世界《せかい》に転生《てんせい》した俺《おれ》が○○になるまで 1

2023年3月31日　初版発行
2023年4月25日　再版発行

著者　藤原チワ子

発行者　山下直久

発行　株式会社KADOKAWA
〒102-8177
東京都千代田区富士見2-13-3
電話：0570-002-301（ナビダイヤル）
https://www.kadokawa.co.jp/

印刷所　株式会社暁印刷

製本所　本間製本株式会社

デザインフォーマット　内川たくや（UCHIKAWADESIGN Inc.）

イラスト　しまエナガ

初出：本作品は「ムーンライトノベルズ」（https://mnlt.syosetu.com/）
掲載の作品を加筆修正したものです。

ISBN：978-4-04-113717-8　C0093　Printed in Japan